KB142292

마음

마음

나쓰메 소세키 지음 | 김활란 옮김

더클래식

선생님과 나

1

나는 그분을 늘 선생님이라고 불렀다. 그러니까 여기에도 그냥 선생님이라고 쓰고 본명은 밝히지 않겠다. 이는 세상 사람들의 시선을 의식해서라기보다 그러는 편이 내게 더 자연스럽기 때문이다.

그분에 대한 기억을 떠올릴 때마다 나는 자연스럽게 '선생님'이라고 부르게 된다. 펜을 들어도 마찬가지 기분이다. 거리감이 느껴지는 이름 따위는 도저히 쓰고 싶지 않다.

내가 선생님을 알게 된 건 가마쿠라에서였다. 그때 나는 젊디젊은 학생이었다. 여름 방학을 이용해 해수욕장으로 놀러 간 친구에게서 꼭 내려오라는 엽서를 받고는 얼마간의 돈을 마련해 가야겠다고 결심했다. 돈을 마련하는 데는 이삼일이 걸렸다. 그런데 내가 가마쿠라에 도착한 지 사흘도 지나지 않아 나를 불러

들인 친구는 갑자기 고향으로 돌아오라는 전보를 받았다. 전보에는 어머니가 편찮으시다고 쓰여 있었지만 친구는 그 내용을 믿지 않았다. 그의 부모님은 전부터 그가 썩 내키지 않는 결혼을 강요하고 있었기 때문이다. 그는 현대의 습관으로 보아선 결혼하기엔 아직 나이가 너무 어렸다. 게다가 부모님이 결혼하라는 여자도 그의 마음에 들지 않았다. 그래서 그는 여름 방학임에도 고향에 돌아가지 않고 도쿄 근처에서 놀고 있었던 것이다. 그는 전보를 내게 보여 주며 어떻게 하면 좋을지 물었다. 하지만 나도 어떻게 해야 할지 알 수 없었다. 만약 그의 어머니가 정말 편찮으시다면 그는 마땅히 돌아가야 했다. 결국 그는 고향으로 돌아갔고 모처럼 놀러 온 나는 혼자 남았다.

학교 수업이 시작되기까지는 날짜가 아직 많이 남아 있었기에 가마쿠라에서 머물든 돌아가든 상관없는 나는 당분간 잡아 둔 여관에 머물기로 했다. 친구는 주고쿠 지방에 사는 자산가의 아들로, 경제적으로는 전혀 부족함이 없었지만 학교 분위기도 그렇고 나이도 어렸기 때문에 생활 수준은 나와 크게 다르지 않았다. 그래서 혼자 남겨진 나는 굳이 다른 여관을 찾을 필요가 없었다.

여관은 가마쿠라 외곽에 있었기 때문에 당구를 치거나 아이스크림을 먹으려면 논길을 따라 많이 걸어야 했다. 차로 가는 데만도 20전은 들었다. 하지만 여기저기 개인 별장이 들어서 있었고, 바다와 가까워 해수욕을 즐기기에는 상당히 편리한 위치였다.

나는 매일 바다로 수영을 하러 나갔다. 낡은 초가집 사이를 지나 해변의 모래사장으로 내려가면, 근처에 이렇게나 도시 사람들이 살고 있나 하는 생각이 들 만큼 피서를 온 사람들이 많았다. 어느 때는 바닷속이 공중목욕탕처럼 온통 검은 머리로 북적일 때도 있었다. 그 많은 사람 중 내가 아는 사람은 단 한 명도 없었지만, 그런 시끌벅적한 풍경에 둘러싸인 채 모래 위에 엎드려 있거나 파도가 무릎에 닿는 것을 느끼며 주변을 뛰어다니는 일은 매우 유쾌했다.

나는 이 혼잡함 속에서 선생님을 발견했다. 당시 해변에는 간이 찻집이 두 군데 있었는데, 나는 특별한 이유 없이 그중 한 집을 골라 자주 드나들었다. 하세 해변에 큰 별장을 가진 사람들과 달리 전용 탈의실이 없는 대부분의 피서객들에게는 반드시 이런 공동 탈의실 역할을 해 주는 곳이 필요했다. 사람들은 이곳에서 차를 마시거나 휴식을 취할 뿐만 아니라 수영복을 빨아 달라고 부탁하거나 소금기 묻은 몸을 씻기도 하고, 모자나 양산 같은 소지품을 맡기기도 했다. 소지품은 도난당할 염려가 있었기 때문에 수영복이 없는 나도 바다에 들어갈 때마다 그 간이 찻집에 들러 옷을 맡겼다.

2

내가 간이 찻집에서 선생님을 봤을 때는 선생님이 마침 옷을 벗고 바다로 들어가려던 참이었다. 나는 그때 선생님과 반대로 물에서 막 나와 젖은 몸을 바람에 말리고 있었다. 선생님과 나 사이에는 시야를 가릴 정도로 많은 검은 머리가 움직이고 있었다. 특별한 이유가 없는 한 선생님을 보지 못할 수도 있었다. 그만큼 해변가가 북적인 데다 머릿속이 상당히 산만했음에도 선생님이 내 눈에 띈 것은 그가 어떤 서양인과 함께 있었기 때문이다.

서양인의 피부는 유난히 하얘서 찻집으로 들어오는 순간 금세 나의 시선을 끌었다. 일본 유카타(浴衣, 목욕 후나 여름철에 평상복으로 입는 무명 홑옷_옮긴이)를 입고 있던 그는 옷을 접의자 위에 훌렁 벗어 놓은 채 팔짱을 끼고는 바다를 보며 서 있었다. 그는 우리가 입는 팬티 한 장 외에는 몸에 아무것도 걸치지 않았다. 내 눈에는 그 모습이 이상해 보였다. 나는 이틀 전 유이가 해변에서 모래사장 위에 쭈그리고 앉아 서양인들이 물속에 들어가는 모습을 오랫동안 지켜보았다. 내가 앉아 있던 곳은 약간 높은 언덕인 데다 바로 옆이 호텔 뒷문이라 많은 남자들이 해수욕을 하러 나오는 모습을 지켜보았지만 배나 팔, 허벅지를 드러낸 사람은 없었다. 더구나 여자들은 대부분 몸을 가리고 나왔다. 머리에는 고무로 만든 수영모를 쓰고 있어서 적갈색이나 감색, 남색 머리가 파도 사이로 둥둥 떠다녔다. 바로 얼마 전 그런 모습을 지켜봐서인지 팬티 하나만 걸치고 서 있는 서양인이 내 눈에는 마냥 신기해 보였다.

얼마 후 서양인이 자기 옆을 보더니 그곳에 쭈그리고 앉아 있는 일본인에게 한두 마디 건넸다. 그 일본인은 모래 위에 떨어진 수건을 주우려던 참이었는데, 수건을 줍자마자 머리에 싸매고는 서양인과 함께 바다 쪽으로 걸어가기 시작했다. 그 일본인이 바로 선생님이었다.

나는 순전히 호기심에 해변을 향해 나란히 걸어가는 두 사람을 지켜보았다. 그들은 곧바로 파도 속으로 발을 집어넣었다. 얕은 곳에서 와자지껄 떠들며 첨벙거리는 많은 사람들 사이로 빠져나간 두 사람은 비교적 넓은 곳에 도착하자 본격적으로 헤엄치기 시작했다. 그들은 바다 한가운데를 향해 계속 헤엄쳤다. 그러더니 방향을 바꾸어 일직선으로 헤엄쳐서 해변으로 돌아왔다. 두 사람은 다시 간이 찻집으로 와서 우물물로 씻지도 않고 금세 몸을 닦더니 옷을 주워 입고는 어디론가 가 버렸다.

그들이 돌아간 뒤 접의자에 앉아 담배 한 개비를 물고 멍하니 앉아 선생님에 대해 생각했다. 분명히 어디선가 본 적이 있는데, 아무리 생각해도 언제 어디서 만났는지 기억나지 않았다.

그때 나는 걱정거리가 너무 없어서, 편하기보다는 무료해서 못 견딜 지경이었다. 그래서 나는 다음 날 선생님을 본 시간에 맞춰 일부러 간이 찻집에 갔다. 그런데 서양인은 오지 않고 선생님 혼자 밀짚모자를 쓰고 나타났다. 선생님은 안경을 벗어 탁자 위에 올려놓고는 수건으로 머리를 싸맨 후 해변을 향해 빠른 걸음으로 내려갔다. 선생님이 어제처럼 붐비는 인파 속을 뚫고 혼자 헤엄치는 모습을 본 나는 갑자기 뒤쫓아 가고 싶었다. 물을 머리 위까지 튀기며 얕은 물속을 지나 꽤 깊은 곳까지 걸어간 후에 거기서부터는 선생님을 목표로 팔을 크게 저으며 헤엄치기 시작했다. 그런데 선생님은 어제와 달리 활로 커브를 그리며 묘한 방향에서 해변을 향해 돌아가기 시작했다. 그래서 결국 나는 목적을 이루지 못했다. 내가 바다에서 나와 물방울이 뚝뚝 떨어지는 손을 털면서 간이 찻집으로 들어섰을 때 이미 옷을 다 갈아입은 선생님은 밖으로 나갔다.

3

나는 다음 날에도 같은 시간에 해변으로 나가 선생님을 지켜보았다. 그다음 날에도 같은 일을 반복했다. 그런데도 말을 걸 기회도 인사를 나눌 기회도 선생님과 나 사이엔 일어나지 않았다. 게다가 선생님의 태도는 상당히 비사교적이었다. 똑같은 시간에 초연히 나타나서는 또다시 그렇게 사라졌다. 주위가 아무리 시끌벅적해도 전혀 신경 쓰지 않았다. 처음에 같이 온 서양인은 그 후 모습을 볼 수 없었다. 선생님은 항상 혼자였다.

그러던 어느 날, 선생님이 늘 하던 대로 재빨리 바다에서 나와 같은 장소에 벗어 놓은 옷을 입으려는데 어찌 된 일인지 유카타에 모래가 잔뜩 묻어 있었다. 선생님은 모래를 털어 내려고 뒤로 돌아 유카타를 두세 번 털었다. 그러자 옷 밑에 놓여 있던 안경이 탁자 틈새로 떨어졌다. 선생님은 흰 바탕에 검은 무늬가 살짝 그려진 유카타 위에 오비(일본 전통 옷을 입을 때 허리에 두르는 띠_옮긴이)를 맨 다음에야 안경이 없어진 것을 알아챘는지 갑자기 주변을 살피기 시작했다. 나는 얼른 의자 밑으로 손을 집어넣어 안경을 주운 다음 선생님에게 건넸다. 선생님은 고맙다며 안경을 받았다.

다음 날, 나는 선생님을 따라 바닷속에 들어갔다. 그리고 선생님과 같은 방향으로 헤엄쳤다. 200미터 정도 바다로 나가자 선생님은 뒤를 돌아보며 내게 말을 건넸다. 주변에는 아무도 없었다. 넓고 푸른 바다 위에 떠 있는 사람은 두 사람뿐이었다. 강렬한 태양 빛이 눈에 보이는 모든 물과 산을 비추었다. 나는 자유를 만끽하며 바닷속에서 미친 듯이 춤추었다. 선생님은 갑자기 움직임을 멈추더니 하늘을 향한 채 물결에 몸을 맡겼다. 나도 선생님을 따라 했다. 파란 하늘이 태양 빛으로 반짝거렸다. 나는 "기분이 좋네요."라며 큰 소리로 외쳤다.

잠시 후 바닷속에서 일어나듯 자세를 바꾼 선생님은 "그만 돌아가지 않겠나?"라고 말했다. 체력이 강한 편인 나는 물속에서 좀 더 놀고 싶었지만 "네, 그러시죠."라고 대답했다. 그리고 우리 두 사람은 다시 헤엄쳐서 해변으로 돌아갔다.

그날 이후 선생님과 가까워졌다. 그러나 선생님이 어디에 묵고 있는지는 몰랐다. 그날로부터 이틀이 지나고 사흘째 되던 날 오후였던 것 같다. 간이 찻집에서 만났을 때 선생님이 내게 불쑥 말했다.

"자네는 이곳에 오래 머물 생각인가?"

그때까지 아무 생각 없던 나는 선생님의 느닷없는 질문에 얼른 답이 떠오르지 않았다.

"글쎄요, 어떻게 될지 모르겠어요."

싱글싱글 웃는 선생님을 보자 나는 갑자기 머쓱해졌다.

"선생님은요?"

내 입에서 선생님이라는 말이 나온 건 그때가 처음이었다. 나는 그날 밤 선생님이 묵고 있는 숙소를 방문했다. 숙소라고는 해도 일반 여관이 아닌 넓은 절의 경내에 있는 별채였다. 그곳에 살고 있는 사람이 선생님의 가족이 아니라는 것도 알게 되었다. 내가 선생님이라고 부를 때마다 선생님은 쓴웃음을 지었고, 나는 연장자를 대하는 나의 습관이라고 말해 두었다. 그리고 나는 지난번에 본 서양인에 대해 물어보았다. 선생님은 그가 독특한 사람이라는 것과, 지금은 가마쿠라에 없다는 것 등 이런저런 이야기 끝에 자신은 일본인과도 별로 친하게 지내지 않는데 그런 외국인과 가까워진 것은 참 이상한 일이라고 말했다. 나는 어디선가 선생님을 본 적이 있는데 도무지 기억이 나지 않는다고 말했다. 당시 아직 어렸던 나는 상대방도 나와 같은 느낌을 받지 않았을까 생각하고는 마음속으로 선생님의 긍정적인 답변을 기대했다. 그런데 잠시 후 선생님은 "나는 자네를 한 번도 본 적이 없네. 다른 사람과 착각한 거 아닌가?"라고 말했고, 이상하게도 나는 실망감을 느꼈다.

4

나는 월말에 도쿄로 돌아왔다. 선생님이 피서지를 떠난 것은 그보다 훨씬 전이다. 나는 선생님과 헤어질 때 "앞으로 가끔 댁으로 찾아봬도 될까요?"라고 물었다. 선생님은 "놀러 오게."라며 짧게 대답했다. 그때 나는 선생님과 친해졌다고 생각했기에 선생님이 좀 더 자상한 말을 해 주리라 기대했다. 그래서 선생님의 대답은 자신감을 잃게 했다.

나는 이런 일로 곧잘 선생님에게 실망했다. 선생님은 그런 사실을 아는 것 같기도 하고 전혀 모르는 것 같기도 했다. 나는 그후로도 자주 섭섭함을 느꼈지만 그렇다고 선생님을 멀리할 생각은 없었다. 오히려 불안감에 휩싸일 때마다 더 앞으로 나아가고 싶었다. 앞으로 나아갈수록 내가 예상하는 뭔가가 언젠가 눈앞에 모습을 드러낼 거라고 생각했다. 나는 젊었다.

하지만 모든 인간에게 젊은 피가 이렇게 솔직하게 들끓을 거라고는 생각하지 않았다. 나는 어째서 선생님에게만 이런 기분이 드는지 알 수 없었다. 그런데 선생님이 돌아가신 후에야 비로소 깨달았다. 선생님은 처음부터 나를 싫어한 것이 아니었다. 선생님의 무뚝뚝한 인사나 냉담해 보이는 태도는 나를 멀리하려는 불쾌감의 표현이 아니었다. 가엾은 선생님은 자신에게 다가오려는 사람에게 자신은 가까이할 가치가 없는 사람이니 그만두라고 경고한 것이다. 인정에 이끌리지 않던 선생님은 남을 경멸하기 전에 먼저 자신을 경멸한 것 같다.

도쿄로 돌아오면 선생님을 찾아갈 생각을 하고 있었다. 돌아와서도 수업이 시작되기까지는 이 주일 정도 남아 있었기에 그 사이에 한번 찾아가려고 했다. 그런데 돌아온 지 이삼일이 지나자 가마쿠라에서 느낀 감정이 점점 옅어졌다. 게다가 화려한 대도시의 공기가 기억의 부활을 동반한 강한 자극과 함께 내 마음을 진하게 물들였다. 그리고 오가며 마주치는 학생들을 볼 때마다 새 학년에 대한 희망과 긴장감을 느꼈다. 나는 한동안 선생님을 잊고 지냈다.

학기가 시작되고 한 달 정도 지나자 내 마음은 다시 느슨해졌다. 나는 뭔가 허전한 표정으로 걸어 다녔다. 뭔가를 갈구하듯 방 안을 둘러보기도 했다. 그러다가 다시 선생님의 모습이 떠올랐고 그를 만나고 싶었다.

처음 선생님 댁을 방문했을 때 그는 외출하고 없었다. 두 번째 찾아간 건 그다음 주 일요일로 기억한다. 맑게 갠 하늘이 기분 좋은 날씨였다. 그날도 선생님은 외출하고 없었다. 가마쿠라에서, 선생님은 집에 있는 시간이 많다고 했다. 외출을 싫어한다는 말도 했다. 두 번이나 찾아왔지만 두 번 모두 허탕을 친 나는 선생님의 말을 떠올리자 왠지 불만스러웠다. 나는 선생님 댁 현관 앞을 바로 떠날 수 없었다. 하녀에게 선생님이 집에 안 계신다는 말을 듣고도 선뜻 발걸음을 돌리지 못하고 그 자리에 서 있었다. 지난번에 왔을 때 내 명함을 받은 기억이 있는 하녀는 나를 잠시 기다리게 하고는 다시 안으로 들어갔다. 그러고 나서 사모님으로 보이는 부인이 나왔다. 아름다운 분이었다.

부인은 선생님이 어디에 갔는지 자세히 알려 주었다. 선생님은 매달 그날이 되면 조시가야에 있는 어느 고인의 묘지에 꽃을 들고 간다고 했다. 부인은 "나가신 지 십 분 정도 되었어요."라며 안됐다는 듯 말했다. 부인에게 인사를 한 후 밖으로 나왔다. 번화가 쪽으로 100미터 정도 걸어가던 나는 산책도 할 겸 조시가야에 가 보기로 했다. 선생님을 만날 수 있을지 아니면 엇갈릴지 호기심도 생겼다. 나는 곧장 발길을 돌려 조시가야로 향했다.

5

묘지 바로 앞에 있는 묘목 밭의 왼쪽으로 들어가 양쪽에 단풍나무가 서 있는 넓은 길 안쪽으로 걸어갔다. 그러자 그 끝에 보이는 찻집 안에서 선생님으로 보이는 사람이 불쑥 나왔다. 나는 그 사람의 안경테가 햇빛에 반사되는 것을 볼 수 있을 만큼 가까이 다가갔다. 그러고는 선생님을 큰 소리로 불렀다. 선생님은 갑자기 걸음을 멈추고 내 얼굴을 쳐다보았다.

"어떻게…… 어떻게……."

선생님의 말은 고요한 대낮에 묘한 느낌을 주며 반복되었다.

나는 할 말이 없었다.

"내 뒤를 따라온 건가? 어째서……?"

선생님은 오히려 침착했다. 목소리도 가라앉았다. 선생님의 표정에는 딱히 꼬집어서 말할 수 없는 어두운 그늘이 드리워져 있었다.

나는 왜 이곳에 왔는지 설명했다.

"아내가 누구의 묘지에 갔는지 말해 주던가?"

"아니요. 그런 말씀은 없으셨어요."

"그래? 하긴 처음 만난 자네에게 그런 말을 할 리 없지. 말할 필요도 없으니까."

선생님은 그제야 안심한 듯한 표정을 지었다. 나는 그 의미를 전혀 알 수 없었다.

선생님과 나는 길가로 나가기 위해 묘지 사이로 빠져나왔다. 이사벨라 아무개의 묘, 하느님의 종 로긴의 묘라는 이름 옆에 일체중생실유불생(一切衆生悉有佛生, 모든 중생에게 불성이 있다. 불성이 내재하고 있는 것이 아니라 모든 존재하는 것 그대로에 불성이 나타난다고 보는 것_옮긴이)이라고 적힌 사리탑이 세워져 있었다. 전권공사(全權公使, 전권대사 다음가는 지위의 외교관_옮긴이) 아무개의 것도 있었다. 나는 안득열(安得烈, 영어의 Andrew를 음차 표기한 것_옮긴이)이라고 새겨진 작은 묘 앞에서 "이건 어떻게 읽어야 합니까?"라고 물었다. 선생님은 "앤드루라고 읽어야겠지."라고 말하며 쓴웃음을 지었다.

선생님은 이 비석들이 나타내는 다양한 사람들의 양식에 나처럼 우스꽝스러움이나 아이러니를 느끼지 않는 것 같았다. 선생님은 내가 둥근 비석, 가늘고 긴 모양의 화강암 비석 등을 가리키며 끊임없이 말하는 것을 조용히 듣고 있다가 마침내 "자네는 아직 죽음에 대해서 심각하게 생각해 본 적이 없나 보군." 하고 말했다. 나는 입을 다물었다. 선생님도 더는 아무 말도 하지 않았다.

묘지의 경계선 부분에 큰 은행나무 한 그루가 하늘을 가리듯 서 있었다. 그 나무 아래까지 오자, 선생님은 높은 가지를 올려다보며 "조금만 더 있으면 아름다울 걸세. 이 나무가 온통 노란색으로 물들면 이 일대는 황금빛 낙엽으로 뒤덮이거든." 하고 말했다.

선생님은 매달 한 번은 반드시 이 나무 아래를 지나갈 것이었다.

맞은편에서 울퉁불퉁한 지면을 고르게 다듬어 새 묘지 터를 만들던 남자가 괭이질하던 손을 멈추고 우리를 쳐다보았다. 우리는 그곳에서 왼쪽으로 가로질러 곧장 길가로 나왔다.

어디로 갈지 특별한 목적지가 없던 나는 선생님을 따라 걸었다. 선생님은 평소보다 말이 더 없었다. 그래도 지루하지 않은 나는 선생님과 함께 천천히 걸어갔다.

"곧장 댁으로 가세요?"

"그래. 특별히 들를 곳도 없으니까."

선생님과 나는 다시 말없이 언덕을 따라 남쪽으로 내려갔다.

"선생님 댁의 선산이 그곳에 있나요?"

"아니야."

"그럼 그곳에는 어떤 분의 묘지가 있지요? 혹시 부모님의 묘지인가요?"

"아니야."

선생님은 더는 아무 말도 하지 않았다. 나도 그 이야기는 더는 하지 않기로 마음먹었다. 그런데 한참 걷다가 선생님이 불쑥 말했다.

"저곳에는 내 친구의 묘지가 있네."

"친구분의 묘지에 매달 찾아가시는 건가요?"

"그렇다네."

선생님은 그날 이 대답을 끝으로 아무 말도 하지 않았다.

6

나는 그날 이후 가끔 선생님 댁을 방문했다. 갈 때마다 선생님은 집에 있었다. 나는 점점 선생님 댁 문턱이 닳을 정도로 자주 드나들었다.

하지만 선생님의 태도는 처음 인사한 날이나 가까워진 이후나 별반 차이가 없었다. 선생님은 늘 조용했다. 어떤 때는 너무 조용해서 쓸쓸할 정도였다. 나는 처음 선생님을 만날 때부터 왠지 다가가기 힘든 묘한 분위기를 느꼈다. 그래서인지 어떻게든 선생님과 더 가까워지고 싶다는 느낌이 들었다. 선생님을 향해 이런 느낌을 갖는 사람은 어쩌면 나 혼자뿐일지도 모른다. 그러나 훗날 그러한 직감이 입증되었기에 남들이 나를 젊다고 하든 바보 같다고 비웃든 상관없었다. 그것을 예견한 내 직관력이 미덥기도 하고 기쁘기도 했다. 인간을 사랑할 수 있는 사람, 사랑하지 않고는 못 배기는 사람, 그러면서도 자신의 품 안으로 들어오려는 사람을 두 팔 벌려 껴안을 수 없는 사람, 그가 바로 선생님이었다.

선생님은 항상 조용하고 침착했다. 하지만 간혹 얼굴에 묘한 그림자가 드리워졌다. 창에 검은 새의 그림자가 비치듯 순식간에 사라지기는 했지만. 선생님의 표정에서 어두운 그늘을 처음 본 것은 조시가야의 묘지에서 갑자기 선생님을 불렀을 때다. 나는 순간적으로 지금까지 힘차게 뛰던 심장의 박동이 잠시 멎는 느낌을 받았다. 그러나 그것은 일시적인 현상에 지나지 않았다. 내 심장은 5분도 지나지 않아 평소와 같은 탄력을 되찾았다. 나는 그 후 선생님의 어두운 그늘을 잊었다. 뜻밖에도 그 기억을 다시 떠올리게 된 것은 소춘(小春, 음력 10월로 초겨울이 봄처럼 따뜻한 시기_옮긴이)도 거의 끝나 가는 어느 날 밤의 일 때문이다.

선생님과 이야기를 나누던 나는 문득 선생님이 전에 말해 준 커다란 은행나무를 떠올렸다. 곰곰이 생각해 보니 선생님이 매달 정기적으로 묘지에 가는 날이 그날로부터 사흘 후였다. 그날은 수업이 오전에 끝나는 홀가분한 날이었다. 나는 선생님에게 말했다.

"선생님, 조시가야에 있는 은행나무는 벌써 잎이 다 떨어졌을까요?"

"아직 다 지지는 않았을 거야."

선생님은 말하면서 내 얼굴을 살펴보았다. 그러고는 한동안 눈을 떼지 않았다. 나는 말했다.

"이번에는 저도 따라가면 안 될까요? 선생님과 함께 그 근처를 산책하고 싶어요."

"나는 성묘하러 가는 거지, 산책하러 가는 게 아니야."

"그래도 간 김에 산책도 하면 좋지 않을까요?"

선생님은 아무 대답도 하지 않았다. 그러더니 잠시 후에 "나는 성묘만 하러 가는 거야."라며 끝까지 성묘와 산책을 구분하고 싶어 했다. 내가 따라가는 것을 싫어하는 것 같아서 나는 그때의 선생님이 어린애처럼 괜한 고집을 부린다고 생각했다.

"그럼 성묘만이라도 좋으니 저를 데려가 주세요. 저도 성묘를 할게요."

사실, 성묘와 산책을 구분하는 것은 무의미했다. 내가 따라가겠다고 고집을 부리자 선생님의 표정이 어두워졌다. 눈빛도 이상했다. 그 눈빛은 귀찮거나 싫거나 혹은 두려워하는 눈빛이라고도 할 수 없는 어떤 희미한 불안감이 깃든 것이었다. 나는 불현듯 조시가야에서 "선생님." 하고 불렀을 때의 일이 기억났다. 그때도 선생님은 이런 표정을 지었다.

"나는……."

선생님이 입을 열었다.

"나는 자네한테 터놓고 이야기할 수 없는 어떤 이유가 있기 때문에 다른 사람과 함께 그곳에 성묘하러 가고 싶지 않아. 내 아내도 데려간 적이 없다네."

7

이상한 생각이 들었다. 하지만 어차피 선생님을 연구하려고 선생님 댁에 드나든 건 아니므로 더는 선생님을 귀찮게 하지 않기로 결심했다. 지금 돌이켜 보면, 그때 내 태도는 내 생활 가운데 오히려 존중할 만한 것 중 하나였다. 그 덕분에 나는 선생님과 인간적인 따뜻한 교류가 가능했다고 생각한다. 만약 내 호기심이 조금이라도 선생님의 심중을 파고들려는 기색을 보였다면 두 사람 사이를 이어 주는 공감대의 실은 그때 가차 없이 끊어지고 말았을 것이다. 젊었던 나는 그런 나의 태도를 전혀 깨닫지 못했다. 그렇기에 높이 살 만한 것인지도 모르지만, 만일 잘못해서 반대로 행동했다면 두 사람 사이에 어떤 결과가 생겼을지 상상만 해도 소름이 끼친다. 그러잖아도 선생님은 차가운 눈빛으로 파고드는 것을 항상 경계했다.

나는 매달 두세 번은 반드시 선생님 댁을 방문했다. 내 발길이 점차 잦아지던 어느 날, 선생님이 불쑥 내게 물었다.

"왜 나 같은 사람을 자주 찾아오는 건가?"

"글쎄요. 특별한 이유는 없어요. ……혹시 제가 귀찮게 해 드렸나요?"

"귀찮은 건 아니야."

나를 귀찮아 하는 기색은 찾아볼 수 없었다. 나는 선생님의 사교 범위가 매우 좁다는 것을 알고 있었다. 그 무렵에 도쿄에 사는 선생님의 동창생도 두세 명밖에 없다는 걸 알고 있었다. 선생님과 고향이 같은 학생들과는 가끔 자리를 함께하는 일도 있었지만 그들 중 나만큼 선생님에게 친밀감을 느끼는 사람은 없는 것 같았다.

"나는 외로운 사람이야."

선생님이 말했다.

"자네가 나를 찾아오는 건 기쁘다네. 그래서 왜 자주 오는지 묻는 거라네."

"그건 또 무슨 말씀이신지?"

내가 반문하자, 선생님은 아무 대답도 하지 않았다. 다만 내 얼굴을 보며 "자네는 몇 살인가?"라고 물었다.

나는 선생님이 한 말의 의미가 궁금했지만, 끝내 알지 못한 채 집으로 돌아왔다. 그리고 나흘도 되지 않아서 또다시 선생님 댁을 방문했다. 선생님은 거실로 나오면서 웃으며 말했다.

"또 왔군."

나도 따라 웃었다.

"네, 또 왔어요."

만약 다른 사람에게 이런 말을 들었다면 분명히 화가 났을 것이다. 그러나 선생님이 그렇게 말할 때는 화가 나기는커녕 유쾌하기만 했다.

선생님은 그날 밤 "나는 외로운 사람이야."라고 다시 한 번 말했다.

"나는 외로운 사람이지만 어쩌면 자네도 외로운 사람이 아닐까? 나는 외로워도 나이를 먹었으니 흔들리지 않을 수 있지만, 아직 젊은 자네는 그렇게 하기 어려울 거야. 움직일 수 있는 만큼 움직이고 싶겠지. 움직이면서 무언가와 부딪쳐 보고 싶을 테지……."

"저는 조금도 외롭지 않아요."

"젊을 때가 더 외로운 법이지. 그렇지 않다면 왜 나를 자주 찾아오는 건가?"

이때도 선생님은 전에 한 이야기를 되풀이했다.

"아마 자네는 나를 만나도 왠지 모를 외로움이 남아 있을 거야. 내게는 자네의 그 외로움을 뿌리 뽑을 만큼의 힘은 없으니까. 자네는 얼마 안 되어 밖을 향해 팔을 벌려야 할 거야. 그러면 내 집 쪽으로는 발걸음도 안 할 테지."

선생님은 그렇게 말하고 쓸쓸한 웃음을 지었다.

8

다행히 선생님의 예언은 맞지 않았다. 그때 경험이 전혀 없던 나는 이 예언 속에 포함된 명백한 의미조차 깨닫지 못했다. 나는 여전히 선생님을 만나러 갔다. 그러다가 언제부터인가 선생님 댁에서 식사를 하게 되었다. 그러다 보니 자연스럽게 사모님과도 이야기를 주고받게 되었다.

평범한 남자인 나는 여자에 대해 무관심하지는 않았다. 하지만 젊은 만큼 아직까지 연애다운 연애를 한 적은 없었다. 그게 원인인지는 모르겠지만 내 관심은 오로지 오다가다 마주치는 낯선 여자들뿐이었다. 선생님의 부인은 처음 현관에서 만났을 때 아름답다는 인상을 받았다. 그리고 만날 때마다 같은 인상을 받았다. 하지만 그 밖에는 사모님에게 특별히 이렇다 할 점을 찾지 못했다.

이는 사모님이 특별하지 않다기보다 특별한 면을 나타낼 기회가 없었기 때문이라고 해석하는 게 맞을지도 모른다. 그러나 나는 항상 사모님을 선생님의 일부인양 정중하게 대했다. 사모님도 남편을 찾아오는 제자에 대한 호의로 나를 대했던 것 같다. 그래서 선생님이 없으면 두 사람을 연결하는 고리는 전혀 없었다. 그래서 처음 만났을 때의 사모님에게는 그저 아름답다는 인상 외에는 아무 느낌도 없었다.

어느 날, 나는 선생님 댁에서 술을 마셨다. 그때 사모님이 나와서 옆에 앉아 술 시중을 들었다. 선생님은 평소보다 기분이 좋아 보였다. 사모님에게 "당신도 한잔하지."라며 자신이 비운 잔을 건넸다. 사모님은 "저는……." 하고 사양한 후 못 이기는 척하며 잔을 받았다. 사모님은 아름다운 눈썹을 찡그리며 내가 반 잔 정도 따른 술잔을 입가로 가져갔다. 사모님과 선생님이 말을 주고받기 시작했다.

"웬일이세요? 저한테 술을 권한 적은 없잖아요."

"당신이 싫어하니까 그렇지. 그래도 가끔 마시면 좋아. 기분이 좋아지거든."

"전혀 그렇지 않아요. 괴롭기만 하고. 그래도 당신은 꽤 기분이 좋아 보여요. 약주를 하시면."

"때에 따라서는 아주 기분 좋지. 하지만 늘 그런 건 아니야."

"오늘 밤엔 어떠세요?"

"오늘 밤엔 기분이 좋은데."

"앞으로는 매일 밤 약주를 조금씩 하시면 되겠네요."

"그건 안 되지."

"드세요. 그러는 편이 외롭지 않아서 좋으니까요."

선생님 내외분과 하녀 한 명만 살고 있는 선생님 댁은 갈 때마다 대체로 고요했다. 큰 웃음소리가 들린 적은 한 번도 없었다. 어떤 때는 집 안에 선생님과 나뿐인 것 같은 생각이 들었다.

"아이라도 있으면 좋을 텐데."

사모님이 나를 보며 말했다.

"그러게요."

대답은 그렇게 했지만 동정심이 느껴지지는 않았다. 아이를 가져 본 적이 없던 나는 아이를 그저 귀찮은 존재로만 생각했기 때문이다.

"아이를 하나 입양할까?"

선생님이 말했다.

"입양하는 건 좀 그렇잖아요?"

사모님은 다시 내 쪽으로 고개를 돌리며 대답했다.

"아이는 아무리 기다려도 생기지 않을 거야."

선생님이 말했다.

사모님은 아무 말도 하지 않았다.

"왜죠?"

내가 사모님 대신 물어보았다.

"천벌이니까."

선생님은 큰 소리로 웃으며 말했다.

9

내가 아는 한 선생님과 사모님은 금실 좋은 부부였다. 가족의 일원으로 함께 산 적이 없기에 깊은 속내까지 알 수는 없지만, 거실에서 나와 마주 앉아 있을 때 선생님은 무슨 일이 있으면 하녀를 부르지 않고 사모님을 불렀다. (사모님의 이름은 시즈였다.) 선생님은 항상 방문을 향해 "어이, 시즈." 하고 불렀다. 그 말투가 내게는 참 다정하게 들렸다. 대답을 하며 들어오는 사모님의 모습도 다소곳했다. 가끔 식사 대접을 받을 때 사모님이 그 자리에 함께하면 두 분의 이런 관계는 더욱 두드러졌다.

선생님은 가끔 사모님과 함께 음악회나 연극 구경을 갔다. 그리고 내 기억으로는 부부 동반으로 일주일가량 여행을 다녀온 적도 두세 번 있었다. 나는 하코네 여행 중 보내 준 그림엽서를 아직도 간직하고 있다. 닛코에 갔을 때는 단풍잎 한 장을 편지 속에 넣어 보내 주었다.

그때 내 눈에 비친 선생님과 사모님 사이는 이러했다. 그런데 단 한 번 예외가 있었다. 어느 날 내가 평상시와 마찬가지로 선생님 댁 현관에서 안내를 부탁하려고 할 때, 거실 쪽에서 말소리가 들렸다. 잘 들어 보니, 평범한 대화가 아닌 다투는 소리였다. 선생님 댁은 현관을 지나면 바로 거실이라 현관 앞에 서 있던 내 귀에 언쟁하는 말투가 확실하게 들려왔다. 그리고 때때로 높아지는 언성으로 보아 그중 한 사람이 선생님이라는 것도 알았다. 상대는 선생님보다 낮은 목소리였으므로 누구인지 확실하지는 않았지만 아무래도 사모님인 것 같았다. 울고 있는 것 같기도 했다. 나는 어쩔 줄 몰라 하며 현관 앞에서 잠시 망설이다 그대로 하숙집으로 돌아왔다.

묘한 불안감이 엄습했다. 책을 읽어도 내용이 머릿속에 들어오지 않았다. 한 시간가량 지나자 선생님이 내 방 창문 아래서 내 이름을 불렀다. 깜짝 놀라 창문을 열고 내다보니 선생님이 산책이나 하자고 했다. 오비 사이에 넣어 둔 시계를 꺼내 보니 벌써 여덟 시가 넘은 시각이었다. 나는 좀 전에 집을 나설 때 입은 하카마 옷차림 그대로 밖으로 나갔다.

그날 밤 나는 선생님과 함께 맥주를 마셨다. 선생님은 원래 술에 약했다. 어느 정도 마셨는데도 취하지 않으면 취할 때까지 계속 마시는, 그런 객기를 부리는 사람이 아니었다.

"오늘은 술맛이 별로군."

선생님은 쓴웃음을 지었다.

"기분이 안 좋으세요?"

나는 걱정스레 물었다.

좀 전에 선생님 댁에서 들은 말다툼이 마음에 걸렸다. 생선 가시가 목에 걸린 것처럼 괴로웠다. 속 시원하게 한번 물어볼까, 그냥 모른 척하는 편이 나을까 하는 마음속 갈등이 결국 나를 안절부절못하게 만들었다.

"자네, 오늘 밤엔 좀 이상하군."

선생님이 먼저 말을 꺼냈다.

"실은 나도 좀 이상하다네. 자네도 알겠는가?"

나는 아무 대답도 할 수 없었다.

"아까 아내와 말다툼을 좀 했다네. 그래서 쓸데없이 신경이 날카로워진 모양이야."

선생님이 말했다.

"무슨 일로……."

말다툼이라는 말이 입에서 나오지 않았다.

"아내가 날 오해하고 있다네. 아무리 오해라고 해도 곧이듣지를 않아서 말이야. 그래서 결국 화를 내고 말았네."

"왜 선생님을 오해하시는데요?"

선생님은 내 질문에는 대답하지 않고 말했다.

"나라는 사람이 아내가 생각하는 그런 사람이라면 이렇게 괴롭지는 않을 거야."

선생님이 얼마나 괴로운지는 나로서는 전혀 상상이 되지 않았다.

10

집으로 돌아가는 길, 선생님과 나 사이의 침묵은 200미터 정도 걸어갈 때까지 이어졌다. 그런데 갑자기 선생님이 침묵을 깨고 말했다.

"내가 잘못한 거야. 화를 내고 집을 나와서 아내가 걱정을 많이 하고 있을 거야. 생각해 보면, 여자들이란 참 가엾은 존재야. 내 아내는 나 외에는 의지할 데도 없으니까."

선생님의 말은 잠시 끊겼지만 특별히 내 대답을 기대하는 것 같지는 않았다. 이야기는 계속 이어졌다.

"그렇게 말하면 남편들은 꽤 강직한 것 같아서 좀 우습지만. 자네, 자네 눈에는 내가 어떻게 보이나? 강한 사람으로 보이는가, 아니면 약한 사람으로 보이는가?"

"중간 정도로 보여요."

나는 대답했다.

이 대답은 선생님에게 약간 의외였던 모양이다. 선생님은 또다시 입을 다물고 걷기 시작했다.

선생님 댁으로 가려면 내 하숙집을 지나쳐야 했는데, 거기까지 와서 골목에서 헤어지는 것이 선생님에게 미안한 기분이 들었다.

"내친김에 선생님 댁까지 함께 갈까요?"

선생님은 손을 내저으며 말했다.

"늦었으니 얼른 들어가게. 나도 바로 집으로 돌아갈 테니까. 아내 때문에."

선생님이 마지막에 덧붙인 '아내 때문에'라는 말은 그때 묘하게도 내 마음에 와 닿았다. 나는 그 말 덕분에 집으로 돌아와서도 안심하고 잠자리에 들 수 있었다. 나는 그 후로도 오랫동안 '아내 때문에'라는 말을 잊지 않았다.

선생님과 사모님 사이에 있었던 말다툼이 그리 대단한 일이 아니었음은 그것만으로도 알 수 있었다. 그리고 그 후 문턱이 닳도록 선생님 댁에 드나들던 나는 그런 일이 좀처럼 일어나지 않는다는 것도 알 수 있었다. 뿐만 아니라 선생님은 어느 날 내게 이런 감상적인 말까지 털어놓았다.

"나는 세상에서 여자라는 존재를 단 한 사람밖에 알지 못하네. 아내 이외의 여자는 전혀 여자로 보이지 않거든. 아내 역시 나를 이 세상에 단 하나뿐인 남자로 생각하지. 그런 의미에서 우리는 세상에서 가장 행복하게 태어난 한 쌍이어야겠지."

지금은 그 이야기의 앞뒤 상황을 잊었기에 선생님이 왜 이런 고백을 했는지 확실히 말할 수는 없다. 그러나 그 말을 할 때의 선생님의 진지한 태도와 가라앉은 목소리는 아직도 기억에 남아 있다. 다만 그때 내 귀에 이상하게 들린 것은 '가장 행복하게 태어난 한 쌍이어야겠지.'라는 마지막 한마디다. 선생님은 왜 행복한 사람들이라고 말하지 않고 행복하게 태어난 한 쌍이어야겠지 라는 표현을 썼을까? 나는 그 부분이 신경 쓰였다. 특히 그 부분을 힘주어 말하던 선생님의 말투가 이상했다. 선생님은 과연 행복한 걸까? 아니면 행복해야 하는데 그만큼 행복하지 않다는 걸까? 나는 마음속에서 솟아나는 의구심을 씻을 수가 없었다. 하지만 그런 의구심은 얼마 안 되어 사라져 버렸다.

그러던 어느 날, 선생님 댁을 방문한 나는 선생님이 외출 중이어서 사모님과 단둘이 대화를 나눌 기회가 생겼다. 선생님은 그날 요코하마에서 출항하는 배를 타고 외국으로 나가는 친구를 신바시까지 배웅하러 나가고 없었다. 요코하마에서 배를 탈 사람은 아침 여덟 시 삼십 분 기차를 타고 신바시를 출발하는 것이 그때의 관행이었다. 나는 어떤 책에 관해 선생님에게 물어볼 것이 있어서 사전에 그에게 승낙받은 대로 약속 시간인 아홉 시에 방문했다. 선생님의 신바시행은 전날 작별 인사를 하러 일부러 집까지 찾아와 준 친구에 대한 예의로 그날 갑자기 결정되었다고 했다. 선생님은 곧 돌아올 테니 자기가 없더라도 기다리라는 말을 남겼다. 그래서 나는 선생님을 기다리는 동안 거실에 앉아 사모님과 이야기를 나누었다.

11

그때 나는 이미 대학생이었다. 선생님 댁을 처음 방문했을 때보다 훨씬 어른이 된 기분이었다. 사모님과 단둘이 있어도 전혀 어색하지 않을 만큼 사모님과도 꽤 친해진 터였다. 사모님과 마주 앉아 이런저런 이야기를 주고받았다. 하지만 그때 나눈 이야기는 특별하지 않은 그저 평범한 이야기였기에 지금은 전혀 기억이 나지 않는다. 그런데 단 한 가지, 아직도 기억에 남아 있는 이야기가 있다. 그러나 그 이야기를 하기 전에 미리 밝혀 둘 것이 있다.

선생님이 대학을 졸업했다는 것은 처음부터 알고 있었지만, 아무 일도 하지 않고 있다는 사실은 도쿄로 돌아오고 얼마 후에야 알았다. 나는 그때부터 선생님이 왜 일을 하지 않는지 궁금했다.

선생님은 세상에 이름이 전혀 알려지지 않은 분이었다. 그래서 선생님의 학문이나 사상에는 그와 친밀한 관계를 가지고 있는 나 외에 경의를 표할 사람이 있을 리 만무했다. 나는 항상 그 점이 안타깝다고 말했다. 그러면 선생님은 "나 같은 사람이 세상에 나가서 떠들면 미안하지."라고 말할 뿐 신경 쓰지 않는 눈치였다. 내게는 그 말이 겸손을 넘어 오히려 세상을 냉정하게 평하는 것처럼 들렸다. 실제로 선생님은 가끔 옛 동창생 중 지금은 유명해진 사람의 이름을 대며 사정없이 비판할 때도 있었다. 나는 그런 선생님의 모순을 노골적으로 비난한 적이 있다. 반항이라기보다 세상 사람들이 선생님의 존재를 모른다는 사실이 안타까웠기 때문이었다. 그때 선생님은 가라앉은 목소리로 "자네가 뭐라고 하든 나는 세상 밖으로 나가 활동할 자격이 없는 남자라서 어쩔 수 없네."라고 말했다. 선생님의 얼굴에는 왠지 깊이 고뇌하는 표정이 역력했다. 나는 그 모습이 실망인지, 불평인지,

35

비애인지 알 수 없었지만 어쨌든 말이 안 나올 정도로 강렬했기에 더는 뭐라고 대꾸할 용기가 없었다.

내가 사모님과 이야기를 나누는 동안 화제는 자연스럽게 선생님으로 옮겨 갔다.

"선생님은 댁에서만 공부를 하시고 어째서 세상 밖으로 나가서 일하시지 않는 거죠?"

"그분은 할 수 없어요. 그러는 걸 싫어하거든요."

"말하자면 하찮은 일이라고 여기시는 걸까요?"

"그렇다기보다는……. 나야 여자라서 잘은 모르지만 아마 그런 의미는 아닐 거예요. 역시 뭔가 하고 싶겠죠. 그러면서도 하지 못하는 거예요. 그래서 마음이 아파요."

"하지만 선생님께서는 건강하시고 어디 아픈 데도 없으시잖아요?"

"건강하시죠. 지병도 없어요."

"그런데 왜 활동할 수 없는 거죠?"

"그걸 모르겠어요. 그 까닭을 알면 저도 이렇게 걱정하지는 않죠. 알 수 없기 때문에 더 안타깝고 가슴이 아파요."

사모님의 말투에는 동정심이 배어 있었지만, 입가에는 잔잔한 미소를 띠고 있었다. 겉으로 보아서는 내가 오히려 더 진지했다. 나는 심각한 얼굴로 말없이 앉아 있었다. 그러자 사모님이 갑자기 생각난 듯 입을 열었다.

"젊을 때는 그런 사람이 아니었어요. 전혀 다른 사람이었죠. 그런데 완전히 변해 버린 거예요."

"젊을 때라면, 언제요?"

내가 물었다.

"학생 때요."

"학생 때부터 선생님을 아셨어요?"

사모님의 얼굴이 갑자기 붉어졌다.

12

사모님은 도쿄 출신이었다. 그건 이미 선생님과 사모님께 들어서 알고 있었다. 사모님은 "사실은 혼혈아죠."라고 말했다. 사모님의 부친은 돗토리인가 어딘가 출신인데 모친은 도쿄가 아직에도라고 불리던 시절의 이치가야에서 태어났기에 사모님은 농담처럼 그렇게 말했다. 그런데 선생님은 완전히 방향이 다른 니가타 현 출신이었다. 그렇기 때문에 사모님이 만일 선생님의 학창 시절을 알고 있다면 같은 고향 출신이어서 그런 건 분명 아니었다. 하지만 얼굴까지 붉힌 사모님은 더는 이야기하고 싶어 하지 않는 것 같아 나도 자세히 물어보지 않았다.

선생님을 알고부터 그가 돌아가실 때까지 나는 꽤 여러 문제로 선생님의 사상이나 정서에 접해 보았지만, 결혼 당시의 상황에 대해서는 아무 이야기도 들을 수 없었다. 나는 때에 따라 그것을 좋게 해석했다. 나이가 있는 만큼 젊은 사람에게 자신의 연애담을 들려주는 걸 일부러 삼가는 거라고 생각했다. 하지만 어떤 때는 그걸 나쁘게 받아들이기도 했다. 선생님이나 사모님도 나와 비교하면 한 세대 전의 관습 아래 성장했기에 그런 연애 문제에는 솔직하게 자신을 드러낼 만큼 용기가 없는 거라고 생각했다. 하지만 그 어느 쪽도 내 추측에 지나지 않았다. 그리고 내 추측의 배경에도 두 분의 결혼 과정에는 화려한 로맨스가 존재할 것이라는 가정이 있었다.

역시나 나의 가정은 빗나가지 않았다. 하지만 나는 두 분 사랑의 한 단면만을 상상한 데 지나지 않았다. 선생님의 아름다운 연애 뒤에는 엄청난 비극이 있었다. 그리고 그 비극이 선생님에게 얼마나 잔인했는지는 상대인 사모님조차 전혀 모르고 있었다. 사모님은 지금도 그 일을 모르고 있다. 선생님은 그 일을 끝까지 사모님에게는 비밀로 하고 돌아가셨다. 선생님은 사모님의 행복을 파괴하기 전에 먼저 자신의 생명을 파괴했다.

나는 지금은 이 비극에 대해 아무 말도 하지 않겠다. 어쩌면 그 비극 때문에 생겨났다고 할 수 있는 두 분의 사랑은 앞서 말한 그대로다. 두 분 모두 내게는 거의 아무 말도 해 주지 않았다. 사모님은 신중을 기하느라고, 선생님 역시 그 이상의 깊은 이유 때문에.

다만 하나, 내 기억에 남은 일이 있다. 언젠가 온갖 꽃이 한창 필 무렵 나는 선생님과 함께 우에노에 갔다. 그리고 그곳에서 아름다운 남녀 한 쌍을 보았다. 그들은 정다운 모습으로 찰싹 달라붙어 꽃나무 아래를 걷고 있었다. 장소가 장소인 만큼 꽃구경보다 두 남녀를 지켜보는 사람이 많았다.

"신혼부부인가 보군."

선생님이 말했다.

"사이가 좋은 것 같군요."

나도 한마디 덧붙였다.

선생님은 가끔 보이던 쓴웃음조차 짓지 않은 채 두 남녀가 보이지 않는 방향으로 발길을 돌렸다. 그러고 나서 내게 이렇게 물었다.

"자네는 사랑을 해 본 적이 있는가?"

나는 없다고 대답했다.

"사랑을 해 보고 싶지 않은가?"

나는 대답하지 않았다.

"하고 싶지 않은 건 아니지?"

"네."

"자네는 지금 저 남녀를 보고 농담을 했지? 그 농담 속에는 자네가 사랑을 하고 싶어 하면서도 상대를 구하지 못한 불만이 섞여 있을 거야."

"그렇게 들렸나요?"

"그렇게 들렸네. 사랑의 감정을 아는 사람이라면 좀 더 따뜻한 말을 던지지. 그런데…… 그런데 자네, 사랑은 죄악이야. 알겠나?"

나는 깜짝 놀랐다. 그러나 아무 대답도 하지 않았다.

13

선생님과 나는 많은 사람들 속에 끼어 있었다. 사람들은 모두 즐거운 표정을 짓고 있었다. 그곳을 빠져나와 꽃도 사람도 보이지 않는 숲 속으로 갈 때까지는 같은 화제를 입에 올릴 기회가 없었다.

"사랑이 죄악인가요?"

내가 불쑥 물었다.

"죄악이지. 확실히."

선생님의 말투는 조금 전과 마찬가지로 단호했다.

"왜죠?"

"그 이유는 곧 알게 되겠지. 아니, 벌써 알고 있을 거야. 자네 마음은 이미 오래전부터 사랑으로 움직이고 있지 않나?"

내 가슴속을 확인해 보았다. 하지만 내 가슴은 의외로 공허했다. 짐작이 갈 만한 것도 전혀 없었다.

"제 가슴속에는 이렇다 할 목적 대상이 하나도 없어요. 저는 선생님께 숨기는 것이 아무것도 없습니다."

"목적 대상이 없으니까 움직이는 거야. 있다면 안정될 거라고 생각하니까 움직이고 싶어지는 거지."

"지금은 그 정도로 움직이고 있지는 않아요."

"자네는 부족한 무언가를 채우기 위해 나를 찾아오는 게 아니던가?"

"그럴지도 모르죠. 하지만 그건 사랑과는 달라요."

"사랑에 이르는 단계지. 이성을 껴안기 전 단계로 먼저 동성인 나를 찾아오는 거야."

"제게는 그 두 가지가 성질이 다른 것처럼 생각되는데요."

"아니, 같은 거야. 나는 남자이기에 자네를 완벽하게 만족시킬 수 없지. 그리고 어떤 특별한 사정 때문에 더더욱 자네에게 만족을 줄 수 없다네. 나는 사실 안타깝게 생각하고 있어. 자네가 내게서 떨어져 다른 곳으로 가는 건 어쩔 수 없어. 나는 오히려 자네가 그러기를 바란다네. 하지만…….”

나는 갑자기 슬퍼졌다.

“제가 선생님을 떠날 거라고 생각하신다면 저로서는 어쩔 도리가 없지만, 저는 그럴 생각이 없습니다.”

선생님은 내 말에 귀를 기울이지 않았다.

“하지만 조심하지 않으면 안 되네. 사랑은 죄악이니까. 내 집에 드나들면 만족을 얻지는 못해도 위험할 건 없지……. 자네, 검고 긴 머리카락에 휘감겼을 때의 기분을 아는가?”

어떤 느낌일지 상상할 수 있었지만 실제로는 알지 못했다. 어쨌든 선생님이 어떤 느낌일지 말한 죄악이라는 의미는 분명치 않아서 제대로 이해하지 못했다. 게다가 기분도 좀 상했다.

“선생님, 죄악이라는 의미를 좀 더 확실하게 말씀해 주세요. 아니면 더는 그 문제를 거론하지 말아 주세요. 제 자신이 죄악이라는 의미를 정확하게 깨달을 때까지는요.”

“미안하네. 나는 자네에게 진실을 말한다고 생각했어. 그런데 실제로는 자네를 짜증 나게 하고 있었군. 잘못했네.”

선생님과 나는 박물관 뒤로 가서 우구이스다니 쪽으로 걸어갔다. 돌담 틈새로 넓은 정원 한쪽에 우거진 얼룩조리대(줄기가 푸른 여러해살이 식물_옮긴이)가 그윽해 보였다.

“자네는 내가 왜 매달 조시가야에 묻힌 친구의 묘지를 찾는지

41

알고 있는가?"

선생님의 질문은 뜻밖이었다. 더구나 선생님은 내가 이 질문에 대답하지 못할 거라는 사실도 잘 알고 있었다. 나는 잠시 대답하지 않았다. 그러자 선생님은 비로소 알아챘다는 듯 말했다.

"또 실수했네. 짜증 나게 하는 것이 미안해서 제대로 설명하려고 하면 그 설명이 또다시 자네를 짜증 나게 만드는 꼴이 되어 버리는군. 아무래도 안 되겠네. 이 문제는 그만두지. 아무튼 사랑은 죄악이야. 알겠나? 그리고 신성한 것이지. 나는 선생님의 말을 점점 이해할 수 없었다. 선생님은 그 후 사랑을 거론하지 않았다.

14

그때 아직 젊었던 나는 자칫 한 가지 일에만 빠져들기 쉬웠다. 적어도 선생님의 눈에는 그렇게 비쳤던 것 같다. 내게는 학교 강의보다 선생님과 나누는 대화가 더 유익했다. 교수님의 의견보다 선생님의 사상에 더 흥미가 있었다. 요컨대 교단에 서서 나를 지도해 주는 저명한 분들보다 많은 것을 말해 주지 않아도 혼자서 조용히 많은 것을 안에 담고 있는 선생님이 더 훌륭해 보였다.

"너무 과대평가하면 안 되네."

선생님이 말했다.

"냉정하게 판단한 결과인데요."

나는 충분히 자신 있었지만 선생님은 수긍하지 않았다.

"자네는 열에 들떠 있는 거라네. 그 열이 식으면 금방 싫증이 날 거야. 지금 자네가 나를 그렇게 생각해 주는 게 무척 괴롭네. 하지만 앞으로 자네에게 일어날 변화를 예상하면 더욱 마음이 아프다네."

"제가 그렇게 경박한 사람으로 보이나요? 그 정도로 제가 미덥지 않으신가요?"

"그저 안타까울 따름이야."

"안타깝지만 미덥지는 않다는 말씀인가요?"

선생님은 더는 말하기 싫다는 듯 정원을 바라보았다. 얼마 전까지 강렬한 붉은색을 점점이 수놓던 동백꽃이 한 송이도 보이지 않았다. 선생님은 거실에서 물끄러미 동백꽃을 바라보는 습관이 있었다.

"특별히 자네를 믿지 않는다는 게 아니야. 인간이란 존재를 믿지 않는다는 거지."

그때 울타리 너머에서 금붕어 장사의 목소리가 들렸다. 그 밖에는 아무 소리도 들리지 않았다. 큰길에서 200미터 이상이나 안으로 들어와 있는 골목길은 매우 조용했다. 집 안도 여느 때처럼 고요했다. 나는 옆방에 사모님이 계신다는 걸 알고 있었다. 말없이 바느질이나 무언가를 하고 있을 사모님의 귀에 내 말소리가 들릴 거라는 사실도 알고 있었다. 그러나 나는 그런 사실조차 완전히 잊어버리고 말았다.

"그럼 사모님도 믿지 못하시나요?"

선생님은 약간 불편한 표정을 지었다. 그러고는 직접적인 대답을 피했다.

"나는 내 자신조차 믿지 않는다네. 요컨대 자신을 믿지 못하기 때문에 남도 믿을 수 없는 거야. 자신을 원망하는 수밖에 달리 방법이 없어."

"그렇게 어렵게 생각하시면 이 세상에 믿을 사람은 아무도 없어요."

"아니, 생각한 게 아니야. 정말 그렇게 했어. 그렇게 한 후에 깜짝 놀라고 말았지. 그래서 너무 두려운 거야."

나는 그것에 대해 좀 더 깊은 대화를 나누고 싶었다. 그런데 방문 뒤에서 "여보, 여보." 하고 부르는 사모님의 목소리가 들렸다. 선생님은 두 번째 부르는 소리에 "왜 그래?" 하고 대답했다. 사모님은 "잠시만요." 하고 선생님을 옆방으로 불렀다. 두 분 사이에 어떤 말이 오갔는지는 알 수 없다. 그것을 상상할 여유도 없을 만큼 선생님은 금방 거실로 돌아왔다.

"어쨌든 날 너무 믿지 말게. 얼마 안 돼 후회할 테니까. 그리고 자신이 기만당한 보복으로 잔인한 복수를 하게 될지도 모르지."

"그건 또 무슨 말씀이죠?"

"과거에 그 사람 앞에서 무릎을 꿇었다는 기억이 이번에는 그 사람의 머리 위에 발을 얹으려고 하지. 나는 훗날 모욕당하지 않기 위해 지금의 존경을 거절하고 싶네. 지금보다 더 외로운 미래의 나를 견디는 대신 지금의 외로움을 견디고 싶어. 자유와 독립, 그리고 자아로 충만한 현대에 태어난 우리는 그 대가로 모두 이 외로움을 맛봐야 하는 거야."

나는 이렇듯 확고한 생각을 가진 선생님을 보며 할 말을 잃고
말았다.

15

그날 이후 나는 사모님의 얼굴을 볼 때마다 신경이 쓰였다. 선
생님은 사모님을 대할 때도 늘 이런 태도일까? 만일 그렇다면 사
모님은 그런 태도에 만족하고 있는 걸까?

사모님의 모습을 보면 만족하고 있는지 아니면 불만스러워하
는지 알 수 없었다. 그런 사실을 판단할 수 있을 만큼 사모님을
가까이 대할 기회가 없었기 때문이다. 그리고 사모님은 나를 볼
때마다 한결같이 대했다. 게다가 선생님과 함께하는 자리가 아
니면 나와 사모님이 얼굴을 마주할 기회는 거의 없었다.

그 밖에 또 다른 의문점이 있었다. 선생님이 가진 인간에 대한
그런 확고한 생각은 어디에서 온 것일까? 그저 냉철한 눈으로 자
신을 반성하거나 현시대를 관찰한 결과일까? 선생님은 세상을
관조하는 분이었다. 명석한 두뇌만 있으면 앉아서 세상을 관망
만 하고 있어도 자연스럽게 그런 생각이 드는 것일까? 아무리 생
각해도 단지 그것만은 아닌 듯했다. 선생님의 확고한 생각은 살
아 있는 것 같았다. 불에 달궜다가 차갑게 식힌 석조 가옥의 기
둥과는 달랐다. 내 눈에 비친 선생님은 분명 사상가였다. 하지만
그 사상가가 완성한 주의(主義)의 밑바탕에는 강렬한 체험이 깔
려 있는 듯했다. 자신과 동떨어진 타인의 경험이 아니라 자신이

뼈아프게 경험한 사실, 피가 뜨거워지고 맥박이 멈춰 버릴 정도의 과거를 간직하고 있는 것 같았다.

이는 나 혼자 마음속으로 추측한 것이 아니다. 선생님 자신이 이미 그렇다고 고백했다. 다만 그 고백은 구름에 뒤덮인 산봉우리 같았다. 내 머리 위에 정체 모를 두려움을 덮어씌웠다. 그리고 왜 그것이 두려운지 나 자신도 알 수 없었다. 선생님의 고백은 불확실했다. 그런데도 이상하게 내 신경을 곤두서게 했다.

나는 선생님 인생관의 기점에 어떤 강렬한 연애 사건을 가정했다. (물론 선생님과 사모님 사이에 있었던.) 선생님이 전에 사랑은 죄악이라고 말한 것을 곰곰이 생각해 보면 그것은 실마리가 될 듯싶었다. 하지만 선생님은 실제로 사모님을 사랑한다고 고백했다. 그렇다면 두 분의 사랑에서 그런 염세에 가까운 생각이 나올 리 없다. '과거에 그 사람 앞에서 무릎을 꿇었다는 기억이 이번에는 그 사람의 머리 위에 발을 얹으려고 한다.'라는 선생님의 말은 현대를 살아가는 보통 사람들에게는 해당되지만 선생님과 사모님 사이에는 해당되지 않는 것 같았다.

조시가야에 있는 누구인지 알 수 없는 사람의 묘……. 그 존재도 가끔 내 머릿속에 떠올랐다. 그 묘지는 분명히 선생님과 깊은 연관이 있었다. 선생님의 생활에 가까이 다가가면서도 좀처럼 가까이 다가갈 수 없는 나는 그 묘지를 선생님의 머릿속에 있는 생명의 단편으로 받아들였다. 하지만 내게 그 묘지는 완전히 죽은 것이었다. 두 사람 사이에 놓여 있는 생명의 문을 열 수 있는 열쇠는 되지 못했다. 오히려 두 사람 사이에 버티고 서서 자유로운 왕래를 방해하는 요물 같았다.

　그러던 어느 날, 사모님과 마주 앉아 이야기를 나눌 기회가 생겼다. 그날은 해가 짧은 가을날로, 누구나 느낄 수 있을 만큼 쌀쌀한 날씨였다. 그 무렵 선생님 댁 부근에서 도둑 드는 일이 사나흘 계속되었다. 사건은 모두 초저녁에 발생했다. 값진 물건을 도난당한 집은 거의 없었지만 도둑이 든 집에서는 무언가 꼭 없어졌다. 사모님은 몹시 불안해했다. 그런데 어느 날 밤 선생님이 외출할 일이 생겼다. 지방 병원에서 근무하는 선생님의 고향 친구가 상경했기 때문에 선생님은 다른 지인 두세 명과 함께 저녁 식사를 해야 했다. 선생님은 내게 사정을 말하고는 자신이 돌아올 때까지 집을 좀 봐 달라고 부탁했다. 나는 흔쾌히 받아들였다.

16

　내가 선생님 댁에 도착한 시간은 불이 하나둘 켜지기 시작한 초저녁이었지만 꼼꼼한 선생님은 이미 집을 나선 상태였다. 사모님은 "약속 시간에 늦으면 안 된다며 방금 집을 나섰어요."라고 말하고는 나를 선생님의 서재로 안내했다.

　서재에는 테이블과 의자 외에 아름다운 양장 표지의 많은 책이 유리 전등 밑에 있었다. 사모님은 화로 앞에 깔아 놓은 방석에 앉으라고 권하며 "잠시 여기 있는 책이라도 읽고 계세요."라고 말하고는 방을 나갔다. 주인 없는 방에서 주인을 기다리는 손님이 된 것 같아 약간 거북했다. 나는 바른 자세로 앉아 담배를 피워 물었다. 사모님이 거실에서 하녀에게 뭔가 말하는 소리가 들렸다. 서재는 거실 툇마루의 막다른 곳에서 꺾인 모퉁이에 있었기에 지붕 용마루의 위치에서 보면 오히려 거실보다 한참 떨어진 곳에 있어서 조용했다. 한참 들리던 사모님의 말소리가 멈추자 집 안이 조용했다. 나는 도둑을 기다리는 심정으로 숨을 죽인 채 온 신경을 집중했다.

삼십 분 정도 지나자 사모님이 또다시 서재에 얼굴을 내밀었다. "어머나."라며 약간 놀란 눈으로 나를 바라보고는 낯선 손님처럼 굳은 표정으로 점잔을 빼고 앉아 있는 나를 보고 이상하다는 표정을 지었다.

"그렇게 앉아 있으면 불편하잖아요."

"아뇨, 괜찮습니다."

"그래도 지루하잖아요."

"아뇨, 언제 도둑이 들어올지 몰라 긴장한 탓인지 전혀 지루하지 않습니다."

사모님은 홍차 잔을 든 채 웃으며 그 자리에 서 있었다.

"이 방은 좀 후미진 곳이라서 보초를 서기에는 좋지 않네요."

내가 말했다.

"그럼 미안하지만 좀 더 가운데로 나오겠어요? 지루할 것 같아 홍차를 내왔는데 괜찮으면 거실에서 드세요."

나는 사모님의 뒤를 따라 서재를 나왔다. 거실에는 아름다운 직사각형 상자 모양의 나무로 만든 화로가 있었는데, 화로 위에는 주전자가 끓고 있었다. 나는 그곳에서 차와 과자를 대접받았다. 사모님은 잠을 못 자면 안 된다며 차를 마시지 않았다.

"선생님은 가끔 그런 모임에 참석하시나요?"

"아뇨, 거의 나가지 않아요. 요즘은 점점 사람들을 만나는 게 싫어지는 모양이에요."

그렇게 말하는 사모님의 표정에는 그다지 걱정하는 기색이 없었기에 나도 모르게 대담해졌다.

"그럼 사모님만 예외인가요?"

"아뇨, 나 역시 남편이 싫어하는 사람들 중 하나예요."

"설마요."

내가 말했다.

"사모님도 그렇지 않다는 걸 알면서 괜히 그렇게 말씀하시는 거죠?"

"왜 그렇게 생각하죠?"

"제 생각에, 선생님은 사모님을 좋아해서 세상이 싫어지신 거예요."

"공부하는 사람이라 말도 꽤 그럴듯하게 하네요. 말도 안 되는 이론을 완벽하게 소화하는 걸 보니 말이에요. 그런데 세상이 싫어졌기 때문에 저까지 싫어졌다고도 할 수 있지 않을까요? 그런 논리로 따지면 말이죠."

"양쪽 모두 맞다고 할 수 있지만 이번에는 제 말이 옳아요."

"논쟁은 싫어요. 남자들은 툭하면 논쟁을 벌이죠. 재미있다는 듯이. 알맹이 없는 공론을 질리지도 않고 주고받는 게 가능하거든요."

사모님의 말에는 약간 가시가 돋쳐 있었다. 그러나 듣기에 결코 심한 말은 아니었다. 자신도 생각이 있다는 것을 상대로 하여금 인정하게 함으로써 일종의 자긍심을 느낄 만큼 사모님은 현대적이지 않았다. 사모님은 그런 것보다는 가슴 밑바닥에 깔려 있는 마음을 더 소중히 여기는 듯이 보였다.

17

나는 아직도 할 말이 더 남아 있었다. 하지만 사모님이 나를 쓸데없이 논쟁이나 벌이는 남자로 오해하면 곤란하다는 생각에 잠자코 있었다. 사모님은 다 마신 홍차 잔을 말없이 들여다보는 내 모습을 놓치지 않고 "한잔 더 드시겠어요?"라고 물었다. 나는 곧바로 찻잔을 사모님의 손에 건넸다. "몇 개요? 하나? 둘?" 특이하게 생긴 각설탕을 집은 사모님은 내 얼굴을 보며 차 속에 넣을 설탕의 개수를 물었다. 사모님의 태도는 내게 애교를 부리는 건 아니었지만 방금 내게 던진 가시 돋친 말을 애써 만회하려는 듯한 말투였다.

나는 말없이 차를 마셨다. 다 마신 뒤에도 잠자코 있었다.

"갑자기 말이 없네요."

사모님이 말했다.

"뭔가 말씀드리면 또 논쟁을 벌이려 한다고 나무라실 것 같아서요."

내가 대답했다.

"설마."

사모님이 다시 말했다.

우리 두 사람은 그것을 계기로 또다시 이야기를 나누기 시작했다. 그리고 역시 두 사람의 공통 관심사인 선생님이 화제였다.

"사모님, 좀 전에 하던 이야기를 계속하게 해 주시겠어요? 사모님께는 빈말로 들렸을지 모르지만 저는 결코 건성으로 한 이야기가 아니거든요."

"그럼 말해 보세요."

"지금의 사모님이 안 계시면 선생님이 지금처럼 살아갈 수 있을까요?"

"그건 모르죠. 그런 건 남편에게 직접 물어보는 수밖에 없지 않겠어요? 내게 할 질문이 아닌 것 같은데요."

"사모님, 저는 진지하게 여쭤 보는 거예요. 그러니까 피하지 말고 솔직하게 말씀해 주세요."

"솔직히 난 잘 모르겠어요."

"그러면 사모님은 선생님을 얼마나 사랑하세요? 이건 선생님께 묻는 것보다 사모님께 해야 할 질문이니까 사모님께 여쭤 볼게요."

"굳이 정색하고 묻지 않아도 되잖아요?"

"그 말뜻은 정색하고 물어볼 필요도 없이 당연하다는 말씀인가요?"

"그래요."

"그 정도로 선생님께 충실하신 사모님이 갑자기 안 계시면 선생님은 어떻게 될까요? 세상사에 흥미를 잃은 선생님은 그 후 어떻게 될까요? 선생님의 의견을 묻는 게 아니라 사모님의 생각을 묻는 거예요. 사모님이 보시기에 선생님은 행복한가요? 아니면 불행한가요?"

"그야 저는 당연히 알고 있죠. 그이는 그렇게 생각하지 않을지도 모르지만 그이는 나를 떠나면 불행해질 거예요. 어쩌면 살 수 없을지도 몰라요. 이렇게 말하면 너무 자만하는 것 같지만 나는 지금 그이를 최대한 행복하게 해 주고 있다고 믿어요. 그 어떤 사람도 나만큼 그이를 행복하게 해 줄 수는 없다고 생각해요. 그러니까 이렇게 느긋할 수 있죠."

"사모님의 믿음은 선생님의 마음에 충분히 전해졌을 거라고 생각해요."

"그건 별개죠."

"역시 선생님이 사모님을 싫어한다는 말씀인가요?"

"나는 그이가 나를 싫어한다고는 생각하지 않아요. 싫어할 이유가 없으니까요. 하지만 그이는 세상을 싫어하잖아요. 요즘은 세상보다는 인간을 싫어하죠. 그러니까 그 인간들 중 한 사람인 나도 좋아할 리 없잖아요?"

선생님이 자신을 싫어한다는 사모님의 말뜻을 그제야 이해할 수 있었다.

18

나는 사모님의 이해력에 감동했다. 사모님의 태도가 구식인 일본 여자와는 사뭇 다르다는 점도 내게는 매우 인상적이었다.

그러면서도 사모님은 당시 유행하기 시작한 이른바 신조어 등은 전혀 사용하지 않았다.

나는 여자와 깊게 교제를 해 본 경험이 없는 어수룩한 청년이었다. 남자인 나는 이성에 대한 본능에 따라 여자를 늘 동경의 대상으로 꿈꾸었다. 하지만 그것은 그리운 봄날의 구름을 바라보는 심정으로 막연한 상상에 지나지 않았다. 그래서 실제로 여자 앞에 나서면 감정이 돌변할 때도 있었다. 나는 막상 그 자리에서는 내 앞에 나타난 여자에게 마음이 끌리는 대신 오히려 이상한 반발심이 생겼다. 그런데 사모님 앞에서는 전혀 그런 기분이 들지 않았다. 보통 남녀 사이에 생기는 생각의 차이조차 거의 없었다. 나는 사모님이 여자라는 사실조차 잊어버렸다. 단지 내게는 선생님의 비평가인 동시에 그를 이해하는 성실한 사모님으로 비쳐졌다.

"사모님, 지난번에 제가 선생님은 왜 밖에서 활동하지 않느냐고 사모님께 여쭤 보았을 때 이렇게 말씀하셨죠. 원래는 저러시지 않았다고요."

"네, 그래요. 원래는 그런 분이 아니었어요."

"그럼 어떤 분이었나요?"

"지금 학생이 바라는, 그리고 내가 바라는 그런 믿음직한 분이었어요."

"그런데 왜 갑자기 변하신 거죠."

"갑자기가 아니에요. 조금씩 그렇게 변하셨죠."

"사모님은 그동안 늘 선생님과 함께하셨죠?"

"물론 함께했죠. 부부잖아요."

"그럼 선생님이 변한 이유를 알고 계실 텐데요."

"그러니까 문제죠. 학생에게 그 말을 들으니 정말 마음이 아프지만, 아무리 생각해도 도무지 그 이유를 알 수가 없어요. 지금까지 그이에게 솔직하게 말해 달라고 몇 번이나 부탁했는지 몰라요."

"선생님께서는 뭐라고 하셨나요?"

"할 말도 없고 걱정할 필요도 없다고. 자신은 이런 성격이 되어 버렸다고만 할 뿐 상대해 주지 않았어요."

나는 잠자코 있었다. 사모님 역시 잠시 아무 말도 하지 않았다. 자기 방에 있는 하녀는 숨소리조차 내지 않았다. 이제 도둑 따위는 안중에도 없었다.

"학생은 내게 책임이 있다고 생각하는 건가요?"

사모님이 느닷없이 물었다.

"아니요."

내가 대답했다.

"제발 숨기지 말고 말해 주세요. 나를 그렇게 생각하고 있다면 그건 뼈를 깎는 고통보다 괴로운 일이니까요."

사모님이 다시 말했다.

"이래 봬도 그이를 위해 할 수 있는 일은 모두 하고 있다고 생각해요."

"그 점은 선생님께서도 인정하시니까 안심하세요."

사모님은 화로 안의 재를 뒤적거린 후 물병의 물을 주전자에 따랐다. 주전자의 물 끓는 소리가 금세 잠잠해졌다.

"나는 더는 참지 못하고 그이에게 물었어요. 내가 잘못한 게 있다면 망설이지 말고 말해 달라고요. 고칠 수 있는 결점이라면 고치겠다고요. 그랬더니 그이는 내게 결점 같은 건 없다. 잘못은 자기에게 있다고만 하더군요. 그 말을 듣고 나는 너무 슬퍼서 견딜 수가 없었어요. 눈물이 나면서 자꾸 내게 부족한 점이 뭐냐고 묻고 싶어지는 거예요."

사모님의 눈에 눈물이 가득 고였다.

19

나는 처음에 사모님을 이해력이 있는 여성으로 대했다. 내가 그런 생각으로 이야기를 나누는 동안 사모님의 모습이 차츰 달라졌다. 사모님은 내 이성에 호소하는 대신 내 심장을 움직이기 시작했다. 자신과 남편 사이에는 아무런 걸림돌도 없다, 또한 없어야 하는데 역시 무언가 있다, 그런데 눈을 똑바로 뜨고 끝까지 밝히려고 해도 역시 아무것도 없다, 사모님의 고민은 바로 거기에 있었다.

처음에 사모님은 세상을 보는 선생님의 눈이 염세적이기 때문에 자신도 싫어하는 거라고 단언했다. 그렇게 단언하면서도 조금도 그렇게 생각하고 싶어 하지 않았다. 마음속을 털어놓자 오히려 그 반대 상황을 생각하고 있었다. 선생님이 자신을 싫어해서 결국 세상까지 싫어진 거라고 추측한 것이다. 하지만 아무리

애를 써도 추측을 사실로 밝히지 못했다. 선생님의 태도는 항상 남편다웠다. 친절하고 자상했다. 좀처럼 풀리지 않는 의혹 덩어리를 하루하루 쌓인 정으로 감싸 안은 사모님은 그날 밤 그동안 가슴속 깊이 묻어 둔 의혹의 보따리를 내 앞에 풀어 놓았다.

"학생은 어떻게 생각해요?"

사모님이 물었다.

"나 때문에 선생님이 그렇게 변한 건지, 아니면 학생이 아까 말한 인생관인가 뭔가 때문에 그렇게 변한 건지 숨김없이 말해 주세요."

나는 아무것도 숨길 생각이 없었다. 하지만 내가 모르는 무언가가 존재한다면 내 대답이 무엇이 됐든 그것으로 사모님을 만족시킬 수는 없었다. 그리고 나는 내가 모르는 무언가가 반드시 있을 거라고 믿었다.

"저는 잘 모르겠어요."

순간, 사모님의 얼굴은 예상이 빗나갔을 때의 가련한 표정이 역력했다. 나는 곧 덧붙여 말했다.

"하지만 선생님이 사모님을 싫어하지 않는다는 것만은 제가 보증합니다. 저는 선생님께 직접 들은 대로 사모님께 전하는 것뿐이에요. 선생님은 거짓말을 하지 않으시는 분이잖아요."

사모님은 아무 말도 하지 않았다. 그리고 잠시 후에 말했다.

"실은 짐작 가는 일이 있긴 한데……."

"선생님이 저렇게 변한 원인에 대한 건가요?"

"네. 만일 그 일이 원인이라면 내 책임은 아니라는 거니까 그것만으로도 나는 마음이 편해지는데."

"무슨 일인데요?"

사모님은 주저하면서 무릎 위에 올려 둔 자신의 손을 내려다보았다.

"잘 듣고 판단해 보세요. 이야기할 테니까."

"제가 내릴 수 있는 판단이라면 그렇게 할게요."

"모든 사실을 말할 수는 없어요. 전부 말했다가는 꾸중하실 테니까. 꾸중하지 않을 부분까지만 말할게요."

나는 긴장해서 침을 꿀꺽 삼켰다.

"선생님이 대학에 다니던 시절, 아주 친한 친구 한 분이 있었어요. 그런데 그분이 졸업을 앞두고 갑자기 죽었어요. 정말 갑작스러운 죽음이었죠."

사모님은 내 귀에 속삭이듯 작은 목소리로 말했다.

"사실은 자살한 거예요."

"왜요?"

"더는 말할 수 없어요. 하지만 그 일이 있고부터 같아요. 선생님의 성격이 점점 변하기 시작한 것은. 그분이 왜 자살했는지는 나도 몰라요. 아마 선생님도 마찬가지일 거예요. 하지만 그 일이 있고 나서 선생님이 변했다고 볼 수 있어요."

"그분의 묘지인가요? 조시가야에 있는 묘지 말이에요."

"그것도 이야기하지 않기로 했기 때문에 말할 수 없어요. 그런데 친한 친구 한 명을 잃었다고 해서 그렇게까지 변할 수도 있나요? 난 그 점이 알고 싶어서 참을 수가 없어요. 그러니까 그 점을 판단해 주었으면 좋겠어요.”

내 판단은 오히려 부정적인 쪽으로 기울었다.

20

나는 내가 알아낸 사실을 토대로 사모님을 위로하려고 했다. 사모님 또한 내게서 위로를 받은 것처럼 보였다. 그래서 두 사람은 같은 문제를 두고 오랫동안 이야기를 나누었다. 하지만 나는 정작 근본적인 핵심은 파악하지 못했다. 사모님의 불안도 사실은 근저에서 표류할 뿐 실체에 접근하지 못했기 때문에 생긴 것이었다. 사건의 진상은 사모님 자신도 많이는 알지 못했다. 알고 있는 내용조차 내게 모두 밝힐 수 없었다. 따라서 위로하는 나도, 위로받는 사모님도 파도에 몸을 내맡긴 채 흔들리는 대로 흘러갈 수밖에 없었다. 그렇게 흔들리면서도 사모님은 끝까지 손을 내밀어 미덥지 못한 내 판단에 매달리려 했다.

열 시경이 되어 현관에서 선생님의 발소리가 들리자, 사모님은 갑자기 지금까지의 일은 모두 잊은 듯이, 앞에 앉아 있는 나를 아랑곳하지 않고 자리에서 벌떡 일어났다. 그리고 문을 열고 들어오는 선생님을 서둘러 맞이했다. 홀로 남겨진 나도 사모님 뒤를 따라 나갔다. 하녀만은 선잠을 자는지 끝내 나오지 않았다.

선생님은 의외로 기분이 좋아 보였다. 그런데 사모님의 모습은 더 좋아 보였다. 방금 전까지 아름다운 눈에 가득 고인 눈물과 까만 눈썹 사이에 새겨진 팔자 주름을 기억하고 있던 나는 변화무쌍한 사모님의 모습을 주의 깊게 살펴보았다. 만일 그것이 거짓이 아니라면 (실제로 그 모습이 거짓이라고는 도저히 생각할 수 없었지만) 지금까지 내 마음을 흔든 사모님의 호소는 감상적인 기분을 주체하지 못하고 나를 상대로 신세 한탄을 늘어놓는, 짓궂은 여자의 유희라고 볼 수도 있었다. 하지만 당시의 나로서는 사모님을 그렇게까지 나쁘게 보고 싶지 않았다. 갑작스럽지만 사모님의 밝은 모습을 보고 오히려 안심했다. 지금대로라면 걱정할 필요 없다고 긍정적으로 생각했다.

선생님은 웃으면서 "수고 많았네. 도둑은 안 왔는가?"라고 내게 물었다. 그러고는 "혹시 도둑이 오지 않아서 김이 새지는 않았나?" 하고 덧붙였다.

집으로 돌아갈 때 사모님은 "오늘 고생 많았어요."라고 인사했다. 그런데 그 말투는 바쁜데 시간을 낭비하게 해서 안됐다기보다는 모처럼 왔는데 도둑이 들지 않아 안됐다는 농담처럼 들렸다. 사모님은 그렇게 말하면서 조금 전에 내온 양과자 남은 것을 종이에 싸서 내 손에 쥐어 주었다. 나는 그것을 소맷자락에 넣고 인적이 드문 쌀쌀한 밤 골목을 돌아 번화가 쪽으로 발걸음을 재촉했다.

나는 그날 밤에 있었던 일을 기억 속에서 떠올리고 여기에 자세히 적었다. 적어 둘 필요가 있다고 생각하지만, 사실 사모님이 준 과자를 받아 들고 집으로 향할 때는 그날 밤의 대화 내용을 그다지 중요하게 여기지 않았다. 나는 그다음 날 점심을 먹으러 학교에서 돌아와 지난밤 책상 위에 놓아둔 과자 꾸러미를 보고 곧바로 초콜릿을 바른 갈색 카스텔라를 꺼내 한입 가득 넣었다. 그리고 그 과자를 먹을 때 분명히 이 과자를 내게 준 두 분은 행복한 한 쌍으로 이 세상에 존재한다고 믿으면서 맛을 음미했다.

가을이 깊어지고 겨울이 올 때까지 특별한 일은 없었다. 나는 선생님 댁에 드나들면서 옷을 빨아 풀을 먹이는 일이나 바느질 등을 사모님에게 부탁했다. 그때까지 주반(속옷으로 맨몸에 직접 입는 짧은 홑옷_옮긴이)을 입은 적이 없던 내가 셔츠 위에 검은 깃이 달린 상의를 덧입게 된 것은 이때부터였다. 자식이 없는 사모님은 나의 그런 소소한 일을 보살펴 주는 일이 오히려 지루한 일상에 좋은 활력소가 된다며 좋아했다.

"이건 손으로 직접 짠 거네요. 이렇게 질이 좋은 옷은 지금까지 바느질해 본 적이 없어요. 대신에 이런 천은 바느질하기 어려워요. 바늘이 잘 들어가지 않거든요. 덕분에 바늘을 두 개나 부러뜨렸어요."

이런 불만을 털어놓을 때조차 사모님은 별로 귀찮아하는 기색이 아니었다.

21

겨울이 되자 고향에 돌아갈 일이 생겼다. 어머니가 보낸 편지에는 아버지의 병세가 좋지 않다는 것과 지금 당장 어떻게 되지는 않겠지만 나이가 있으니 가능하면 빨리 돌아오라는 부탁이 덧붙여져 있었다.

아버지는 전부터 신장병을 앓고 계셨다. 중년을 넘긴 사람들에게 종종 보이듯 아버지의 이 병도 만성이었다. 그러나 아버지와 가족들은 조심만 하면 갑자기 악화되는 일은 없다고 믿어 의심치 않았다. 실제로 아버지는 손님이 집에 찾아올 때마다 요양을 잘한 덕분에 더는 나빠지지 않고 지금까지 잘 버텨 왔다고 말했다. 어머니의 편지에 따르면 그런 아버지가 정원에 나와 무언가를 하다가 갑자기 현기증을 일으키며 쓰러졌다는 것이다. 집안사람들은 가벼운 뇌출혈이라고 잘못 판단하고는 그에 따른 응급조치를 했다. 나중에 의사에게 뇌출혈이 아니라 지병 때문에 생긴 것 같다는 진단 결과를 듣고 나서야 비로소 졸도와 신장병을 연결해서 생각했다.

겨울 방학이 되려면 며칠 더 있어야 했다. 나는 학기가 끝날 때까지 기다렸다가 돌아가도 별일 없을 거라고 생각하고는 하루 이틀 그대로 지냈다. 하지만 그동안 아버지가 병상에 누워 계신 모습과 걱정하는 어머니의 얼굴이 눈앞에 아른거렸다. 그럴 때마다 괴로운 마음이 들었던 나는 마침내 돌아가기로 결심했다. 고향에서 여비를 보내는 데 드는 수고와 시간을 절약하기 위해, 그리고 작별 인사도 할 겸 선생님을 찾아가 필요한 만큼의 돈을 잠시 빌리기로 했다.

선생님은 감기 기운이 있어서 거실로 나오는 게 힘들다고 하며 나는 서재로 안내되었다. 겨울에는 좀처럼 보기 힘든 부드러운 햇빛이 서재의 유리문을 통해 탁자 위를 비추었다. 선생님은 햇빛이 잘 드는 방 안에 큰 화로를 놓고 삼발이 위에 올려 둔 놋

대야에서 피어오르는 수증기를 쐬며 숨을 고르고 있었다.

"큰 병이라면 몰라도 시시한 감기 따위로 고생하는 건 정말 싫어."

선생님은 쓴웃음을 지으며 내 얼굴을 쳐다보았다.

선생님은 심각한 병을 앓은 적이 없었다. 선생님의 말을 들은 나는 웃고 싶어졌다.

"저는 감기 정도라면 참을 수 있지만 그 이상의 병은 딱 질색이에요. 선생님도 마찬가지일 거예요. 시험 삼아 한번 앓아 보면 금방 아시게 될걸요."

"그런가? 난 이왕 병에 걸릴 바에야 차라리 죽을병에 걸리는 게 낫다고 생각하네."

나는 선생님의 말에 크게 신경 쓰지 않았다. 그리고 어머니가 보내 주신 편지 이야기를 한 후 돈을 좀 빌려 달라고 부탁했다.

"그거 큰일이군. 그만한 돈이라면 지금 있으니 가지고 가게."

선생님은 사모님을 불러 필요한 만큼의 돈을 가지고 오게 했다.

안방 어디의 서랍에서 돈을 꺼내 온 사모님은 흰 종이 위에 가지런히 포개 놓고는 "걱정이 많겠어요."라고 한마디 했다.

"여러 번 쓰러지셨나?"

선생님이 물었다.

"편지에는 자세한 이야기가 없었는데……. 그렇게 자주 쓰러지는 병인가요?"

"음."

사모님의 어머니도 아버지와 같은 병으로 돌아가셨다는 것을 그때 처음 알았다.

"낫기 힘든 병인가요?"

내가 물었다.

"그렇다네. 가능하면 내가 가서 직접 봤으면 좋겠지만……. 혹시 구토는 하시나?"

"글쎄요. 편지에 그런 말은 쓰여 있지 않아서요. 아마 하지 않을 거예요."

"구토 증세만 없으면 아직은 괜찮아요."

사모님이 말했다.

나는 그날 밤 기차를 타고 도쿄를 떠났다.

22

아버지의 병세는 생각만큼 나쁘지는 않았다. 내가 집에 도착했을 때는 자리를 털고 일어나 책상다리를 하고 앉아서 "모두들 걱정하니까 그저 참고 이렇게 꼼짝 않고 있단다. 이제는 일어나도 되는데 말이다."라고 말했다. 그러나 그다음 날부터는 어머니가 말려도 듣지 않고 마침내 이부자리를 치우게 했다. 어머니는 마지못해 비단 이불을 개키면서 말했다.

"아버지는 네가 돌아와서 갑자기 기운이 나시는 거야."

아버지의 거동으로 보아 괜히 허세를 부리는 것 같지는 않았다.

형은 직장 때문에 멀리 규슈에 가 있었다. 집안에 무슨 일이 생기지 않는 이상 그는 쉽사리 부모님을 찾아볼 여건이 되지 않았다. 여동생은 다른 지방으로 출가했다. 그녀 역시 급한 일이 생길 때마다 집으로 불러들일 수 있는 형편이 아니었다. 삼남매 중 그나마 가장 편한 사람은 역시 학생 신분인 나뿐이었다. 그런 내가 어머니의 말대로 학교 수업을 팽개치고 방학도 하기 전에 돌아왔다는 것이 아버지를 뿌듯하게 했다.

"이 정도 병으로 학교까지 쉬게 하다니 미안하구나. 네 어머니가 너무 과장해서 편지를 쓴 게 잘못이야."

아버지는 입으로는 그렇게 말했다. 그렇게 말한 것뿐만 아니라 지금까지 누워 있던 이부자리까지 치우게 하고는 평소와 같은 건강한 모습을 보여 주었다.

"너무 가볍게 여기다가 병이 도지면 어쩌시려고요."

내가 걱정스럽다는 듯 말해도 아버지는 유쾌한 표정을 지으며 가볍게 받아들였다.

"괜찮아. 이렇게 평소와 마찬가지로 조심하면 돼."

사실 아버지는 괜찮은 것 같았다. 집 안을 마음대로 돌아다녀도 결코 숨 가빠하지 않았고 현기증도 느끼지 않았다. 단지 얼굴색만큼은 보통 사람에 비해 상당히 나빴다. 그러나 어제오늘 시작된 증상도 아니었기에 우리는 특별히 그 점을 신경 쓰지 않았다.

나는 선생님께 돈을 빌려 준 데에 대한 감사의 편지를 써서 보냈다. 정월에 도쿄로 올라갈 때 빌린 돈을 가지고 갈 테니 그때까지 기다려 달라고 양해를 구했다. 그리고 아버지의 병세가 생각보다 나쁘지 않다는 점, 지금 상태라면 당분간은 안심해도 될 거라는 점, 현기증이나 구토 증세도 없는 점 등을 썼다. 마지막으로 선생님의 감기 기운에 대해서도 한마디 덧붙였다. 사실 선생님의 감기는 별거 아니라고 생각했다.

나는 편지를 부칠 때 결코 선생님의 답장을 기대하지 않았다. 편지를 부친 다음에는 부모님과 마주 앉아 선생님에 관한 이야기를 나누면서 멀리 떨어져 있는 선생님의 서재를 상상했다.

"이번에 도쿄에 갈 때는 표고버섯이라도 좀 가져다 드리렴."

"네. 그런데 선생님이 말린 표고버섯 같은 걸 드실까요?"

"맛있는 건 아니지만 특별히 싫어하는 사람도 없을 거야."

솔직히 표고버섯과 선생님을 연결 지어 생각하는 것 자체가 이상했다.

선생님의 답장을 받았을 때 나는 잠시 얼떨떨했다. 그리고 특별한 내용이 없다는 걸 확인하고 다시 한 번 놀랐다. 선생님은 단지 친절한 마음에 답장을 보낸 거라고 생각했다. 그렇게 생각하니 그 간단한 한 통의 편지가 내게 큰 기쁨을 주었다. 더구나 그것은 내가 선생님께 받은 첫 번째 편지였다.

첫 번째 편지라고 하면 나와 선생님 사이에 여러 번 서신이 오갔을 거라고 생각하겠지만, 사실 결코 그렇지 않다는 것을 미리 밝혀 둔다. 나는 선생님 생전에 단 두 통의 편지를 받았다. 그중 한 통이 지금 말한 이 간단한 답장이고 나머지 한 통은 선생님이 죽기 전에 특별히 내 앞으로 보낸 장문의 편지다.

아버지는 병의 특성상 가급적 운동을 삼가야 했기에 자리를 털고 일어난 다음에도 거의 문밖출입은 하지 않았다. 한번은 바깥 날씨가 따뜻한 오후에 정원으로 내려갔는데, 그때는 만일을 대비해 내가 아버지 곁에 붙어 있었다. 걱정스러운 마음에 내 어깨에 손을 얹으라고 해도 아버지는 웃으면서 거절했다.

23

　나는 심심해하는 아버지의 상대가 되어 자주 장기를 두었다. 두 사람 다 움직이기 싫어하는 게으른 성격인지라 고타쓰(일본의 실내 난방 장치의 하나로 지금은 전기를 이용한 테이블 고타쓰가 일반적이나 옛날에는 화로 고타쓰를 사용함_옮긴이) 위에 장기판을 올려놓고 마주 앉아 말을 움직일 때만 이불 속에 있던 손을 빼곤 했다. 가끔 잡은 말을 잃어버려도 다음 승부가 올 때까지 둘 다 전혀 알아채지 못할 때도 있었다. 어머니가 화로의 재 속에서 그 말을 발견하고는 부젓가락으로 집어 올리는 웃지 못할 광경도 벌어졌다.

　"바둑은 판이 너무 높은 데다 다리까지 붙어 있어서 고타쓰 위에서는 하기 어려운데, 거기에 비해 장기판은 괜찮구나. 이렇게 편하게 둘 수 있으니까 말이다. 게으른 사람에게는 안성맞춤이야. 한 판 더 두자."

　아버지는 자신이 이기면 꼭 한 판 더 두자고 했다. 하지만 이번에는 졌음에도 한 판 더 하고 싶어 했다. 요컨대 이기든 지든 고타쓰 앞에 앉아서 장기를 두고 싶었던 것이다. 처음에는 색다르기도 하고 은둔 생활 같은 이 오락이 내게도 꽤 재미있었지만 시일이 지남에 따라 젊은 나의 기력은 그 정도의 자극으로는 만족할 수 없었다. 나는 가끔 장이나 차를 쥔 손을 머리 위로 뻗고 크게 하품했다.

나는 도쿄를 생각했다. 그리고 심장이 터질 것처럼 팔딱이는 고동 소리를 들었다. 그런데 이상하게도 그 고동 소리가 어떤 미묘한 의식 상태에서 선생님의 힘으로 강해지는 것 같았다.

나는 마음속으로 아버지와 선생님을 비교해 보았다. 두 분 모두 세상 사람들이 볼 때는 살았는지 죽었는지 모를 정도로 조용한 분들이었다. 세상 사람들의 기준으로 보면 두 분 모두 빵점이었다. 게다가 이렇게 장기 두기를 좋아하는 아버지는 단순한 오락 상대로서도 내게는 많이 부족했다. 그런데 오락을 위해 왕래한 것도 아닌 선생님은 오락을 함께하는 데서 나오는 친밀함 이상으로 언제부터인가 내 사고에 큰 영향을 미치고 있었다. 단순히 사고라고 하면 너무 차가운 느낌이 들어서 가슴속이라고 바꾸어 말하고 싶다. 살 속에 선생님의 힘이 파고들고, 핏속에 선생님의 생명이 흐른다고 해도 당시의 내게는 조금도 과장이 아니었다. 아버지는 친아버지지만 선생님은 내게 타인이라는 명백한 사실을 새삼 떠올리자 큰 진리라도 발견한 것처럼 나는 깜짝 놀랐다.

내가 따분해서 자꾸 몸을 비틀기 시작할 무렵, 아버지와 어머니도 처음에는 오랜만이라서 반가웠던 내가 차츰 식상해지는 듯했다. 방학을 맞아 오랜만에 고향에 내려온 사람이라면 누구나 비슷한 경험을 해 보았을 것이다. 처음 일주일 동안은 극진하게 대해 주지만 어느 정도 시간이 지나면 가족들의 환영 열기가 점차 식기 시작하면서 급기야는 없어도 그만인 존재로 전락한다. 나 역시 고향 집에 머무르는 시기가 길어지면서 그런 존재가 되었다. 게다가 나는 고향에 돌아갈 때마다 아버지와 어머니가 이해할 수 없는 묘한 분위기를 풍겼다. 옛날로 비유하면, 유교 집안에 기독교 냄새를 가지고 들어온 것처럼 내가 도쿄에서 가지고 돌아간 분위기는 아버지나 어머니와 전혀 조화를 이루지 못했다. 물론 나는 그것을 숨기고 있었다. 하지만 일부러 숨기려 해도 이미 몸에 밴 탓인지 부모님은 꿰뚫어 보신 것 같았다. 마침내 지루해진 나는 빨리 도쿄로 돌아가고 싶었다.

아버지의 병세는 다행히 악화될 기미가 보이지 않았다. 혹시나 하는 마음에 일부러 멀리서 상당히 용하다는 의사를 불러 신중하게 진찰을 받아 보았지만 역시 내가 알고 있는 것 외에 별다른 이상은 발견되지 않았다. 나는 겨울 방학이 끝나기 직전에 고향을 떠나기로 했다. 내가 도쿄로 돌아가겠다고 하자, 사람의 마음이란 참으로 묘해서 두 분 모두 반대했다.

"벌써 가려고? 개학하려면 아직 멀었잖아?"

어머니가 말했다.

"사오일 더 있다 가도 아직 여유가 있잖니?"

아버지가 말했다. 그러나 부모님의 만류에도 한번 결정한 출발 날짜를 바꾸지 않았다.

24

도쿄에 돌아오니 마쓰카자리(새해에 대문에 장식하는 소나무_옮긴이)는 어느새 다 치우고 없었다. 거리에는 차가운 바람만 불 뿐 어디를 둘러봐도 딱히 정월다운 분위기는 느껴지지 않았다.

나는 표고버섯을 들고 선생님 댁에 돈을 갚으러 갔다. 표고버섯을 그냥 내밀기가 뭐해서 어머니께서 가져다 드리라고 했다는 말과 함께 사모님 앞에 내놓았다. 표고버섯은 새 과자 상자에 담겨 있었다. 사모님은 감사하다는 말을 한 후 옆방으로 가면서 상자를 들어 보고는 너무 가벼워서 놀랐는지 "이건 무슨 과자예요?"라고 물었다. 사모님은 친해지고부터 이처럼 어린애 같은 모습을 가끔 보여 주기도 했다. 두 분 모두 아버지의 병환을 염려하며 내게 이것저것 물어보는 중에 선생님이 이런 말도 했다.

"이야기를 들어 보니 지금 당장 어떻게 되실 것 같지는 않지만 병이 병인 만큼 신경을 쓰지 않으면 안 될 거야."

선생님은 신장병에 대해 내가 모르는 부분까지 상세히 알고 있는 듯했다.

"자신이 병에 걸렸는데도 그걸 알아채지 못하고 방심하는 것이 그 병의 특징이지. 내가 아는 어떤 군인은 결국 그 병으로 죽었는데 정말 거짓말같이 가 버렸어. 오죽하면 옆에서 자고 있던 부인조차 손을 써 볼 겨를이 없었다니까. 한밤중에 좀 괴롭다며 부인을 깨웠는데 다음 날 아침에는 이미 죽어 있었다는 거야. 더구나 부인은 남편이 자고 있는 줄로만 알고 있었어."

지금까지 낙천적으로 생각하던 나는 갑자기 불안해졌다.

"우리 아버지도 그렇게 되실까요? 그렇게 되지 않는다고 장담할 수도 없죠?"

"의사는 뭐라고 말하던가?"

"완치되기는 어렵지만 당분간 걱정할 필요는 없을 거라고 하더군요."

"의사가 그렇게 말했다면 괜찮을 거야. 내가 지금 한 이야기는 자신의 병을 모르고 있던 사람의 이야기인 데다 성격이 아주 난폭한 군인이었거든."

그제야 나는 안심했다. 내 변화를 가만히 지켜보던 선생님은 이렇게 덧붙였다.

"하지만 인간은 건강하든 아프든 어차피 약한 존재야. 언제 무슨 일로 어떻게 죽을지 알 수 없거든."

"선생님도 그런 일을 생각하고 계세요?"

"아무리 건강한 나라도 전혀 생각 안 할 수는 없지."

선생님의 입가에 미소가 번졌다.

"갑자기 이 세상을 떠나는 사람이 있지? 아주 자연스럽게. 그리고 눈 깜짝할 사이에 죽는 사람도 있고, 부자연스러운 폭력으로."

"부자연스러운 폭력이 뭐죠?"

"그게 뭔지 나도 확실히는 모르지만, 자살하는 사람은 모두 부자연스러운 폭력을 사용하지."

"그렇다면 살해당하는 것 역시 부자연스러운 폭력 때문이군요."

"그건 한 번도 생각해 본 적 없지만 듣고 보니 그런 것 같군."

그날은 그렇게 하숙집으로 돌아왔다. 돌아오고 나서도 아버지의 병환은 그다지 걱정하지 않았다. 선생님이 말한 자연스러운 죽음이나 부자연스러운 폭력에 의한 죽음이라는 말도 그 자리에서만 약간 인상적이었을 뿐 나중에는 전혀 신경 쓰이지 않았다. 그러다가 지금까지 몇 번이나 손을 댔다가 나중으로 미뤄 둔 졸업 논문을 본격적으로 써야 한다는 데 생각이 미쳤다.

25

그해 6월에 졸업 예정이던 나는 반드시 이 논문을 규정대로 4월 말까지는 완성해야 했다.

2, 3, 4…… 하면서 손가락을 꼽으며 남은 날짜를 계산한 나는 내 배짱을 의심했다. 다른 학생들은 훨씬 전부터 자료를 수집하고 노트 정리를 하느라 한눈팔 사이도 없어 보였는데, 나는 아직 아무것도 손대지 못하고 있었다. 그저 새해가 되면 본격적으로 하자는 결심만 했을 뿐이다. 나는 그 결심을 실행에 옮겼다. 하지만 금세 꼼짝도 할 수 없었다. 지금까지 커다란 주제를 상상하며 골격만은 거의 완성했다고 생각한 나는 머리를 싸매고 고민하기 시작했다. 그러고 나서 논문의 주제를 좁혔다. 몇 번이나 다듬어 완성한 사상을 계통적으로 정리하는 수고를 줄이기 위해 그냥 책 속에 있는 자료를 늘어놓고 그에 걸맞은 결론을 약간 덧붙이기로 했다.

내가 선택한 주제는 선생님의 전공과도 관련이 있었다. 내가 전에 선택한 주제가 어떤지 선생님의 의견을 물어보았을 때 선생님은 괜찮을 것 같다고 했다. 마음이 다급해진 나는 곧 선생님 댁으로 가서 내가 읽어야 할 참고 서적에 관해 물었다. 선생님은 자신이 알고 있는 것들을 내게 말해 주었고, 필요한 책도 두세 권 빌려 주겠다고 했다. 그러나 선생님은 내 논문과 관련해서 조금도 나를 지도하려고 하지 않았다.

"요즘은 별로 책을 읽지 않아서 새로운 내용은 아는 게 없다네. 학교 교수님께 묻는 것이 나을 거야."

그때 문득 전에 사모님이 한 말이 떠올랐다. 선생님은 한때 굉장한 독서광이었지만 그 후 어찌 된 일인지 전보다 책에 흥미가 없어진 것 같다고 했다. 나는 논문은 뒷전으로 하고 엉뚱한 질문을 했다.

"선생님은 왜 예전만큼 책에 흥미를 갖지 않으세요?"

"딱히 이유는 없지만…… 굳이 말하자면 아무리 책을 읽어도 그다지 훌륭해지지 않는다고 생각했기 때문이지. 그리고……."

"그리고 또 다른 이유가 있나요?"

"대단한 이유는 아니지만 전에는 사람들 앞에 서거나 다른 사람의 질문에 대답하지 못하면 수치심을 느꼈거든. 그런데 요즘은 몰라도 수치심이 느껴지지 않아. 무리하게 책을 읽으려는 의욕이 사라졌어. 한마디로 늙었다는 말이지."

선생님은 의외로 담담하게 말했다. 세상을 등진 사람의 입에서 나올 법한 가시 돋친 말로는 들리지 않은 만큼 토를 달 생각은 없었다. 나는 선생님을 늙었다고도 생각하지 않았지만 그렇다고 훌륭하다는 느낌도 받지 못한 채 집으로 돌아왔다.

그 후 나는 논문에 미친 사람처럼 눈이 빨개져서 하루하루 정신없이 파고들었다. 일 년 전에 졸업한 친구들에게 여러 상황을 물어보기도 했다. 그중 어떤 친구는 마감일에 자동차를 타고 사무실까지 뛰어 들어가 겨우 시간에 맞추었다고 했다. 또 다른 친구는 마감 시간 다섯 시를 십오 분 넘겨서 가지고 간 탓에 하마터면 거절당할 뻔한 것을 지도교수의 호의로 겨우 접수했다고 말했다. 나는 불안감을 느끼면서도 안 되면 어쩔 수 없다고 생각했다. 매일 책상 앞에 앉아 체력이 되는 한 집중해서 논문을 작성했다. 한편으로는 어두침침한 서고에 들어가 높은 책장 여기저기를 둘러보았다. 내 눈은 귀족들이 굴속에서 골동품을 파낼 때처럼 책표지에 쓰인 금문자들을 찾아 헤맸다.

매화꽃이 피기 시작하자 차가운 바람은 점차 남쪽으로 방향을 바꾸었다. 얼마 안 되어 매화꽃이 진 후 내 귀에도 여기저기 벚꽃 소식이 들리기 시작했다. 하지만 나는 수레를 끄는 말처럼 앞만 보며 논문 작성에 매달렸다. 마침내 4월 하순이 되어 예정대로 논문을 완성할 때까지 나는 한 번도 선생님 댁을 방문하지 못했다.

26

내가 논문에서 해방된 것은 겹벚꽃이 모두 떨어진 가지에 어느새 파란 새순이 조금씩 돋아나기 시작하는 초여름이었다. 나는 새장을 빠져나온 작은 새처럼 넓은 세상을 바라보며 자유롭게 날갯짓을 했다. 나는 곧장 선생님 댁으로 갔다. 탱자나무 울타리의 거무스레한 가지 위에는 새순이 싹트고, 마른 석류 줄기에서는 윤기 나는 갈색 잎이 부드러운 햇살을 받아 더 여리게 보여 나의 시선을 잡아끌었다. 나는 태어나서 처음으로 그런 광경을 보는 듯한 신선함을 느꼈다.

선생님은 밝은 표정을 짓고 있는 나를 보고 말했다.

"이제 논문은 다 끝났는가? 수고했네."

"선생님 덕분에 겨우 완성했어요. 이제는 할 일이 아무것도 없어요."

실제로 그때 나는 이미 해야 할 일을 모두 끝내서 앞으로는 마음껏 놀아도 될 것 같은 홀가분한 기분을 느꼈다. 나는 완성한 내 논문에 충분히 자신감이 있었고 만족스러웠다. 선생님 앞에서 계속 논문 내용을 떠들었다. 선생님은 늘 그렇듯이 "과연." "그래?"라고 대꾸했지만 그 이상의 비평은 전혀 덧붙이지 않았다. 나는 섭섭하기보다 약간 맥이 빠지는 느낌이었다. 그래도 그날의 내 기력은 소극적인 태도를 보이는 선생님의 태도에 역습을 시도할 정도로 활기가 넘쳤다. 나는 푸른빛으로 소생하려는 대자연 속으로 선생님을 끌어내고 싶었다.

"선생님, 우리 밖으로 나갈까요? 바깥으로 나가면 무척 기분이 좋아요."

"어디로?"

어디라도 상관없었다. 그저 선생님과 함께 교외로 나가고 싶었다.

한 시간 후 선생님과 나는 목적했던 대로 시내를 벗어나 시골인지 읍내인지 구별이 안 되는 조용한 곳을 무작정 걸었다. 나는 붉은순나무 담 너머로 부드럽고 어린잎을 따서 풀피리를 만들어 불었다. 가고시마 출신의 친구를 흉내 내다 자연스럽게 배운 나는 풀피리를 제법 잘 불었다. 내가 능숙하게 계속 풀피리를 부는 동안 선생님은 무관심한 얼굴로 주위를 둘러보며 걸어갔다.

어린잎으로 둘러싸인 것처럼 낮은 언덕에 있는 집 한 채 밑으로 좁은 길이 나 있었다. 문기둥에 붙은 문패에 무슨 원(園)이라고 적혀 있는 걸 보니 개인 주택이 아니라는 것을 금방 알 수 있었다. 선생님은 길게 오르막길이 나 있는 입구를 쳐다보면서 말했다.

"들어가 볼까?"

"정원수를 파는 집이군요."

나무 사이를 한 번 돌아 안쪽으로 걸어 올라가니 왼쪽에 집이 있었다. 열어젖힌 문 안쪽은 텅 비어 사람의 그림자도 보이지 않았다. 다만 처마 끝에 놓인 커다란 항아리 안에서 금붕어가 놀고 있었다.

"조용하군. 말도 없이 들어가도 될지 모르겠네."

"괜찮겠죠, 뭐."

우리 두 사람은 다시 안쪽으로 걸어 들어갔다. 하지만 그곳에도 사람의 그림자는 없었다. 철쭉꽃이 불타오르듯 흐드러지게 피어 있었다. 선생님은 그중 키 큰 주황색 꽃을 가리키며 "이건 기리시마 철쭉이야."라고 말했다.

한쪽 귀퉁이의 33제곱미터 남짓한 공간에 작약도 심겨 있었지만 아직 이른 시기라서 그런지 한 그루도 꽃을 피우지는 않았다. 선생님은 작약 밭 옆에 있는 낡은 평상 위에 큰대 자로 드러누웠다. 나도 한쪽 끝에 걸터앉아 담배를 피웠다. 선생님은 청명한 하늘을 쳐다보고 있었다. 나는 주위를 둘러싼 어린잎에 마음을 빼앗겼다. 그 어린잎을 자세히 들여다보니 색이 모두 제각각이었다. 한 그루의 단풍나무에서 뻗어 나온 가지라 해도 똑같은 빛깔은 한 잎도 없었다. 가느다란 삼나무 묘목 끝에 걸쳐 둔 선생님의 모자가 바람에 날려 떨어졌다.

27

나는 모자를 집어 들었다. 그러고는 군데군데 묻어 있는 붉은 흙을 손톱으로 떨어내면서 선생님을 불렀다.

"선생님, 모자가 떨어졌어요."

"고맙네."

몸을 반쯤 일으키고 모자를 받은 선생님은 일어난 것도 누운 것도 아닌 어정쩡한 자세로 내게 이상한 질문을 했다.

"뜬금없는 질문 같지만, 자네 집안의 재산은 넉넉한 편인가?"

"그다지 넉넉한 편은 아니에요."

"어느 정도 되는가? 실례되는 질문인 건 알지만."

"글쎄요. 선산과 전답이 좀 있지만 돈은 전혀 없을 거예요."

선생님이 우리 집의 경제 사정을 물어본 건 그때가 처음이었다. 나는 아직 선생님의 살림살이에 관해 한 번도 물어본 적이 없었다. 선생님을 안 이후로 줄곧 선생님은 왜 일을 안 하고 집에만 있는지 의아했다. 그 후에도 이 궁금증은 내 머릿속을 떠나지 않았다. 그러나 선생님 앞에서 그런 노골적인 질문을 하는 것은 무례하다는 생각에 절대로 입에 올리지 않았다. 싱싱한 어린 잎을 바라보며 지친 눈을 달래던 나는 다시 궁금해졌다.

"선생님은 어떠세요? 재산이 얼마나 되세요?"

"내가 부자로 보이는가?"

선생님은 평소에도 옷차림이 검소했다. 그리고 집안일을 돕는 사람도 별로 없었다. 집도 결코 넓지 않았다. 하지만 집안 사정을 잘 알지 못하는 내 눈에도 물질적으로 풍족한 생활을 한다는 것을 알 수 있었다. 요컨대 선생님의 생활은 사치스럽다고까지는 할 수 없지만 궁색한 살림은 결코 아니었다.

"그렇지 않나요?"

내가 말했다.

"그야 먹고살 만큼의 돈은 있지. 하지만 결코 부자는 아니야. 부자라면 더 넓은 집을 지었겠지."

말이 끝나자 선생님은 일어나 평상 위에 양반다리를 하고 앉으시더니, 대나무 지팡이 끝으로 땅 위에 원을 그리기 시작했다. 그러고 나서 이번에는 스테이크를 찌르듯 그 가운데에 지팡이를 똑바로 세웠다.

"이래 봬도 옛날엔 부자였는데."

선생님은 혼잣말을 하듯 말했다. 그래서 곧바로 대꾸할 기회를 놓친 나는 잠자코 있었다.

"자네, 원래는 내가 부자였다니까?"

선생님은 내 얼굴을 바라보며 웃었다. 그래도 나는 아무 대답도 하지 않았다. 뭐라고 대꾸해야 할지 알 수 없었다. 선생님이 화제를 바꾸었다.

"자네 아버님의 병환은 좀 어떠신가?"

나는 아버지의 병세가 어떤지 정월 이후로는 전혀 알지 못했다. 매달 집에서 보내 주는 생활비와 함께 오는 간단한 편지는 예전처럼 아버지의 필적이었지만 병세에 대해서는 언급이 없었다. 게다가 필체도 흐트러짐이 없었다. 이 병을 앓는 환자에게서 볼 수 있는 손 떨림이 조금도 없었다.

"아무 말 없는 걸 보면 괜찮으시겠죠."

"별일 없다면 다행이네만, 병이 병인지라."

"역시 힘들까요? 하지만 당분간은 괜찮겠죠. 아무 말씀도 없으니까요."

"그렇군."

나는 선생님이 우리 집 재산이나 아버지의 병세를 묻는 것을 보통의 대화, 말하자면 머릿속에 떠오르는 생각을 그대로 입 밖으로 소리 내어 이야기하는 보통의 대화라고 생각했다. 그런데 선생님의 말 속에는 우리 두 사람을 연결하는 큰 의미가 있었다. 물론 그때까지 선생님의 과거를 모르던 나는 그 의미를 눈치챌 수 없었다.

28

"자네 집에 재산이 있다면 지금 잘 정리해서 챙겨 두지 않으면 안 된다는 생각이네. 내가 참견할 일은 아니지만. 자네 아버님이 아직 건강하실 때 자네가 받을 몫을 확실히 챙겨 두는 게 어떤가? 부모님이 돌아가신 후에 가장 골치를 썩이는 게 재산 문제거든."

"네."

나는 선생님의 말에 별로 신경 쓰지 않았다. 나는 물론이고 우리 집에서 그런 걱정을 하는 사람은 한 사람도 없다고 믿었다. 게다가 선생님의 말이 내가 알고 있는 선생님의 이미지와는 동떨어진, 너무 현실적이어서 좀 놀랐다. 하지만 연장자에 대한 평소의 존경심이 아무런 대꾸를 하지 못하게 했다.

"아버님이 돌아가실 거라고 단정 짓고 말해서 자네 마음을 상하게 했다면 용서하게. 그러나 인간은 모두 언젠가는 죽게 마련이야. 아무리 건강한 사람도 언제 죽을지 모르는 일이니까."

선생님의 말투는 왠지 쓸쓸하게 들렸다.

"전혀 신경 쓰지 않아요."

나는 둘러댔다.

"자네, 형제는 몇 명인가?"

선생님은 우리 가족이 몇 명인지, 친척들은 있는지, 숙부나 숙모는 어떤 분들인지 물어보았다. 그리고 마지막으로 이렇게 말했다.

"모두 좋은 분들인가?"

"특별히 나쁜 사람은 없는 것 같은데요. 대부분 시골 사람들이니까요."

"시골 사람들은 왜 나쁘지 않지?"

나는 선생님의 추궁에 진땀이 났다. 그러나 선생님은 내게 대답을 생각할 만한 여유도 주지 않았다.

"시골 사람들은 도시 사람들보다 오히려 악해지기 쉬운 법이야. 그리고 자네는 지금 친척 중 특별히 나쁜 사람은 없는 것 같다고 했지? 그런데 자네는 나쁜 인간이라고 정해진 부류가 이 세상에 있다고 생각하는가? 태어날 때부터 나쁜 사람은 없어. 평상시에는 모두 착한 사람들이지. 적어도 모두들 평범한 사람들이야. 그러다가 한순간에 악인으로 돌변하니까 무서운 거지. 그러니까 방심하면 안 되는 거야."

선생님의 말은 끝날 기미가 보이지 않았다. 나는 다시 이쯤에서 뭐라고 말하려 했다. 그런데 갑자기 뒤에서 개가 짖기 시작했다. 선생님과 나는 놀라서 뒤를 돌아보았다.

평상 옆에서 뒤쪽으로 심어 놓은 삼나무 묘목 옆에 얼룩조리대가 10제곱미터 정도의 땅에 무성하게 자라 있었다. 개는 얼룩조리대 위로 얼굴을 내밀고는 맹렬하게 짖어 댔다. 열 살 정도로 보이는 아이가 달려와 개를 야단쳤다. 아이는 배지가 달린 검은 모자를 쓴 채 선생님 앞으로 달려와 인사하며 물었다.

"아저씨, 들어오실 때 집에 아무도 없었나요?"

"아무도 없었단다."

"누나랑 엄마가 부엌에 있었는데."

"그래? 계셨구나."

"에이, 아저씨도 '안녕하세요.' 한마디만 하고 들어오시면 좋았을 텐데."

선생님은 쓴웃음을 지었다. 그러고는 품에서 지갑을 꺼내 5전짜리 동전을 아이의 손에 쥐여 주었다.

"어머니께 여기서 잠깐 쉬게 해 달라고 전해 주렴."

아이는 똑똑해 보이는 눈에 웃음을 머금고 고개를 끄덕였다.

"지금 저는 척후병이에요."

아이는 그렇게 말하고는 철쭉 사이를 헤치며 아랫길로 달려 내려갔다. 개도 꼬리를 동그랗게 말고 아이 뒤를 쫓아갔다.

잠시 후 같은 또래로 보이는 아이들 두세 명도 척후병이 내려간 쪽으로 달려갔다.

29

선생님의 이야기는 개와 아이 때문에 끊겨서 결국 선생님이 말하고자 하는 요점을 제대로 파악하지 못했다. 선생님이 신경 쓰는 재산 상속 문제에 그때 나는 전혀 관심이 없었다. 내 성격과 처지로 볼 때 그때의 내게는 그런 이해관계가 얽힌 문제로 고민할 여유가 없었다. 생각해 보면 그건 내가 아직 학생 신분인지라 세상 물정에 어두운 탓도 있었고, 또 실제로 그런 처지에 놓이지 않았기 때문일지도 모르지만, 어쨌든 아직 젊은 내게는 왠지 돈 문제가 남의 일처럼 여겨졌다.

선생님의 이야기 중 단 한 가지 끝까지 듣고 싶었던 것은, 인간은 누구나 한순간에 악인이 될 수 있다는 말의 의미였다. 단순히 말뜻이 아니라 그런 말을 한 선생님의 의도가 궁금했다.

개와 아이가 가 버린 후 여린 녹색 잎으로 가득 찬 넓은 정원은 다시 고요해졌다. 그리고 선생님과 나는 침묵 속에 갇힌 사람들처럼 미동도 하지 않은 채 잠시 조용히 앉아 있었다. 아름다운 하늘색이 점차 빛을 잃었다. 눈앞에 있는 나무들은 대부분 단풍나무였는데, 그 가지 위에 싱싱하게 돋아난 여리고 푸른 잎이 점점 짙어지는 것 같았다. 멀리 큰길에서 짐수레를 끌고 가는 소리가 이따금 들렸다. 나는 그것을 마을 사람이 정원수나 무언가를 싣고 불공이라도 드리러 가는 소리라고 상상했다. 선생님은 그 소리를 듣더니 갑자기 명상에서 깨어난 사람처럼 자리에서 벌떡 일어났다.

"이제 슬슬 돌아갈까? 해가 길어지기는 했지만 이렇게 쉬는 동안 어느새 날이 저물었군."

선생님의 등에는 아까 평상 위에 드러누웠을 때 붙은 검불이 가득했다. 나는 두 손으로 그것을 털어 냈다.

"고맙네. 송진이 들러붙지는 않았는가?"

"깨끗하게 떨어졌어요."

"이 하오리(기모노 위에 입는 짧은 겉옷_옮긴이)는 지어 입은 지 얼마 안 되었다네. 그래서 더럽힌 채 돌아가면 아내한테 야단맞을 거야. 고맙네."

선생님과 나는 다시 터벅터벅 걸어서 언덕의 중턱에 있는 집

앞까지 왔다. 들어올 때는 전혀 인기척이 없던 툇마루에 주인아 주머니가 열대여섯 살쯤으로 보이는 딸아이와 마주 앉아 물레에 실을 감고 있었다. 선생님과 나는 큰 어항 옆에 서서 "실례가 많 았습니다." 하고 인사했다. 아주머니는 "아니에요, 아무 대접도 못 해 드렸는데요." 하고 인사한 뒤 좀 전에 아이에게 동전을 준 일에 고맙다는 말을 했다.

문을 열고 300미터쯤 걸어 나왔을 때 나는 궁금함을 참지 못 하고 선생님에게 물어보았다.

"아까 인간은 누구나 한순간에 나쁜 사람이 된다고 하셨는데 요. 그건 어떤 의미인가요?"

"별다른 의미는 없네. 지어낸 말이 아니라 사실을 말한 것뿐이 니까 말이지."

"사실이기는 하지만, 제가 묻고 싶은 건 '한순간'이라는 말의 의미예요. 도대체 어떤 경우를 말씀하신 건가요?"

선생님은 웃음을 터뜨렸다. 한참 지난 이야기를 이제 와서 다 시 열심히 설명하려니 맥이 풀린다는 듯.

"돈이지. 돈을 보면 어떤 군자라도 금세 악인으로 변한다네."

선생님의 답변이 너무 평범해서 실망스러웠다. 선생님이 별로 말할 기분이 아니듯 나도 맥이 빠지는 느낌이었다. 나는 말없이 성큼성큼 앞으로 걸어갔다. 그러다 보니 선생님은 약간 뒤처지 기 시작했다. 선생님이 뒤에서 "어이, 자네." 하고 불렀다.

"그것 봐."

"뭘요?"

"자네의 기분도 내 대답 한마디에 금세 바뀌지 않았나?"

선생님을 기다리려고 뒤돌아 멈춰 서 있는 내 얼굴을 보며 선생님이 말했다.

30

그때 나는 속으로 선생님이 얄밉다고 생각했다. 어깨를 나란히 하고 걷기 시작한 다음에도 내가 듣고 싶은 말이 있어도 일부러 묻지 않았다. 하지만 선생님은 그걸 눈치챘는지 내 태도에는 전혀 신경 쓰지 않았다. 평소와 다름없이 침묵한 채 태연하게 발걸음을 옮겼기에 나는 부아가 치밀었다. 뭔가 말을 붙여서 선생님의 감정을 흔들어 보고 싶었다.

"선생님."

"왜?"

"선생님은 좀 전에 약간 흥분하셨죠? 아까 정원수 파는 집의 평상 위에서 쉴 때 말이에요. 저는 선생님이 흥분하시는 모습을 거의 뵌 적이 없는데, 오늘은 평상시의 모습이 아니라는 생각이 들었어요."

선생님은 금방 대답하지 않았다. 나는 그것이 내가 의도한 반응이라고 생각했다. 한편으로는 때를 잘못 골랐다는 생각도 들었다. 하지만 이미 내뱉은 말이니 할 수 없다고 단념하고 더는 말하지 않기로 했다. 그때 갑자기 선생님이 길가로 다가갔다. 그러고는 깨끗하게 다듬은 울타리 밑에서 옷자락을 걷어 올리고 소변을 보았다. 나는 선생님이 일을 보는 동안 그곳에 멍하니 서 있었다.

"이것 참, 실례했네."

선생님은 이렇게 말하고는 다시 걷기 시작했다. 나는 결국 말로 선생님을 꼼짝 못하게 하려던 생각을 접었다. 우리는 점차 번화한 거리로 걸어갔다. 지금까지는 드문드문 보이던 넓고 경사진 밭이나 평지가 완전히 자취를 감추고 좌우로 집들이 죽 늘어서 있었다. 그래도 가끔 택지의 구석진 곳에 완두콩 덩굴이 대나무를 타고 올라간 모습이나 철망 안에서 닭을 키우는 모습이 한적하고 평화로워 보였다. 시내 중심가에서 돌아오는 짐 나르는 말이 끊임없이 옆을 스쳐 지나갔다. 그런 광경에 마음을 빼앗긴 나는 좀 전까지 가슴속에 품고 있던 문제를 깨끗이 털어 냈다. 선생님이 갑자기 그 문제를 다시 언급했을 때 나는 실제로 그 일을 잊고 있었다.

"내가 아까 그렇게 흥분한 것처럼 보였는가?"

"그렇게 심하지는 않았지만 약간……."

"아니 그렇게 보였다고 해도 상관없네. 실제로 흥분했으니까. 나는 재산 이야기만 나오면 꼭 흥분하거든. 자네에게는 어떻게 보일지 모르지만 나는 이래 봬도 집념이 강한 남자라네. 남에게 받은 굴욕이나 손해는 십 년이 지나고 이십 년이 지나도 결코 잊을 수가 없지."

아까보다 더 흥분한 말투였다. 그러나 내가 놀란 것은 결코 말투 때문이 아니었다. 선생님이 내 귀에 호소하는 말의 의미 그 자체였다. 선생님에게 직접 이런 고백을 듣는 것은 아무리 나라고 해도 전혀 뜻밖의 일이었다. 나는 선생님의 성격에 그런 집착이 있으리라고는 상상해 본 적도 없다. 나는 선생님을 상당히 유약한 성격의 소유자라고 믿었다. 약하고 고결한 성품이 내 동경의 근원이었던 것이다. 순간적인 기분으로 선생님에게 대들려던 나는 이 말을 듣고는 움츠러들었다. 선생님이 말했다.

"나는 남에게 속았어. 더구나 같은 피를 나눈 내 친척에게 당했지. 결코 그 일을 잊을 수가 없네. 내 아버지 앞에서는 그렇게 선한 사람처럼 굴던 그들이 아버지가 돌아가시자마자 도저히 용서할 수 없는 파렴치한으로 변해 버린 거야. 나는 그들에게 당한 굴욕과 손해를 어릴 때부터 오늘날까지 생생히 기억하고 있네. 아마 죽을 때까지 원망할 거야. 죽을 때까지 그 일을 잊지 못할 테니까. 하지만 나는 아직 복수하지 않았네. 생각해 보면 나는 개인에 대한 복수 이상의 일을 지금 하고 있어. 나는 그들을 증오할 뿐만 아니라 그들이 대표하는 인간이라는 존재를 증오하는 법을 배웠네. 나는 그것으로 충분하다고 생각해."

나는 위로의 말은 물론 어떤 말도 할 수 없었다.

31

그날의 대화도 결국 진전 없이 끝나고 말았다. 선생님의 태도에 위축되어 계속 물어볼 마음이 생기지 않았던 것이다.

선생님과 나는 시 외곽에서 전철을 탔지만 타고 있는 동안 거의 아무 말도 하지 않았다. 전철에서 내리자 곧 헤어져야 했다. 헤어질 때 선생님의 모습은 또 달랐다. 평소보다 밝은 목소리로 "지금부터 6월까지는 아주 홀가분하겠군. 어쩌면 생애에서 가장 좋은 기간일지도 모르지. 마음껏 즐기게."라고 말했다. 나는 웃으면서 모자를 벗었다. 그때 선생님의 얼굴을 보며 선생님은 과연 마음속 어디에서 사람들을 증오하고 있는 걸까 하고 생각했다. 선생님의 눈과 입 어디에서도 염세적인 그림자는 찾아볼 수 없었다.

사상에 관해서는 선생님에게 큰 도움을 받았다는 점을 인정한다. 하지만 같은 주제에 대해 도움을 받으려고 해도 받을 수 없던 적도 이따금 있었다는 걸 밝혀 두고 싶다. 가끔 선생님의 이야기를 제대로 이해하지 못하고 대화가 끝날 때도 있었다. 교외로 산책을 나간 그날, 두 사람 사이에 오간 대화도 이런 경우의 한 예로 내 마음속에 남아 있다.

상대의 기분을 배려하지 못하는 나는 어느 날 결국 선생님에게 그런 내 속내를 털어놓았다. 선생님은 웃었다. 나는 이렇게 말했다.

"머리가 나빠서 이해하지 못하는 거라면 어쩔 수 없지만, 잘 알고 계시면서 확실히 말씀해 주시지 않는 건 곤란해요."

"난 숨기는 게 아무것도 없네."

"숨기고 계세요."

"자네는 내 사상이나 의견을 내 과거와 혼동하고 있지는 않은가? 나는 보잘것없는 사상가지만 내 실력으로 완성한 사상을 무턱대고 남에게 숨기지는 않네. 숨길 필요가 없으니까. 하지만 내 과거를 모조리 자네에게 털어놓아야 한다면 그건 별개의 문제야."

"별개의 문제라고는 생각하지 않아요. 선생님의 과거를 기반으로 완성된 사상이기에 중요하다고 생각해요. 그 두 가지를 분리한다면 제게는 거의 가치가 없어요. 저는 혼이 들어 있지 않은 인형을 받은 거나 마찬가지이므로 만족할 수 없어요."

선생님은 어이없다는 듯 내 얼굴을 쳐다보았다. 담배를 들고 있던 손이 살짝 떨렸다.

"자네는 대담하군."

"진지할 뿐이죠. 진심으로 선생님의 인생을 통해 교훈을 얻고 싶어요."

"내 과거를 밝혀내서라도 말인가?"

밝혀낸다는 말이 갑자기 두려운 울림처럼 내 귀에 들렸다. 그 순간 내 앞에 앉아 있는 사람이 취조받는 죄인일 뿐, 평소 내가 존경하던 선생님이 아닌 것 같았다. 선생님의 얼굴은 새파랗게 질려 있었다.

"자네, 진심으로 하는 말인가?"

선생님은 다시 한 번 확인했다.

"나는 과거에 내가 당한 일 때문에 절대로 사람을 믿지 않는다네. 솔직히 자네도 의심하고 있어. 그런데 왠지 자네만큼은 의심하고 싶지 않네. 자네는 의심하기에는 너무 단순해 보이거든. 나는 죽기 전에 단 한 사람이라도 좋으니 진심으로 믿을 수 있는 사람이 있었으면 좋겠네. 자네는 그 단 한 사람이 될 수 있겠는가? 되어 줄 수 있겠는가? 자네는 정말 뼛속까지 진실한 사람인가?"

"만일 제 생명이 진실한 것이라면 제가 지금 드린 말씀도 진실이에요."

목소리가 떨렸다.

"좋아."

선생님이 말했다.

"말해 주지. 내 과거를 숨김없이 자네에게 들려주겠네. 대신…… 아니, 그건 상관없네. 하지만 내 과거는 자네에게 그다지 유익하지 않을지도 모르겠네. 듣지 않는 편이 나을지도 모르지. 그리고 지금은 말할 때가 아니니 그런 줄 알고 기다려 주게. 적당한 시기가 되면 말해 주겠네."

나는 하숙집에 돌아와서도 어떤 압박감을 느꼈다.

32

나는 내 논문을 높이 평가했지만 교수의 눈에는 그렇게 보이지 않은 모양이다. 그래도 예정대로 통과되었다. 졸업식 날, 고리짝 속에서 곰팡이 냄새가 심한 낡은 겨울 양복을 꺼내 입었다. 졸업식장에 들어서니 너무 더워서 모두 힘들어했다. 나는 바람이 통하지 않는 모직 옷감으로 감싼 몸을 주체하지 못했다. 잠시 서 있는 동안 손에 쥐고 있던 손수건이 땀으로 흥건했다.

나는 식이 끝나자마자 곧장 집으로 달려와 옷을 모두 벗어 던졌다. 하숙집 2층 창문을 열고 졸업장을 망원경처럼 둘둘 말아 그 구멍으로 보이는 만큼 세상을 내다보았다. 그러고 나서는 졸업장을 책상 위에 던지고 방 한가운데에 큰대 자로 드러누웠다. 나는 드러누운 채 과거를 돌이켜 보았다. 그리고 나의 미래를 상상했다. 그러자 내 인생에 한 획을 긋는 이 졸업장이 어떤 의미를 담고 있는 것 같기도 하고, 한편으로는 의미 없는 이상한 종이로 보이기도 했다.

나는 그날 밤 선생님 댁에 식사 초대를 받았다. 만일 내가 졸업하게 되면 그날 저녁은 다른 곳에서 먹지 않고 선생님 댁에서 먹기로 전부터 약속해 둔 터였다.

식탁은 약속대로 거실 툇마루 근처에 차려졌다. 빳빳하게 풀 먹인 무늬 있는 테이블보가 전등 불빛에 반사되어 아름답고 깨끗해 보였다. 선생님 댁에서 식사를 할 때는 늘 서양 레스토랑에서 볼 수 있는 하얀 면 테이블보 위에 젓가락과 밥그릇이 놓여 있었다. 그리고 테이블보는 언제나 갓 빨아서 말린 새하얀 것을 깔았다.

"깃이나 커프스와 마찬가지야. 누런 테이블보를 사용할 바에는 아예 처음부터 색깔이 진한 것을 사용하는 게 낫지. 하얀 걸 쓰려면 순백이어야지."

선생님은 역시 결벽주의자라는 사실을 알 수 있는 말이었다. 서재만 해도 깔끔하게 정돈되어 있었다. 털털한 성격의 나는 선생님의 그런 면이 가끔 유난스러워 보였다.

"선생님은 결벽증이 있으신 것 같아요."

내가 사모님에게 말했다.

"그래도 옷에는 별로 신경 쓰지 않는 것 같아요."

두 사람의 대화를 옆에서 듣고 있던 선생님이 웃으며 말했다.

"솔직히 나는 정신적인 결벽주의자지. 그래서 괴롭다네. 생각해 보면 정말 어리석은 성격이야."

정신적인 결벽주의자라는 말의 의미가 속된 말로 신경질적이라는 의미인지 아니면 윤리적으로 결벽하다는 의미인지 나로서는 알 수 없었다. 사모님도 이해하지 못한 것 같았다.

그날 밤, 선생님과 나는 하얀 테이블보를 사이에 두고 마주 앉았다. 사모님은 두 사람을 좌우에 두고 혼자 정원이 정면으로 보이는 자리에 앉았다.

"축하하네."

선생님이 나를 위해 축배를 들었지만, 특별히 기쁘지는 않았다. 물론 나 스스로 졸업을 축하받을 만큼 대단하다고 생각지도 않았지만 선생님의 말투 역시 결코 나를 기쁘게 할 만큼 들떠 있지 않았다. 선생님은 웃으면서 잔을 비웠다. 그 웃음이 비웃음이 아니라는 건 알고 있었다. 하지만 동시에 진심으로 축하해 준다는 느낌도 없었다. 선생님의 미소는 '세상 사람들은 이럴 때 꼭 축하한다고 하지.'라고 말하는 것 같았다.

사모님이 말했다.

"대단해요. 부모님께서 기뻐하시겠어요."

나는 갑자기 병환 중인 아버지를 떠올렸다. 빨리 이 졸업장을 들고 내려가서 보여 드려야겠다고 생각했다.

"선생님의 졸업장은 어떻게 하셨어요?"

내가 물었다.

"어떻게 했지? 아직 어디에 잘 두었는가?"

선생님이 사모님에게 물었다.

"네, 분명히 어딘가에 있을 거예요."

졸업장을 어디에 두었는지 두 분 모두 확실히 알지 못했다.

33

사모님은 하녀를 내보내고 자신이 직접 식사 시중을 들었다. 겉으로 드러나지는 않지만 손님을 정중하게 접대하고자 하는 선생님 댁의 관례인 것 같았다. 처음 한두 번은 어색했지만 그런 일이 여러 번 거듭되다 보니 사모님에게 밥그릇을 내미는 일이 아무렇지도 않았다.

"차? 밥? 꽤 잘 먹네요."

사모님도 내게 거리낌 없이 편하게 말을 건넬 때가 있었다.

그러나 그날은 날씨가 더운 탓에 사모님의 그런 농담을 들을 만큼 식욕이 나지 않았다.

"이제 그만 먹게요? 요즘 소식을 하나 봐요?"

"소식을 하는 게 아니라 너무 더워서 입맛이 없어요."

사모님은 하녀를 불러 식탁을 정리하게 한 후 디저트로 아이스크림과 과일을 내오게 했다.

"집에서 직접 만든 거예요."

집에서 살림만 하는 사모님은 직접 만든 아이스크림을 손님에게 대접할 만큼 여유가 있었다. 나는 아이스크림을 두 그릇이나 비웠다.

"이제 자네도 졸업을 했는데, 앞으로 뭘 할 생각인가?"

선생님이 내게 물었다. 선생님은 반쯤 툇마루 쪽으로 자리를 옮기고 문지방에 걸터앉아 방문에 등을 기댔다.

내게는 단지 졸업했다는 자각만 있을 뿐 앞으로 뭘 해야겠다는 생각은 없었다. 뭐라고 대답해야 할지 주저하는 나를 보고 사모님은 "교사?" 하고 물었다. 그래도 대답을 하지 않자 이번에는 "그럼 공무원?" 하고 물었다. 나도 선생님도 웃음을 터뜨렸다.

"솔직히 말씀드리면 아직 뭘 해야겠다는 생각도 없어요. 사실은 직업에 대해 생각해 본 적이 없으니까요. 우선 뭐가 좋은지 나쁜지 제가 직접 해 보지 않으면 알 수 없으니까 선택하기가 쉽지 않을 것 같아요.

"그렇군요. 하지만 집에 재산이 있기 때문에 그렇게 느긋한 소리를 할 수 있는 거예요. 집안 사정이 곤란한 사람이라면 좀처럼 학생처럼 태평하지는 못할 거예요."

내 친구 중에는 졸업하기 전부터 중학교 교사 자리를 찾는 녀석이 있었다. 나는 마음속으로 사모님의 말이 옳다고 인정했다.

그러나 겉으로는 이렇게 말했다.

"선생님께 물이 좀 든 것 같아요."

"나쁜 쪽으로만 물드는군요."

선생님은 쓴웃음을 지었다.

"나한테 물들어도 상관은 없지만 지난번에 말한 대로 아버님이 살아 계시는 동안 재산을 분할해서 자네가 물려받을 몫은 확실히 챙겨 두게. 그렇지 않으면 결코 안심할 수 없을 거야."

나는 선생님과 함께 교외에 있는 넓은 정원에서 이야기를 나누던, 철쭉이 흐드러지게 핀 5월 초를 떠올렸다. 그날 돌아오는 길에 선생님이 흥분한 어조로 내게 강조한 이야기를 다시 한 번 되풀이했다. 그 이야기는 강렬할 뿐만 아니라 매우 충격이었다. 하지만 왜 그런 말을 하는지 속사정을 모르는 나로서는 전혀 이해할 수 없었다.

"사모님, 선생님 댁에는 재산이 많은가요?"

"어째서 그런 걸 물어보죠?"

"선생님께 여쭤 보아도 알려 주지 않으니까요."

사모님은 웃으면서 선생님의 얼굴을 바라보았다.

"알려 줄 만큼 재산이 없기 때문이겠죠."

"그래도 어느 정도 재산이 있어야 선생님처럼 지낼 수 있는지, 집에 내려가서 아버지와 담판 지을 때 참고해야 하니까 말씀해 주세요."

선생님은 정원을 바라보며 말없이 담배를 피웠다. 상대는 자연히 사모님이 되었다.

"그렇게 대단하지는 않아요. 그냥 이렇게 그럭저럭 먹고살 수 있을 정도예요. 그건 아무래도 상관없지만 학생은 지금부터 뭔가 일을 해야 해요. 선생님처럼 빈둥거리면……."

"빈둥거리고 있는 것만은 아니지."

선생님은 얼굴만 살짝 돌리며 사모님의 말을 부정했다.

34

나는 그날 밤 열 시가 넘어 선생님 댁을 나왔다. 이삼일 후면 고향에 내려갈 생각이었기에 자리에서 일어나기 전에 선생님 내외에게 작별 인사를 했다.

"당분간 뵙지 못할 것 같아요."

"9월에는 돌아오는가?"

이미 졸업을 했기에 반드시 9월에 돌아올 필요는 없었다. 더구나 무더위가 기승을 부리는 8월을 도쿄에서 보낼 생각은 없었다. 내게는 일자리를 잡기 위한 귀중한 시간이라는 것이 없었다.

"아마 9월쯤이 될 것 같아요."

"그럼 오랫동안 못 보겠네요. 우리도 이번 여름에는 어딘가로 갈지 몰라요. 꽤 더울 것 같으니까요. 만일 가게 되면 그림엽서라도 보낼게요."

"어디로 가실 예정이세요? 만일 가신다면요."

선생님은 사모님과 내가 주고받는 대화를 빙그레 웃으며 듣고 있었다.

"아직 확실히 정한 것도 아니에요."

내가 자리에서 일어나려 할 때 선생님이 갑자기 나를 붙잡고 "그런데 아버님의 병환은 어떠신가." 하고 물었다. 나는 아버지의 건강에 대해 아는 바가 별로 없었다. 무소식이 희소식이라고, 아무 소식도 없는 걸 보면 나쁘지는 않은 거라고 생각하고 있었다.

"그렇게 쉽게 생각할 병이 아니야. 요독증이 생기면 그때는 더 이상 손을 쓸 수 없으니까."

나는 요독증이라는 말의 의미도 알지 못했다. 지난 겨울 방학에 고향에서 의사와 면담을 할 때는 그런 전문 용어를 전혀 듣지 못했던 것이다.

"정성껏 보살펴 드리세요."

사모님이 말했다.

"독이 머리까지 퍼지면 그걸로 끝장이라네. 결코 우습게 볼 일이 아니야."

경험이 없는 나는 불안한 생각이 들면서도 빙그레 웃었다.

"어차피 낫지 않는 병이라는데, 제가 걱정한들 무슨 소용이 있겠어요."

"그렇게 마음 먹으면 그만이기는 하지만."

사모님은 오래전에 같은 병으로 돌아가셨다는 어머니 생각이라도 났는지 침울한 목소리로 말하고는 고개를 숙였다. 나도 아버지의 운명이 가엾게 여겨졌다.

"시즈, 당신은 나보다 먼저 죽게 될까?"

"왜요?"

"그냥 물어본 거야. 아니면 내가 당신보다 먼저 갈까? 세상 돌아가는 걸 보면 남편이 먼저 떠나고 부인만 남겨지는 일이 많던데."

"꼭 그렇게 정해져 있는 건 아니에요. 하지만 아무래도 남자들이 나이가 더 많으니까."

"그러니까, 남자가 먼저 죽는다는 이치인가? 그럼 나도 당신보다 먼저 저세상으로 가야 한다는 말이군."

"당신은 예외예요."

"어째서?"

"이렇게 건강하시잖아요. 병으로 고생한 적도 없고요. 그러니까 결국 제가 먼저 갈 거예요."

"당신이 먼저일까?"

"네, 반드시 제가 먼저예요."

선생님이 내 얼굴을 쳐다보았다. 나는 웃었다.

"그런데 만일 내가 먼저 가게 되면 당신은 어떻게 할 거야?"

"어떻게 하기는요……."

사모님은 더 이상 말을 잇지 못했다. 선생님의 죽음은 상상만으로도 사모님의 마음을 아프게 한 것 같았다. 하지만 다시 얼굴을 들었을 때는 이미 마음을 다잡은 듯했다.

"어쩔 수 없죠. 인명은 재천인데요."

사모님은 일부러 나를 쳐다보며 농담처럼 말했다.

35

나는 자리에서 일어서다가 다시 주저앉아 이야기를 매듭지을 때까지 두 사람을 상대했다.

"자네는 어떻게 생각하는가?"

선생님이 내게 물었다.

선생님이 먼저 죽을지 아니면 사모님이 먼저 죽을지 내가 판단할 문제는 아니었다. 나는 웃기만 했다.

"사람의 수명은 저도 알 수 없죠."

"운명을 하늘에 맡기는 수밖에 없어요. 태어날 때부터 이미 정해진 수명을 타고나는 거니까 어쩔 수 없죠. 선생님의 아버님과 어머님도 거의 비슷한 시기에 돌아가셨어요."

"돌아가신 날짜 말인가? 날짜까지 같지는 않지만 하지만 거의 비슷하다고 봐야지. 앞서거니 뒤서거니 하셨으니까."

처음 듣는 이야기였다. 이상한 생각이 들었다.

"어떻게 그렇게 한꺼번에 돌아가셨어요?"

사모님이 대답하려 하자 선생님이 가로막았다.

"그 이야기는 그만두지. 재미없으니까."

선생님은 손에 들고 있던 부채를 일부러 세게 부치며 말했다. 그러고는 다시 사모님을 쳐다보았다.

"시즈, 내가 죽으면 이 집은 당신한테 줄게."

사모님이 웃기 시작했다.

"그럼 내친김에 땅도 주세요."

"땅은 다른 사람 거니까 어쩔 수 없어. 대신 내가 갖고 있는 것은 모두 당신한테 줄게."

"고마워요. 그런데 영문 서적은 받아도 소용이 없는데요."

"헌책방에 내다 팔면 되지."

"팔면 얼마나 받는데요?"

선생님은 얼마라고 말하지 않았다. 하지만 선생님의 이야기는 자신의 죽음이라는 먼 훗날의 일에서 쉽게 벗어나지 못했다. 그리고 그 죽음은 반드시 사모님보다 먼저 일어날 거라고 가정하고 있었다. 사모님도 처음에는 일부러 가벼운 농담으로 받아들이는 것처럼 보였다. 그러다가 어느 틈엔가 감상적인 사모님의 마음이 무거워진 듯했다.

"말끝마다 내가 죽으면, 내가 죽으면. 도대체 몇 번이나 말씀하시는 거예요? 내가 늦게 태어났으니까 '내가 죽으면'이라는 말은 이제 그만 좀 하세요. 말이 씨가 된다잖아요. 당신이 죽으면 뭐든 당신이 원하는 대로 해 드릴 테니까. 그러면 되잖아요."

선생님은 정원을 바라보며 웃었다. 그러나 더는 사모님이 싫어하는 말은 하지 않았다. 너무 오래 머물렀다는 생각에 나는 자리를 털고 일어났다. 선생님과 사모님은 현관까지 배웅을 나왔다.

"아버님 잘 보살피세요."

사모님이 다시 한 번 말했다.

"그럼 9월에 다시 보세."

선생님이 말했다.

나는 인사를 한 뒤 문밖으로 향했다. 현관과 대문 사이에 있는 무성한 물푸레나무 한 그루가 내 앞길을 가로막듯 어둠 속에서 가지를 뻗고 있었다. 나는 두세 걸음 앞으로 걸어가 거무스름한 나뭇잎으로 뒤덮인 가지 끝을 쳐다보며 올가을에 필 꽃과 그 향기를 떠올렸다. 나는 선생님 댁과 이 물푸레나무를 전부터 마음속에서 따로 생각할 수 없을 만큼 늘 함께 기억했다. 내가 우연히 그 나무 앞에 서서 또다시 이 댁의 현관문에 들어설 올가을을 생각하고 있을 때 문틈으로 새어 나오던 현관등 불빛이 갑자기 꺼졌다. 선생님 내외가 안으로 들어간 모양이었다. 나는 혼자 어두운 바깥으로 나왔다.

나는 곧장 하숙집으로 돌아가지 않았다. 고향으로 돌아가기 전에 준비할 물건도 있었고, 오랜만에 진수성찬을 먹어 위장을 편하게 해 줄 필요가 있었기에 무작정 번화가 쪽으로 걸음을 옮겼다. 시내는 아직 초저녁이었다. 딱히 볼일도 없어 보이는 남녀로 붐비는 그곳에서 나는 오늘 나와 함께 졸업한 친구와 마주쳤다. 그는 나를 억지로 근처 술집으로 데려갔다. 나는 그곳에서 맥주 거품 같은 그의 넋두리를 들어야 했다. 그리고 열두 시가 넘어 겨우 하숙집으로 돌아올 수 있었다.

36

그다음 날도 더위를 무릅쓰고 부탁받은 물건을 사러 돌아다녔다. 편지로 주문을 받을 때는 별것 아니라고 생각했는데 막상 물건을 사러 다니다 보니 여간 귀찮은 게 아니었다. 나는 전철 안에서 땀을 닦으면서 남의 귀중한 시간을 빼앗으면서까지 수고를 끼치는 걸 당연시하고 전혀 미안해하지 않는 시골 사람들이 얄밉다는 생각이 들었다.

올여름을 하릴없이 시간 낭비하며 보낼 생각은 아니었다. 고향 집에 돌아가 할 일을 미리 계획해 두었기에 그걸 이행하는 데 필요한 책도 구하러 돌아다녀야 했다. 나는 한나절 내내 서점 2층에 틀어박혀 있기로 마음먹었다. 내게 필요한 분야의 서적이 꽂힌 선반 앞에 서서 처음부터 끝까지 한 권씩 검토해 나갔다.

부탁받은 물건 중 나를 가장 곤혹스럽게 한 것은 여자 속옷에 덧대는 장식용 깃이었다. 직원에게 부탁하면 알아서 적당한 것을 꺼내 주겠지만, 막상 사려고 하니 도대체 어떤 것을 골라야 할지 망설여졌다. 게다가 가격이 천차만별이었다. 쌀 거라고 생각하고 물어보면 턱없이 비싸고, 너무 비쌀 것 같아 물어보지 않으면 오히려 싸구려 물건이기도 했다. 아무리 비교해도 왜 그렇게 가격 차이가 나는지 이해할 수 없는 것도 있었다. 정말 난처했다. 결국 나는 사모님에게 부탁하지 않은 것을 후회했다.

가방도 하나 샀다. 물론 싸구려였지만 번쩍거리는 금장식이 붙어 있어서 시골 사람들을 깜짝 놀라게 하는 데 충분할 듯싶었다. 내가 가방을 산 까닭은 어머니의 주문 때문이다. 어머니는 졸업하면 새 가방을 사서 그 안에 모든 선물을 넣어 돌아오라며 일부러 굵은 글씨로 또박또박 써서 보낸 것이다. 나는 그 구절을 읽다가 웃음을 터뜨렸다. 어머니의 의중을 모르는 바는 아니었지만 그 말이 우스웠기 때문이다.

나는 작별 인사를 할 때 선생님 내외분에게 말한 것처럼 그날로부터 사흘 후에 기차를 타고 도쿄를 떠나 고향으로 돌아갔다.

지난겨울 이후 아버지의 병환에 대해 선생님에게 여러 가지 주의를 받은 나는 가장 걱정해야 할 위치에 있으면서도 어찌 된 일인지 그다지 심각해지지 않았다. 오히려 아버지가 떠난 후 혼자 남겨질 어머니를 상상하고 가엾다는 생각을 했다. 그러고 보면 어느새 마음 한구석에 아버지는 곧 돌아가실 분이라는 각오가 있었던 것이다. 규슈에 있는 형에게 보낸 편지에도 아버지가 도저히 건강을 되찾을 수 없을 것 같다고 썼다. 일 때문에 바쁜 줄은 알지만 짬을 내어 이번 여름에 부모님 얼굴만이라도 보고 가면 안 되겠느냐고도 썼다. 그리고 나이 드신 두 분만 시골에 계시는 건 의지할 데가 없어 많이 불안할 것 같다, 우리도 자식 된 도리로 죄송한 마음이 든다는 둥 꽤나 감상적인 말까지 써 넣었다. 나는 진심에서 우러나오는 대로 썼다. 하지만 편지를 다 쓴 후의 기분은 쓸 때와는 많이 달랐다.

나는 기차 속에서 그런 모순에 대해 생각했다. 곰곰이 생각하다 보니 내가 생각해도 변덕스럽게 여겨졌다. 기분이 언짢아진 나는 다시 선생님 내외를 떠올렸다. 특히 이삼일 전 저녁 식사에 초대받았을 때 나눈 대화를 떠올렸다.

"누가 먼저 죽을까?"

나는 그날 밤 선생님과 사모님 사이에 있었던 의문을 혼자 되뇌었다. 그리고 그 의문에는 누구도 자신 있게 대답할 수 없을 거라고 생각했다. 그런데 어느 쪽이 먼저 죽을지 확실히 알고 있다면 선생님은 과연 어떻게 할까? 사모님은 또 어떻게 할까? 두 분 모두 지금과 다름없을 거라고 생각했다. 남은 생이 얼마 남지 않은 아버지를 고향에 남겨 두고 내가 할 수 있는 게 아무것도 없는 것처럼 인간은 참으로 덧없는 존재라고 느껴졌다. 그리고 어쩔 수 없는 인간의 타고난 무능력함에 허무해졌다.

부모님과 나

1

　고향 집에 돌아와서 보니 뜻밖에도 아버지의 건강은 지난번과 크게 다르지 않았다.

　"아, 돌아왔구나. 네가 졸업을 하니 정말 좋다. 잠깐 기다려라. 얼굴 좀 씻고 오마."

　아버지는 정원에서 뭔가를 하던 중이었다. 아버지는 낡은 밀짚모자 뒤에 햇빛을 막기 위해 매단 지저분한 손수건을 펄럭이며 우물이 있는 뒤꼍으로 걸어갔다.

　일단 학교에 입학하면 졸업은 당연한 거라고 생각하던 나는 졸업을 무척 기뻐해 주는 아버지를 보자 왠지 민망했다.

　"졸업을 하다니 정말 장하다."

　아버지는 이 말을 몇 번이나 되풀이했다. 나는 마음속으로 아버지의 기쁜 표정과 졸업식이 있던 날 밤 선생님 댁의 식탁에서

"축하하네."라고 말할 때 선생님의 표정을 비교했다. 입으로는 축하한다고 하면서 속으로는 별거 아니라고 생각하는 선생님이, 그리 대단하지도 않은 일을 무슨 대단한 일처럼 기뻐하는 아버지보다 고상해 보였다. 그래서 아버지의 무지에서 오는 촌스러운 일면이 무척 못마땅했다.

"대학을 졸업했다고 대단한 건 아니에요. 매년 수백 명이 졸업하는데요, 뭘."

나는 결국 이렇게 말하고 말았다. 그러자 아버지가 이상하다는 표정을 지었다.

"뭐, 꼭 네가 대학을 졸업했다고 해서 칭찬하는 게 아니야. 그야 졸업한 것도 대단한 일이지만 내 말에는 좀 다른 의미가 있어. 네가 그걸 알아주면 좋으련만……."

나는 아버지의 다음 말을 듣기 위해 잠자코 기다렸다. 아버지는 별로 말하고 싶지 않은 눈치였지만 마침내 이야기했다.

"말하자면 내게 다행이라는 이야기다. 너도 알다시피 나는 병이 들었잖니? 작년 겨울에 너를 만났을 때 어쩌면 길어야 서너 달 정도 살 수 있을 거라고 생각했지. 그런데 어떤 운명인지 지금까지 이렇게 살아 있구나. 일상생활하는 데 별로 불편한 것도 없고 말이다. 그런데 네가 졸업하는 모습까지 봤으니 더 기쁜 거야. 정성 들여 키운 아들이 내가 죽은 후에 졸업하는 것보다는 살아 있을 때 졸업해 준다면 부모로서 얼마나 기쁘겠니? 큰 뜻을 가진 네가 볼 때는 남들 다 가는 대학을 졸업한 걸 두고 잘했다고 하는 소리를 듣는 게 거북할지 모르겠다. 하지만 내 처지에서 생각해 보렴. 조금은 다를 테니까. 그러니까 졸업은 네 자신에게 보다는 내게 더 기쁜 일인 거야. 알겠니?"

나는 할 말이 없었다. 사과도 제대로 못하고 너무 부끄럽고 죄송한 마음에 고개조차 들 수 없었다. 아버지는 아무렇지도 않은 척 행동했지만 이미 자신의 죽음을 각오하고 있었던 모양이다. 더구나 내가 졸업하기 전에 죽을 거라고 단정 짓고 있었던 것이다. 나의 대학 졸업이 아버지에게 얼마나 큰 기쁨인지조차 전혀 생각지 못한 내가 너무 어리석었다. 나는 가방 속에서 졸업장을 꺼내 부모님께 보여 드렸다. 졸업장은 뭔가에 눌려 원래의 모양이 아니었다. 아버지는 졸업장을 정성스럽게 폈다.

"이런 건 말아서 손에 들고 오는 거야."

"안에 심이라도 넣었다면 좋았을 텐데."

어머니가 옆에서 한마디 했다.

아버지는 얼마간 졸업장을 바라보고 나서는 자리에서 일어나더니 도코노마(일본 건축물의 객실 정면에 설치해 미술품 등을 장식하는 중요한 장소_옮긴이)로 가서 사람들의 눈에 잘 띄는 정면에 졸업장을 세워 놓았다. 평소의 나라면 반대했겠지만 아버지나 어머니의 뜻을 조금이라도 거스르고 싶지 않았다. 나는 잠자코 아버지가 하는 대로 내버려 두었다. 그런데 고급 종이로 만든 졸업장은 일단 한번 구겨지자 좀처럼 아버지의 생각대로 곱게 펴지지 않았다. 적당한 위치에 세워 놓자마자 금세 원래 구겨진 상태로 돌아가 쓰러지려고 했다.

2

나는 어머니를 조용한 데로 불러 내 아버지의 병세가 어떠한
지 물었다.

"아버지는 건강한 사람처럼 정원에 나가시는데, 그래도 괜찮
은 거예요?"

"이제 아무렇지도 않은 모양이야. 많이 좋아진 것 같아."

어머니는 의외로 태평했다. 도시에서 멀리 떨어진 산골이나
농촌에서 살고 있는 여자들이 그렇듯이 어머니는 이런 일에 대
해서는 상당히 무지했다. 그런 어머니가 지난번 아버지가 쓰러
졌을 때는 그렇게 놀라고 걱정했다는 게 이상하게 느껴질 정도
였다.

"하지만 그때 의사가 아무래도 힘들 것 같다고 했잖아요."

"그러니까 인간의 몸만큼 불가사의한 것도 없다는 생각이 드
는구나. 의사가 도저히 힘들 것 같다고 이야기했는데 지금까지
저렇게 건강하시니 말이다. 나도 처음에는 너무 놀라서 되도록
몸을 움직이지 말아야 한다고 생각했단다. 그런데 너도 아버지
성격을 알잖니? 가급적 조심은 하시는데 고집이 좀 세야 말이
지. 당신이 괜찮다고 생각하면 내 말은 듣지 않으시니까 아무리
말려도 소용이 없어."

나는 지난번에 고향에 내려왔을 때 무리하게 이부자리를 치우
게 하고 일어나서 수염을 깎던 아버지의 모습을 떠올렸다.

"이제 괜찮아. 네 어머니가 괜히 수선을 떤 거야."라고 말하던
아버지를 생각하면 어머니를 탓할 수도 없었다. '그래도 옆에서

라도 조금은 주의를 줘야죠.'라고 말하려던 나는 결국 아무 말도 하지 않았다. 다만 아버지의 병환에 관해 내가 알고 있는 전부를 알려 주었다. 대부분 선생님과 사모님에게 얻은 자료에 지나지 않지만. 어머니는 그다지 심각하게 받아들이지 않는 눈치였다. 단지 "아아, 역시 아버지와 같은 병으로 돌아가셨구나. 안됐네. 그분은 연세가 몇이나 되셨을 때 돌아가셨다고 하더냐?" 하고 물었을 뿐이다.

나는 할 수 없이 어머니는 포기하고 아버지에게 직접 말씀드리기로 했다. 아버지는 내가 말하는 주의사항을 어머니보다 진지하게 들어 주었다.

"그래, 네 말대로야. 하지만 내 몸이니까 어떻게 조심해야 할지는 오랜 경험에서 내가 가장 잘 알고 있단다."

아버지의 말을 들은 어머니는 쓴웃음을 지으며 작은 목소리로 말했다.

"그것 봐라."

"말씀은 그렇게 하시지만 아버지께서는 이미 각오하고 계신 거예요. 이번에 제가 졸업하고 돌아온 걸 무척이나 기뻐하시는 것도 그래서예요. 당신이 살아 있는 동안 제가 졸업하지 못할 거라고 생각했는데 아직 건강할 때 이렇게 졸업장을 들고 왔으니 그게 너무 기쁘다고 제게 말씀하셨는걸요."

"그야 말씀은 그렇게 하셨지만 마음속으로는 아직 건강하다고 생각하고 계신 거야."

"정말 그럴까요?"

"앞으로 십 년이나 이십 년은 더 살 거라고 생각하고 계신 거야. 하지만 가끔은 내게도 불안해하는 말씀을 한단다. '지금 이 상태로는 오래 살지 못할 것 같아. 내가 죽으면 당신 혼자 어떻게 살아갈 거야? 이 집에 혼자 남아 있을 거야?' 하고 말이다."

나는 갑자기 아버지가 떠난 후 어머니 혼자 덩그러니 남아 있을 이 크고 오래된 시골집을 상상했다. 아버지가 안 계시더라도 지금처럼 살아가실 수 있을까? 형은 어떻게 할까? 어머니는 뭐라고 하실까? 나는 다시 이 집을 떠나 도쿄에서 마음 편히 살 수 있을까? 나는 눈앞에 있는 어머니를 바라보면서 아버지가 건강할 때 자신이 물려받을 재산이 있다면 확실하게 챙겨 두라는 선생님의 말을 갑자기 떠올렸다.

"가만 보면 자기 입으로 죽는다, 죽는다 하는 사람치고 진짜 죽는 경우는 없으니까 안심이야. 그러니까 네 아버지도 죽는다, 죽는다 하면서도 앞으로 몇 년이나 더 사실지 모를 일이야. 그보다는 말없이 건강하던 사람이 어느 날 갑자기 죽는 경우가 더 많지."

나는 논리에서 나온 말인지 통계적으로 나온 말인지 도통 알 수 없는 어머니의 진부한 말을 잠자코 들었다.

3

어머니와 아버지는 나를 위해 팥밥을 짓고 동네 사람들과 친척들을 불러 잔치를 하자고 했다. 사실, 고향에 도착한 날부터 혹시라도 그런 말이 나올까 봐 마음속으로 걱정했던 터라 나는 바로 사양했다.

"너무 거창하게 그러지 마세요."

나는 시골 사람들이 싫었다. 단지 먹고 마시기 위해 찾아오는 그들은 뭔가 건수만 생기면 얼씨구나 하고 좋아한다. 나는 어릴 때부터 그들과 함께하는 자리가 몹시 거북했다. 그런 만큼 그들이 온다는 생각만 해도 너무 싫었다. 그러나 아버지나 어머니 앞에서 차마 그런 몰지각한 사람들을 불러 야단법석을 떨 필요 없다고 말할 수는 없었다. 그래서 나는 거창하게 그럴 필요는 없다고만 주장했다.

"거창하게 하지 말라지만 별로 거창하지도 않아. 평생 한 번 있을까 말까 한 일이니까 손님들을 초대하는 건 당연하지. 그렇게 사양할 일이 아니야."

어머니는 내가 대학을 졸업한 걸 마치 신부라도 얻은 것처럼 대단한 일로 여기는 것 같았다.

"손님들을 초대하지 않아도 되지만 초대하지 않으면 또 뒤에서 뭐라고들 하니까."

아버지의 말이었다. 아버지는 그들이 뒤에서 뭐라고 쑤군댈까 봐 신경 쓰이는 것 같았다. 실제로 그들은 자신들의 예상대로 되지 않으면 금세 뭐라고 한마디씩 하고 싶어 한다.

"도쿄와 달라서 시골 사람들은 말이 많은 편이지."

아버지가 말했다.

"아버지의 체면도 있으니까."

어머니가 한마디 거들었다.

그 말을 듣고도 내 의견만 고집할 수는 없었다. 아무래도 두 분이 하자는 대로 해야 할 것 같았다.

"제 말은, 저를 위해 하는 거라면 안 해도 된다는 거예요. 뒤에서 쑤군대는 게 싫으시면 그건 또 이야기가 다르죠. 두 분께 폐가 되는 일을 제가 억지로 우길 수는 없으니까요."

"네가 그런 말을 하면 곤란하지."

아버지는 언짢은 표정을 지었다.

"얘야, 너도 어떻게 처신하며 살아야 하는지 알고 있잖니? 사람들 사이에서 어울려 살려면……."

어머니는 분위기가 심상치 않게 돌아가자 종잡을 수 없는 소리를 했다. 대신 아버지와 나를 합쳐도 당해 낼 수 없을 만큼 많은 이야기를 했다.

"공부를 시켜 놓으면 뭐든 이론적으로 해결하려 든다니까."

아버지는 이 말밖에 하지 않았다. 하지만 나는 이 짧은 한마디를 통해 평소 아버지가 내게 품고 있는 불만이 어떤 것인지를 알았다. 그때 나는 내 말투에 가시가 돋쳤다는 사실을 모른 채 아버지의 불평이 너무 억지스럽다고만 생각했다.

아버지는 그날 밤 다시 마음을 바꾸어 손님을 부른다면 언제로 할까 하고 내 형편을 물었다. 형편이 좋고 말고 할 것도 없이 낡은 집에서 하릴없이 빈둥거리는 내게 그런 질문을 한다는 건 아버지가 지고 들어온 거나 다름없었다. 나는 자상한 아버지 앞에서 고집을 꺾었다. 그리고 아버지와 상의해서 잔치 날짜를 정했다.

114

그런데 그날이 채 오기도 전에 큰 사건이 터지고 말았다. 바로 메이지 천황(明治天皇)이 병을 얻었다는 소식이었다. 신문을 통해 전국에 알려진 이 사건은 한 시골집에서 다소의 우여곡절을 거쳐 겨우 진행하려던 나의 졸업 축하연을 순식간에 날려 버렸다.

"상황이 이런 만큼 축하연은 취소하는 게 좋겠구나."

안경을 쓰고 신문을 보던 아버지가 말했다. 아버지는 아무 말도 하지 않았지만 자신의 병도 생각하고 있는 것 같았다. 나는 얼마 전 졸업식에 예년처럼 행차한 천황을 떠올렸다.

4

몇 안 되는 가족이 살기에는 너무 넓고 낡은 집이 고요하게 느껴지는 가운데, 나는 고리짝 속에서 책을 꺼내 읽기 시작했다. 그런데 왠지 안정이 되지 않았다. 어지러울 정도로 바쁘게 돌아가던 도쿄의 하숙집 2층에서 전철 소리를 들으며 페이지를 한 장 한 장 넘기던 때가 의욕도 생기고 기분 좋게 공부할 수 있었다.

나는 곧잘 책상에 기댄 채 선잠을 잤다. 때로는 일부러 베개를 꺼내 본격적으로 낮잠을 자기도 했다. 자다 눈을 뜨면 매미 소리가 들렸는데, 꿈속에서 들은 것 같은 그 소리는 갑자기 시끄럽게 귓가에 울렸다. 가만히 그 소리를 듣고 있노라면 이따금 슬픈 생각이 들었다.

나는 펜을 들어 친구들에게 짧은 엽서나 긴 편지를 썼다. 친구 중 몇 명은 도쿄에 남아 있었고, 어떤 친구는 먼 고향으로 돌아갔다. 답장을 주는 친구도 있었고 전혀 소식이 없는 친구도 있었다. 물론 나는 선생님도 잊지 않았다. 고향에 돌아온 이후의 내 소식을 원고지에 작은 글씨로 세 장 정도 써서 보내기로 했다. 편지를 봉하면서 선생님이 과연 아직도 도쿄에 있을지 궁금했다. 선생님이 사모님과 함께 집을 비울 때는 어디에서 왔는지는 모르지만 쉰 살 정도로 보이는 기리사게(미망인의 머리형으로, 틀어 올린 긴 머리를 어깨 정도의 길이로 자른 후 뒤로 묶어 드리운 형태_옮긴이)를 한 아주머니가 와서 집을 봐줄 때가 많았다. 언젠가 아주머니에 대해 물어보자 선생님은 누구일 것 같으냐고 되물었다. 내가 선생님의 친척인 것 같다고 하자 선생님은 "내게 친척은 없네."라고 말했다. 선생님은 고향에 있는 친척들과는 전혀 소식을 주고받지 않았다. 내가 궁금하게 여겼던 아주머니는 선생님과는 상관없는 사모님 쪽 친척이었다. 나는 선생님에게 편지를 보낼 때 문득 폭이 좁은 오비를 편안하게 뒤로 묶은 아주머니의 모습을 떠올렸다. 만일 선생님 내외가 어딘가로 피서를 간 후에 이 편지가 도착한다면 그 아주머니는 편지를 선생님이 가신 곳까지 전달해 줄 만큼 재치 있고 친절한 사람일까 궁금해졌다. 사실 그럴 만큼 중요한 용건은 없었다. 다만 나는 외로움을 느꼈다. 그리고 선생님이 반드시 답장을 보내 주실 거라고 생각했다. 하지만 답장은 끝내 오지 않았다.

아버지는 지난겨울에 돌아왔을 때만큼은 장기를 두고 싶어 하지 않았다. 장기판은 먼지를 뒤집어쓴 채 도코노마 한구석에 있었다. 특히 천황이 병이 난 후 아버지는 말없이 생각에 잠겨 있을 때가 많았다. 매일 신문이 오기를 기다렸다가 가장 먼저 읽었다. 다 읽고 나서는 일부러 내가 있는 곳까지 들고 왔다.

"이것 좀 봐라. 오늘도 천자님에 관한 이야기가 자세히 나와 있구나."

아버지는 천황을 항상 천자님이라고 불렀다.

"송구하게도 천자님의 병도 나와 비슷한 것 같구나. 아버지의 얼굴에는 수심이 가득했다. 이런 말을 듣는 내 가슴속에는 아버지가 언제 또 쓰러질지 모른다는 걱정이 일었다.

"하지만 괜찮겠지. 나같이 보잘것없는 사람도 이렇게 살아 있으니까."

아버지는 스스로를 위로하면서 금방이라도 자신에게 닥칠 것 같은 위험을 예감하는 듯했다.

"아버지는 정말 병을 무서워하고 있어요. 어머니의 말씀처럼 십 년이고 이십 년이고 살 생각이 없는 것 같아요."

어머니는 내 말을 듣고는 당혹감을 감추지 못했다.

"지난번처럼 장기라도 두자고 권해 보렴."

나는 도코노마에서 장기판을 꺼내 쌓인 먼지를 닦았다.

5

아버지는 기력이 점차 약해졌다. 나를 질색하게 만든 손수건 달린 낡은 밀짚모자는 그대로 방치되었다. 나는 낡아서 거무스름하게 바랜 선반 위의 모자를 볼 때마다 아버지가 가엾게 여겨

117

졌다. 아버지가 몸을 움직일 때는 몸조심을 해 주었으면 하고 걱정했지만, 꼼짝도 하지 않고 방 안에 앉아 있기만 하니 그래도 그때가 나았다는 생각이 들었다. 나는 아버지의 건강과 관련해 어머니와 자주 이야기를 나누었다.

"네가 그렇게 생각해서 그래."

어머니가 말했다. 어머니는 천황의 병과 아버지의 병을 관련지어 생각했다. 나는 꼭 그렇지만은 않다는 생각이 들었다.

"그게 아니라, 정말 몸이 안 좋아지신 건 아닐까요? 아무래도 건강이 더 나빠지는 것 같아요."

속으로는 용하다는 의사를 다시 불러 진찰이라도 한번 받아보면 어떨까 하는 생각을 했다.

"올여름엔 너도 재미없지? 모처럼 졸업했는데 축하연도 못 열어 주고 아버지의 건강도 저러시니. 그런 데다 천자님도 병중이시고. 이럴 줄 알았으면 네가 돌아오자마자 곧바로 잔치를 여는 건데."

내가 고향으로 돌아온 건 7월 5일인가 6일이었고, 아버지와 어머니가 졸업을 축하하기 위해 손님을 부르자는 말을 꺼낸 것은 그로부터 일주일 후였다. 그리고 마침내 정해진 날짜가 그로부터 또 일주일 후였다. 시간의 구애를 받지 않는 느긋한 시골로 돌아온 덕택에 나는 원하지 않는 축하 잔치의 고통에서 해방되었지만 나를 이해하지 못하는 어머니는 그런 내 마음을 전혀 눈치채지 못했다.

천황이 승하했다는 소식이 전해졌을 때 아버지는 신문을 손에 들고는 탄식했다.

"아! 천자님도 드디어 가셨구나. 나도⋯⋯."

아버지는 그러고는 더는 아무 말도 하지 않았다.

나는 얇은 검은 천을 사러 시내로 나갔다. 그리고 사 온 천으로 깃대의 봉을 싸고 나서 끝에 9센티미터 폭의 천을 달아 대문 옆에 비스듬히 바깥쪽으로 달았다. 바람 한 점 불지 않아 깃발과 검은 천이 축 처졌다. 우리 집 낡은 대문의 지붕은 짚으로 이어져 있었다. 비바람에 시달린 그 짚은 변색되어 옅은 잿빛을 띠었고, 군데군데 움푹 파인 곳도 눈에 띄었다. 나는 혼자 문밖으로 나가 검은 천과 하얀 모슬린 천, 그리고 그 하얀 천 안에 그려진 빨간 동그라미를 쳐다보았다. 그 깃발이 옅은 잿빛 지붕과 어울리는 모습도 바라보았다. 전에 선생님이 "자네 집의 구조는 어떻게 되어 있지? 내 고향과는 분위기가 많이 다를까?"라고 물어보던 것을 떠올렸다. 내가 태어난 이 낡은 집을 선생님에게 보여주고 싶기도 했지만 한편으로는 부끄러웠다.

나는 다시 혼자 집 안으로 들어가 신문을 읽으며 멀리 떨어진 도쿄를 생각했다. 일본 제일의 대도시가 얼마나 무겁고 침통한 분위기 속에서 움직이고 있을지 상상해 보았다. 나는 어둠 속에서도 움직일 수밖에 없는 도시의 불안하고 어수선함 속에서 한 점 불빛처럼 선생님의 집을 보았다. 그때는 불빛이 소리 없는 소용돌이 속으로 자연스럽게 빨려 들어가고 있음을 알아채지 못했다. 얼마 안 되어 그 불빛 역시 갑자기 사라져 버릴 운명에 처해 있다는 사실을 미처 깨닫지 못했다.

나는 이번 사건을 선생님에게 편지로 쓸까 하고 펜을 들었다.
하지만 열 줄 정도 쓰다가 그만두었다. 쓴 종이는 갈기갈기 찢어
쓰레기통에 던져 버렸다. 선생님에게 그런 이야기를 써 봐야 별
로 의미도 없을 테고 지난번처럼 답장을 줄 것 같지도 않았기 때
문이다. 나는 외로웠다. 그래서 편지를 썼다. 그러고는 답장이
왔으면 하고 바랐다.

6

8월 중순경, 한 친구에게 편지를 받았다. 편지에는 지방 중학교
에 교사 자리가 났는데 가지 않겠느냐고 쓰여 있었다. 그 친구는
경제적인 문제 때문에 일자리를 찾아 돌아다녔다. 이 교사 자리
도 처음에는 자신에게 제의가 들어왔는데, 더 나은 곳에서도 제
의가 왔기 때문에 내게 양보한 셈이었다. 나는 즉시 편지를 보내
거절했다. 아는 사람 중에 교사 자리를 얻기 위해 고군분투하는
친구가 있으니 그 친구를 소개해 주는 게 좋을 것 같다고 썼다.

답장을 보낸 후 아버지와 어머니에게 그 이야기를 했다. 두 분
모두 내가 거절한 것에 이의가 없는 것 같았다.

"그런 곳까지 가지 않아도 좋은 자리가 또 나오겠지."

그 말을 듣고 나는 두 분이 내게 지나치게 큰 희망을 품고 있
다는 것을 알았다. 세상 물정에 어두운 부모님은 지금 막 졸업한
내게 걸맞지 않은 지위와 수입을 기대하는 듯했다.

"요즘은 그런 좋은 자리가 좀처럼 없어요. 특히 형과 나는 전

공도 다르고 시대도 변했기 때문에 두 사람을 똑같이 생각하시면 곤란해요."

"하지만 졸업한 이상 얼른 독립해서 생활하지 않으면 우리도 곤란하잖니? 남들이 당신네 둘째 아들은 대학을 졸업하고 무슨 일을 하느냐고 물었을 때 대답을 못하면 나도 체면이 서지 않으니까."

아버지는 얼굴을 찌푸렸다. 아버지의 사고방식은 오랫동안 살아온 고향 밖을 벗어나질 못했다. 그 고향 사람들에게서 대학을 졸업하면 월급은 얼마나 받는지라든가, 100엔(당시 중학교 교사의 월급은 20엔 정도_옮긴이) 정도는 될 거라는 말을 들어 온 아버지는 이렇게 말하는 사람들에게 당신의 체면이 깎이지 않도록 이제 막 졸업한 내가 하루 빨리 취직하기를 바랐다. 아버지나 어머니가 볼 때는 대도시를 근거지로 생각하는 내가 이상해 보였을 것이다. 나 역시 이따금 그런 기분이 들었다. 노골적으로 내 생각을 밝히기에는 두 분의 사고방식이 나와 너무 달랐기에 잠자코 있을 수밖에 없었다.

"이럴 때 네가 늘 선생님, 선생님 하는 그분에게라도 부탁하면 되잖니?"

어머니는 이런 식으로 선생님을 해석할 수밖에 없었다. 그 선생님은 내게 고향으로 돌아가면 아버지 살아생전에 어서 재산을 분배받으라고 권한 사람이다. 졸업을 했다고 해서 자신이 앞장서서 취직자리를 알선해 줄 사람이 아니었다.

"선생님이라는 그분은 뭘 하시냐?"

아버지가 물었다.

"아무 일도 하지 않아요."

나는 이미 예전에 선생님이 아무 일도 하지 않는다는 사실을 아버지와 어머니에게 말했다고 생각했다. 그리고 분명히 아버지는 그 사실을 기억하고 있을 터였다.

"아무 일도 하지 않는다는 건 또 무슨 소리냐? 네가 그토록 존경하는 선생님이라면 뭔가 하고 있을 것 같은데 말이다."

아버지는 나를 넌지시 떠보았다. 아버지 생각에는 능력 있는 사람들은 모두 세상으로 나아가 자신에게 걸맞은 지위를 얻어 일하고 있었다. 분명히 쓸모없는 사람이니까 놀고 있는 거라는 결론을 내린 것 같았다.

"나 같은 사람도 월급을 받지는 않지만 이래 봬도 놀고만 있는 건 아니야."

아버지가 말했다. 나는 계속 잠자코 있었다.

"네가 말하는 것처럼 훌륭한 분이라면 분명히 일자리를 찾아 주실 거야. 부탁은 해 보았니?"

어머니가 물었다.

"아니요."

"그럼 안 되잖니? 왜 부탁을 하지 않는 거니? 편지라도 좋으니까 어서 보내렴."

"네."

나는 건성으로 대답하고 자리에서 일어났다.

7

아버지는 분명히 자신의 병을 두려워하고 있었다. 하지만 의사가 올 때마다 꼬치꼬치 캐물어 상대방을 곤란하게 하는 성격도 아니었다. 의사 역시 조심하느라 아무 말도 하지 않았다.

아버지는 자신이 죽고 난 후의 일을 생각하는 것 같았다. 아마도 자신이 없는 우리 집을 상상해 보는 것 같았다.

"자식들을 공부시키는 것도 한마디로 좋다고만 할 수 없어. 힘들게 공부를 시켜 놓으면 집으로 돌아오지를 않으니 말이야. 그야말로 부모와 자식 사이를 갈라놓기 위해 공부를 시키는 거나 마찬가지야."

공부를 한 결과 형은 지금 먼 지방에 있다. 나 역시 교육을 받은 탓에 도쿄에서 살기로 작정했다. 이런 자식들을 키워 낸 아버지의 푸념은 어쩌면 당연했다. 오랜 세월 함께 살아온 이 시골집에 혼자 덩그렇게 남겨질 어머니를 상상하며 아버지는 무척 쓸쓸하셨을 것이다.

아버지는 결코 이 집을 떠나서는 살 수 없다고 굳게 믿고 있었다. 어머니 또한 목숨이 붙어 있는 한 이곳을 떠날 수 없다고 믿고 있었다. 자신이 죽은 후 외로운 어머니를 텅 빈 집에 혼자 남겨 놓는 것도 이만저만 불안한 게 아니었다. 그런데도 내게 도쿄에서 좋은 일자리를 구하라고 강요하는 아버지의 행동은 모순이 아닐 수 없었다. 나는 그 모순을 이상하게 생각하면서도 한편으로는 그 덕택에 다시 도쿄로 갈 수 있어서 기뻤다.

나는 아버지와 어머니에게 일자리를 찾기 위해 열심히 노력하고 있는 것처럼 보여야 했다. 선생님에게 이러한 사정을 상세히 적은 편지를 보냈다. 만일 내 힘으로 할 수 있는 일이 있다면 뭐든 할 테니 일자리를 주선해 달라고 부탁했다. 나는 선생님이 신경 쓰지 않을 거라고 생각하면서도 편지를 썼다. 설령 일자리를 구해 주고 싶어도 세상 사람들과 거의 교류가 없는 선생님은 어떻게 해 볼 도리가 없을 것이다. 하지만 이 편지에 대한 답장만은 꼭 보낼 거라고 생각했다.

나는 편지를 봉하고 부치기 전에 어머니에게 말했다.

"어머니의 말씀대로 선생님께 편지를 썼어요. 이 편지 한번 읽어 보세요."

어머니는 내가 생각한 대로 편지를 읽지 않았다.

"그러니? 그럼 빨리 보내렴. 그런 건 누가 신경을 쓰지 않더라도 스스로 서두르는 거야."

어머니는 나를 아직 어린애로 생각했다. 나도 내가 어린애가 된 듯한 느낌이었다.

"하지만 편지만으로는 부족해요. 어차피 9월쯤에 제가 도쿄로 가야 할 것 같아요."

"그럴지도 모르지만 좋은 일자리가 언제 갑자기 나타날지 모르니까 이왕이면 빨리 부탁해 두는 게 좋을 거야."

"네. 어쨌든 선생님께 답장이 올 게 분명하니까 그때 다시 말씀드릴게요."

나는 이런 일에는 매우 꼼꼼한 선생님을 믿고 있었다.

나는 선생님의 답장이 오기를 학수고대했다. 하지만 내 기대는 보기 좋게 빗나갔다. 선생님에게서는 일주일이 지나도록 아무 소식이 없었다.

"틀림없이 어디 피서라도 가셨을 거예요."

나는 어머니에게 변명을 했다. 그리고 그 말은 어머니에게 하는 변명일 뿐만 아니라 나 자신에게 하는 변명이기도 했다. 어떻게든 선생님을 변호하고 싶었다.

나는 가끔 아버지가 병을 앓고 있다는 사실을 잊었다. 차라리 어서 도쿄로 가 버릴까 하고 생각하기도 했다. 아버지조차 자신의 병을 잊을 때가 있었다. 미래를 걱정하면서도 그에 대한 대처는 하지 않았다. 나는 결국 선생님이 충고한 재산 분배 문제를 아버지에게 꺼낼 기회조차 얻지 못한 채 시간만 보냈다.

8

9월 초가 되어 마침내 도쿄로 돌아가기로 했다. 나는 아버지에게 당분간 지금과 마찬가지로 생활비를 보내 달라고 부탁했다.

"이곳에서 마냥 이렇게 지낸다고 해서 아버지께서 말씀하신 일자리를 얻을 수 있는 것도 아니니까요."

나는 아버지가 희망하는 일자리를 얻기 위해 도쿄로 간다는 듯 말했다.

"물론 일자리를 구할 때까지만요."

그러나 마음속으로는 그런 일자리를 찾을 수 없을 거라고 생각했다. 세상 물정에 어두운 아버지는 끝까지 반대 상황을 믿고 있었다.

"그야 얼마 안 되는 기간일 테니 어떻게든 보내 주마. 그 대신에 길어지면 안 된다. 좋은 일자리를 얻는 대로 바로 독립해야지. 원래는 학교를 졸업한 순간부터 다른 사람의 신세를 지면 안되는 거야. 요즘 젊은이들은 돈을 쓰는 것만 알지 벌 생각은 통안 하는 것 같더구나."

아버지는 그 밖에도 이런저런 잔소리를 했다.

"옛날에는 자식들이 부모를 부양했는데, 요즘은 어찌 된 일인지 오히려 부모들이 자식을 먹여 살리는 세상이야."

나는 잠자코 듣기만 했다.

잔소리가 한차례 끝났다고 생각했을 때 나는 조용히 자리에서 일어나려고 했다. 아버지는 내게 언제 가느냐고 물었다. 나는 빠를수록 좋았다.

"어머니와 상의해서 날짜를 정하도록 해라."

"그렇게 할게요."

그때 나는 아버지 앞에서 얌전하게 행동했다. 되도록 아버지의 심기를 건드리지 않고 고향을 떠날 생각이었다. 아버지는 재차 나를 붙들었다.

"네가 도쿄로 가고 나면 쓸쓸할 거야. 집에는 이제 나와 어머니뿐이니까. 내가 몸이라도 성하면 좋겠지만 지금 이대로라면 언제 무슨 일이 일어날지 모르겠다."

나는 최선을 다해 아버지를 위로하고 내 방으로 돌아왔다. 그러고는 방 안 여기저기 어지럽게 널린 책 사이에 앉아 불안해하던 아버지의 태도와 말씀을 몇 번이나 되새겼다. 그때 또 한 번 매미 소리를 들었다. 지난번에 들은 소리와 다르게 애매미가 우는 소리였다. 고향으로 돌아와 맹렬하게 울어 대는 매미 소리를 들으며 가만히 앉아 있으면 괜히 슬퍼질 때가 많았다. 내 슬픔은 언제나 맹렬한 이 벌레의 울음소리와 함께 마음속 깊이 스며드는 것 같았다. 그럴 때면 미동도 하지 않고 혼자서 스스로를 응시했다.

내 슬픔은 이번 여름에 귀향한 이래 점차 그 감정이 바뀌었다. 유지매미가 애매미의 소리로 변하듯이 나를 둘러싼 사람들의 운명이 커다란 윤회의 수레바퀴를 서서히 움직이고 있는 것처럼 보였다. 나는 쓸쓸해 보이는 아버지의 태도와 말을 되새기면서 편지를 보내도 답장이 없는 선생님을 떠올렸다. 선생님과 아버지는 내게 정반대의 인상을 준다는 점에서 비교하거나 연상을 할 때 늘 함께 머릿속에 떠올랐다.

나는 아버지의 거의 모든 것을 알고 있었다. 만일 아버지 곁을 떠난다면 부모와 자식 간의 정 때문에 섭섭한 마음이 들 뿐이다. 그러나 선생님에 대해서는 모르는 게 너무 많았다. 말해 주겠다고 약속했던 선생님의 과거도 아직 듣지 못했다. 말하자면 선생님은 내게 아직도 불확실한 존재였다. 나는 반드시 그곳을 지나 밝은 곳까지 가야 이 답답함이 풀릴 것만 같았다. 선생님과 관계가 끊어지는 일은 내게 큰 고통이었다. 나는 어머니와 상의해서 도쿄로 떠날 날짜를 정했다.

9

도쿄로 떠나기 직전(아마도 출발 이틀 전 저녁이었던 것 같다), 아버지가 갑자기 쓰러졌다. 그때 나는 책과 옷가지 등을 넣은 고리짝을 묶고 있었다. 아버지는 목욕을 하는 중이었다. 아버지의 등을 밀어 주러 들어간 어머니가 큰 소리로 나를 불렀다. 나는 벌거벗은 채 어머니에게 뒤로 안겨 있는 아버지를 보았다. 거실로 부축해 옮기자 아버지는 괜찮다고 말했다. 그래도 혹시나 해서 머리맡에 앉아 젖은 수건으로 아버지의 머리를 식혀 주던 나는 9시경이 되어서야 겨우 저녁을 대충 먹었다.

다음 날, 아버지는 생각보다 기운을 많이 차렸다. 말리는 것도 듣지 않고 걸어서 화장실에 가기도 했다.

"이젠 괜찮아."

아버지는 작년 말에 쓰러졌을 때 내게 한 말을 되풀이했다. 그때는 아버지 말대로 정말 괜찮았다. 이번에도 어쩌면 그럴지도 모른다고 생각했다. 하지만 의사는 조심해야 한다고 주의만 줄 뿐 아무리 물어봐도 확실한 대답은 해 주지 않았다. 나는 불안해서 출발 날짜가 닥쳐도 선뜻 도쿄로 떠날 수 없었다.

"좀 더 상태를 지켜본 후에 떠날까요?"

"그렇게 해 주렴."

어머니가 말했다.

어머니는 아버지가 건강한 모습으로 정원에 나가거나 뒷마당을 돌아볼 때는 아무렇지도 않다가 이번 일이 생기자 또 필요 이상으로 걱정하며 마음을 졸였다.

"넌 오늘 도쿄에 가기로 하지 않았니?"

아버지가 물었다.

"며칠 연기했어요."

내가 대답했다.

"나 때문이냐?"

나는 잠시 주저했다. 그렇다고 하면 아버지 병이 위중하다는 뜻이 되고 만다. 아버지가 신경과민이 되게 하고 싶지는 않았지만 아버지는 이미 내 마음을 꿰뚫어 보고 있는 것 같았다.

"미안하구나."

아버지는 정원을 바라보며 말했다.

나는 내 방으로 돌아와 팽개쳐 둔 고리짝을 쳐다보았다. 상자는 언제든 마음만 먹으면 들고 떠날 수 있도록 만반의 준비가 되어 있었다. 나는 멍하니 고리짝 앞에 서서 다시 풀까 하고 생각했다.

나는 침착함을 잃고 불안한 마음으로 또 사나흘을 보냈다. 그런데 아버지가 다시 쓰러졌다. 의사는 절대 안정을 취해야 한다고 말했다.

"어떡하면 좋으니?"

어머니가 아버지에게 들리지 않도록 작은 목소리로 내게 말했다. 어머니의 얼굴은 상당히 불안해 보였다. 나는 형과 여동생에게 전보를 칠 준비를 했다. 하지만 자고 있는 아버지는 아무런 번민도 없어 보였다. 이야기하는 모습을 보면 마치 감기에 걸렸을 때와 똑같았다. 더구나 식욕은 평상시보다 더 좋았다.

옆에서 말려도 좀처럼 듣지 않았다.

"어차피 죽을 거라면 맛있는 거라도 먹고 죽어야지."

맛있는 거라는 아버지의 말이 우습게 들렸지만 한편으로는 슬
펐다. 아버지는 맛있는 음식을 맛볼 수 있는 대도시에서 살고 있
지 않았다. 한밤중에 찰떡을 구워 맛있게 먹기도 했다.

"마치 굶주린 사람처럼 왜 저러실까? 정신력이 강해서일지도
모르겠구나."

어머니는 낙담해야 할 상황에서 오히려 희망을 품었다. 그러
면서 병이 났을 때나 쓰는 '굶주리다'라는 옛말을 뭐든 먹고 싶어
한다는 의미로 썼다.

큰아버지가 문병을 오자 아버지는 끝까지 붙들고 가지 못하게
했다. 외로우니 좀 더 있어 달라는 게 주된 이유였지만 자신이
먹고 싶은 만큼 어머니나 내가 못 먹게 한다는 불평을 호소하려
는 것 같았다.

10

아버지의 병세는 일주일 이상 아무런 차도를 보이지 않았다.
나는 그동안 규슈에 있는 형에게 장문의 편지를 보냈다. 여동생
에게는 어머니가 쓰도록 했다. 속으로는 아마도 이 편지가 두 사
람에게 아버지의 건강에 관해 써서 보내는 마지막 편지가 될 것
이라고 생각했다. 그래서 형과 여동생에게는 상황이 긴박해지면
전보를 칠 테니 곧바로 달려오라고 해 두었다.

형은 직장 생활을 하느라 바빴고 여동생은 임신 중이었다. 그래서 아버지에게 위급한 상황이 닥치지 않는 한 그들을 불러들일 수는 없었다. 그렇다고 만사 제치고 달려왔는데 임종을 지켜보지 못한다면 그 역시 안 될 일이었다. 나는 전보를 칠 시기에 남모르는 책임감을 느꼈다.

"저도 확실한 건 모르겠어요. 하지만 언제 위급한 상황이 닥칠지 모른다는 것만 알아 두세요."

역이 있는 시내에서 왕진을 온 의사는 내게 이렇게 말했다. 나는 어머니와 의논해서 그 의사의 주선을 받아 시내 병원에 근무하는 간호사를 한 사람 고용하기로 했다. 아버지는 머리맡에 와서 인사하는 하얀 옷을 입은 여자를 보고 이상하다는 표정을 지었다.

아버지는 자신이 죽을병에 걸렸음을 진작 알고 있었다. 하지만 서서히 죽음의 그림자가 드리워지고 있음은 알아채지 못했다.

"이제 다 나으면 다시 한 번 도쿄에 놀러 가야지. 사람은 언제 죽을지 모르니까 말이야. 하고 싶은 일이 있으면 뭐든 살아 있을 때 다 해야지."

어머니는 어쩔 수 없이 "그때는 저도 함께 데려가 주세요."라고 맞장구를 쳤다.

때로는 또 매우 쓸쓸해했다.

"내가 죽으면 어머니께 잘해 드려야 한다."

'내가 죽으면'이라는 말에 나는 또 다른 기억이 떠올랐다. 도쿄를 떠날 무렵, 선생님이 사모님을 향해 그 말을 몇 번이나 되풀이한 날은 내 졸업식이 있었던 저녁이었다. 나는 웃음 띤 선생님의 얼굴과 불길한 소리를 한다며 귀를 막던 사모님의 모습을 떠올렸다. 그때의 '내가 죽으면'은 단순한 가정이었다. 내가 지금 듣고 있는 건 언제 일어날지 알 수 없는 사실이었다. 나는 선생님을 대하는 사모님의 태도를 배울 수 없었다. 하지만 말로나마 어떻게 해서든 아버지를 위로해야 했다.

"그런 약한 말씀을 하시면 안 돼요. 이제 곧 나으시면 도쿄에 놀러 가기로 하셨잖아요? 어머니와 함께요. 이번에 가시면 깜짝 놀라실 거예요. 많이 변해서요. 새로운 전철 노선도 많이 생겼거든요. 전철이 다니면 자연히 거리 풍경도 바뀌고, 게다가 시와 구도 개정되죠. 도쿄가 움직이지 않을 때라고는 하루 이십사 시간 중 일 분도 없을 정도예요."

나는 어쩔 수 없이 굳이 하지 않아도 될 말까지 떠들었다. 아버지는 만족스러운 얼굴로 내 말을 듣고 있었다.

아픈 사람이 있다 보니 자연히 사람들의 출입도 잦아졌다. 근처에 사는 친척들은 이틀에 한 명꼴로 돌아가며 문병을 왔다. 그 중에는 비교적 멀리 살아서 평소 가깝게 지내지 않던 사람도 있었다. "어떤가 걱정했는데 이런 상태라면 괜찮아. 말도 잘하고, 게다가 얼굴 살이 조금도 안 빠졌어."라고 말하고 돌아간 사람도 있었다. 내가 돌아왔을 때는 적막할 정도로 고요하던 집 안이 아버지의 병환 때문에 점차 북적대기 시작했다.

그런 상황에서 아버지의 병세는 좋아지기는커녕 점점 나빠져만 갔다. 나는 어머니, 큰아버지와 상의한 후 형과 여동생에게 전보를 쳤다. 형이 곧바로 오겠다는 답장을 보내왔다. 매제도 출발한다고 알려 왔다. 여동생은 지난번 임신했을 때 유산한 경험이 있기 때문에 이번에는 그런 일이 일어나지 않도록 조심시킬 거라고 전부터 말했던 매제는 동생 대신 혼자 올지도 몰랐다.

11

이렇게 집안이 뒤숭숭한 가운데도 나는 아직 조용히 앉아 있을 여유가 있었다. 가끔은 책을 펴고 열 페이지 정도 읽을 시간도 있었다. 단단하게 싸 둔 내 고리짝은 어느새 풀어 헤쳐졌다. 필요할 때마다 그 안에서 이런저런 물건을 꺼냈기 때문이다. 나는 도쿄를 떠날 때 마음속으로 정해 둔 올여름 동안의 계획을 돌이켜 보았다. 내가 한 것은 그 계획의 3분의 1 수준에도 미치지 못했다. 지금까지 이런 불쾌감을 몇 번이나 경험했다. 하지만 이번 여름만큼 뜻대로 되지 않은 적도 드물었다. 산다는 게 다 그런 거라고 생각하면서도 몹시 우울했다.

이런 불쾌감을 느끼면서도 한편으로는 아버지의 병에 대해 생각했다. 아버지가 돌아가신 후의 일을 상상했다. 그와 동시에 선생님의 일도 떠올렸다. 나는 이 불쾌감의 양끝에서 지위와 교육, 그리고 성격이 전혀 다른 두 사람을 생각했다.

내가 아버지의 머리맡을 떠나 어지럽게 널려 있는 책들 사이에 혼자 팔짱을 끼고 앉아 있는데 어머니가 얼굴을 내밀었다.

"낮잠이라도 자거라. 너도 많이 지쳤을 텐데."

어머니는 내 기분을 이해하지 못했다. 나 또한 어머니가 그런 내 마음을 이해해 주기를 기대할 만큼 어린애도 아니었다. 나는 간단히 고맙다고 말했다. 어머니는 아직 방문 앞에 서 있었다.

"아버지는요?"

"지금 곤히 주무시고 계신다."

어머니가 대답했다.

어머니는 갑자기 방으로 들어오더니 내 옆에 앉았다.

"선생님한테서는 아직도 아무 연락이 없니?"

어머니는 전에 내가 한 말을 믿고 있었다. 그때 나는 선생님이 반드시 답장해 줄 거라고 장담했다. 하지만 아버지나 어머니가 기대하는 답장이 올 거라고는 나 자신조차 기대하지 않았다. 나는 계획적으로 어머니를 속인 꼴이 되었다.

"다시 한 번 편지를 보내렴."

어머니가 말했다.

어머니의 마음을 편하게 하는 일이라면 도움도 안 되는 편지 정도는 몇 통이든 쓸 수 있었다. 다만 아버지에게 꾸중을 듣거나 어머니의 기분을 상하게 하는 것보다 선생님에게 경멸당하는 게 훨씬 더 두려웠다. 일자리를 구해 달라는 부탁에 지금까지 아무 답장이 없는 것도 어쩌면 그래서가 아닐까 하는 의심마저 들었다.

"편지를 쓰는 건 간단한데요. 이런 일은 편지로는 도저히 결말이 나지 않아요. 아무래도 제가 도쿄에 가서 직접 부탁하고 다니지 않으면 안 되겠어요."

"하지만 아버지께서 저런 상태시니 네가 언제 도쿄로 갈 수 있을지 모르잖니?"

"그러니까 가지는 않아요. 나으실지 어쩌실지 확실해질 때까지는 여기에 있을 생각이에요."

"그야 당연하지. 지금 당장 어떻게 될지도 모르는 사람을 내버려 두고 어떻게 도쿄에 갈 수 있겠니?"

처음에는 속으로 아무것도 모르는 어머니를 측은하게 생각했다. 하지만 어머니가 왜 이런 문제를 이처럼 상황이 복잡할 때 꺼내는지 이해할 수 없었다. 아버지가 병환 중임에도 차분히 앉아 책을 보는 나처럼 어머니도 눈앞에 있는 병자를 잊어버리고 다른 일을 생각할 수 있을 만큼 마음에 여유가 있는 걸까 하고 의아했다. 그때 "실은 말이다." 하고 어머니가 말을 꺼냈다.

"실은 아버지가 살아 계신 동안 네 일자리가 정해지면 얼마나 안심하시겠니? 지금 상황으로는 결코 쉽지 않을 것 같지만 그래도 아직 저렇게 말씀도 하시고 정신도 밝으실 때 기쁘게 해 드릴 수 있도록 효도 좀 해라."

딱하게도 나는 효도할 수 있는 처지가 아니었다. 결국 나는 선생님에게 단 한 줄도 쓰지 않았다.

12

형이 집으로 돌아왔을 때 아버지는 누워서 신문을 읽고 계셨다. 아버지는 평소에도 다른 일은 제쳐 두고라도 신문만은 꼭 읽는 습관이 있었는데 병석에 누운 후부터는 무료해서인지 더 신문을 읽고 싶어 했다. 어머니나 나도 굳이 말리지 않고 아버지가 하고 싶어 하는 대로 놔두었다.

"이 정도로 기운이 있으신 걸 보면 걱정 없어요. 많이 안 좋으실 거라고 생각하고 왔는데 상당히 좋으신 것 같은데요."

형은 이런 말을 하며 아버지와 이야기를 나누었다. 지나치게 명랑한 형의 말투가 내게는 오히려 부자연스럽게 들렸다. 그러나 아버지 방에서 나와 나랑 마주 앉자 침통한 표정을 지었다.

"저렇게 신문을 읽으셔도 될까?"

"나도 걱정은 되지만 읽지 않으면 못 견뎌하시니까 어쩔 수 없잖아."

형은 잠자코 내 변명을 듣고 있다가 "제대로 알아들으시는 걸까?"라고 말했다. 아버지가 병 때문에 평소보다 이해력이 상당히 떨어진다고 느낀 모양이었다.

"정신은 맑으시니까 걱정하지 마. 난 아까 이십 분 정도 머리맡에 앉아 아버지와 이런저런 이야기를 나누었는데, 이상한 점은 조금도 없었어. 이런 상태라면 어쩌면 꽤 오래 견디실지도 몰라."

형과 거의 비슷하게 도착한 매제의 의견은 우리보다 훨씬 낙관적이었다. 아버지는 그에게 여동생의 일을 이모저모 물었다.

"홀몸이 아니니까 함부로 기차를 타거나 해서 흔들리지 않는 편이 좋아. 무리해서 문병 오면 오히려 내가 걱정이 되니까."라고 말했다. "이제 곧 나으면 아기 얼굴이라도 보러 오랜만에 내가 가 볼 테니까 걱정할 것 없다."라고 말하기도 했다.

노기 마레스케(乃木希典[1849~1912], 러일전쟁에서 일본을 승리

로 이끈 육군 대장으로 메이지 천황의 장례식 때 아내와 함께 순사_옮
긴이)가 죽었을 때도 아버지는 신문을 통해 우리 가족 중 가장 먼
저 그 사실을 알았다.

"큰일이야, 큰일."

아무것도 모르고 있던 우리는 아버지의 갑작스러운 말에 깜짝
놀랐다.

"그때는 아버지의 정신이 이상해지셨나 하는 생각이 들어서
가슴이 철렁하더라."

나중에 형이 내게 말했다.

"실은 저도 놀랐어요."

매제도 같은 생각을 했다는 투로 말했다.

그 무렵의 신문은 실제로 시골 사람들에게는 매일 기다려지
는 소식으로 가득 채워졌다. 나는 아버지의 머리맡에 앉아 꼼꼼
하게 기사를 읽었다. 읽을 시간이 없을 때는 살그머니 내 방으로
들고 와서 빠짐없이 훑어보았다. 나는 군복을 입은 노기 대장과
궁녀 같은 옷차림을 한 그 부인을 오래도록 잊을 수 없었다.

비통한 바람이 구석진 시골까지 불어와 졸린 듯한 나무와 풀
들을 뒤흔들고 있을 때, 나는 갑작스럽게 선생님이 보낸 한 통의
전보를 받았다. 양복을 입은 사람만 봐도 개가 짖어 대는 시골에
서는 한 통의 전보조차 대사건이었다. 전보를 받은 어머니는 역
시 놀란 얼굴로 일부러 나를 사람이 없는 곳으로 불러냈다.

"무슨 일이니?"

어머니는 옆에 서서 내가 봉투 뜯기를 기다렸다.

만나고 싶으니 도쿄로 올 수 있겠느냐는 내용의 전보였다. 나는 고개를 갸우뚱했다.

"분명히 부탁한 취직 이야기일 거야."

어머니가 추측했다.

나도 어쩌면 그럴지도 모른다고 생각했다. 하지만 그런 일치고는 좀 이상하다는 생각도 들었다. 어쨌든 형과 매제까지 불러들인 내가 병중인 아버지를 내버려 두고 도쿄로 갈 수는 없었다. 나는 어머니와 상의한 후 갈 수 없다는 전보를 치기로 했다. 아버지의 병세가 위독해졌다는 말을 간단히 덧붙였지만 그래도 신경이 쓰였기에 자세한 내용을 편지로 써서 그날 중으로 부쳤다. 부탁한 일자리 건 때문이라고 철석같이 믿고 있던 어머니는 "정말 상황이 안 좋아서 어쩔 수가 없구나."라며 못내 아쉬운 표정을 지었다.

13

내가 쓴 편지는 꽤 길었다. 어머니나 나도 이번에야말로 선생님에게 무슨 소식이 오겠지 하고 기다렸다. 편지를 부친 지 이틀만에 또 전보가 왔다. 그 전보에는 오지 않아도 상관없다는 말밖에 없었다. 나는 전보를 어머니에게 보여 주었다.

"아마 편지로 뭐라고 말씀하실 생각인가 보다."

어머니는 끝까지 선생님이 나를 위해 일자리를 주선해 줄 거라고 믿고 있었다. 나도 어쩌면 그런가 하는 생각이 들었지만 평소 내가 아는 선생님을 생각해 봤을 때 아무래도 이상했다. '선생님이 일자리를 알아봐 준다.'는 것은 있을 수 없는 일이었다.

"어쨌든 제 편지는 아직 선생님께 도착하지 않았을 테니까 이 전보는 그전에 보내신 게 틀림없어요."

나는 어머니에게 지극히 당연한 소리를 했다. 어머니 역시 그렇다는 듯 "그래."라고 대답했다. 내 편지를 읽기 전에 선생님이 이 전보를 쳤다는 사실이 선생님을 이해하는 데 아무런 도움도 되지 않는다는 걸 잘 알면서도.

그날은 마침 주치의가 시내에서 원장을 데려오기로 해서 어머니와 나는 전보 건에 대해 더 이야기할 기회가 없었다. 두 명의 의사는 가족들의 입회 아래 병자에게 관장 등을 하고 돌아갔다.

의사가 아버지에게 절대 안정을 취하라는 말을 한 후부터는 대소변도 누운 채 다른 사람의 손을 빌려 받아 냈다. 깔끔한 성격의 아버지는 처음에는 매우 싫어했지만 몸이 말을 듣지 않자 어쩔 수 없이 마지못해 누워서 일을 보았다. 그런데 병세가 악화되면서 의식도 점차 무뎌지는지 시간이 흐를수록 누워서 대소변을 보는 일도 당연시하게 되었다. 가끔은 이불이나 담요를 더럽혀서 가까이 있는 사람들이 눈살을 찌푸리는데도 본인은 정작 태연했다. 하지만 병의 특성상 소변의 양은 매우 적었다. 의사는 그것을 걱정했다. 식욕도 점차 떨어졌다. 가끔 뭔가 먹고 싶어도 입이 먹고 싶어 할 뿐 목으로는 소량밖에 넘기지 못했다. 좋아하는 신문도 손에 들 기력이 없어졌다. 베개 옆에 있는 돋보기는 항상 검은 안경집에 들어 있는 채였다. 어릴 때부터 사이가 좋았던 사쿠 아저씨라는, 지금은 600미터 정도 떨어진 곳에 사는 아버지의 친구가 문병을 왔을 때 아버지는 "아, 사쿠, 자넨가?" 하더니 흐릿한 눈으로 사쿠 아저씨를 바라보았다.

"사쿠, 잘 왔네. 자네는 건강해서 부럽네. 난 이제 틀렸어."

"무슨 소리야. 자네는 자식이 둘이나 대학을 졸업했는데 몸이 좀 아픈들 뭐 그리 대수인가? 나 좀 보게 마누라는 먼저 가고 자식도 없어 그저 이렇게 살아 있을 뿐이야. 몸만 건강했지 낙이 없지 않은가?"

관장을 한 것은 사쿠 아저씨가 다녀가고 이삼일 후의 일이었다. 아버지는 의사 덕분에 많이 편해졌다며 좋아했다. 조금은 자신의 수명에 자신감이 생겼는지 기분이 좋아 보였다. 옆에 있던 어머니는 그런 아버지를 보고 덩달아 기분이 좋아져서인지 병자를 기운 차리게 하고 싶었는지 선생님에게 전보가 온 사실을 이야기하며 마치 아버지가 원하던 대로 내 일자리가 도쿄에 마련됐다는 듯 말했다. 옆에 있던 나는 무척 민망했지만 어머니의 말을 도중에 끊을 수가 없어서 잠자코 있었다. 아버지는 기쁜 표정을 지었다.

"그것참, 잘 되었군요."

매제가 말했다.

"어떤 일자리인지는 아직 모르니?"

이번에는 형이 물었다.

나는 새삼스럽게 부정할 용기가 없어 나 자신조차 알 수 없는 애매한 말로 얼버무리고는 얼른 자리를 떴다.

14

아버지의 병은 마지막 순간 직전까지 갔다가 잠시 주춤하는 것처럼 보였다. 가족들은 운명의 선고가 오늘 내려질지도 모른다는 심정으로 매일 밤 잠자리에 들었다.

아버지는 가족들이 괴로워할 정도로 고통스러워하지는 않았다. 그런 점에서 간병은 수월한 편이었다. 만일의 경우에 대비해 교대로 한 사람씩 깨어 있었지만, 다른 사람들은 한밤중이 되면 각자의 방으로 돌아가 잠자리에 들어도 상관없었다. 어쩌다가 잠들지 못하고 누워 있을 때 어렴풋이 병자의 신음 소리가 들린 것 같아서 한밤중에 일어나 혹시나 하고 아버지가 누워 있는 방에 가 본 적도 있었다. 그날 밤은 어머니가 깨어 있을 차례였다. 그런데 어머니는 아버지 옆에서 팔베개를 하고 잠들어 있었다. 아버지도 깊은 잠에 빠진 것처럼 조용했다. 나는 발소리를 죽이고 다시 내 방으로 돌아왔다.

나는 형과 함께 모기장을 치고 잤다. 매제만은 손님 취급을 해서인지 따로 떨어진 객실에서 잤다.

"세키도 안됐어. 저렇게 며칠씩이나 잡혀 돌아가지도 못하고 있으니."

세키는 매제의 성이다.

"하지만 별로 바쁘지 않으니까 저렇게 있어 주는 거겠지. 이렇게 길어지면 매제보다 형이 더 곤란하지 않아?"

"곤란해도 할 수 없지. 다른 일도 아니고."

형과 나란히 잠자리에 누운 나는 이런저런 이야기를 나누었

다. 형이나 내 마음속에도 아버지는 어차피 가망이 없다는 생각
이 지배적이었다. 우리는 자식으로서 아버지가 돌아가시는 걸
기다리는 거나 마찬가지였다. 자식으로서 그 말을 입 밖에 내는
걸 꺼렸지만 서로 어떤 생각을 하고 있는지는 잘 알고 있었다.

"아버지는 아직도 나을 거라고 믿고 계신 것 같아."

형이 말했다.

실제로 형의 말처럼 보이는 구석도 있었다. 이웃 사람들이 문
병을 오면 아버지는 꼭 만나겠다며 고집을 부렸다. 만나면 반드
시 내 졸업 축하 잔치를 열어서 부르지 못한 걸 아쉬워했다. 대
신 병이 나으면 꼭 잔치를 열겠다는 말도 가끔 덧붙였다.

"네 졸업 축하 잔치가 중지되어 다행이야. 나 때는 정말 혼났
으니까."

형은 내 기억을 환기시켰다. 나는 술독에 빠지다시피 한 당시
의 시끌벅적한 광경을 떠올리고는 쓴웃음을 지었다. 초대한 사
람들 사이를 돌아다니며 음식과 술을 권하던 아버지의 모습도
떠올라 마음이 착잡했다.

우리는 그다지 사이좋은 형제는 아니었다. 어릴 때는 툭하면
싸웠고, 나이 어린 내가 항상 먼저 울음보를 터뜨렸다. 학교에
들어간 후의 전공이 다른 이유도 완전히 성격 차이에서 비롯되
었다. 내가 대학에 다닐 때는 특히 형이 교수님과 친했기에 멀리
서 형을 바라보며 항상 속물이라고 생각했다. 나는 오랫동안 형
을 만나지 못했고 또 멀리 떨어져 지냈기 때문에 시간적이나 공
간적으로 형은 거리감이 느껴지는 존재였다. 그래도 오랜만에

만나니 자연스럽게 따뜻한 형제애가 느껴졌다. 현재 처한 상황도 형제애를 느끼는 데 큰 역할을 했다. 두 사람에게 공통된 아버지, 그 아버지가 세상을 떠나려는 머리맡에서 형과 나는 서로 손을 맞잡은 것이다.

"넌 앞으로 어떻게 할 거니?"

형이 물었다. 나는 또 형에게 전혀 다른 질문을 했다.

"도대체 우리 집 재산은 얼마나 될까?"

"모르겠어. 아버지가 아무 말씀도 안 하셨으니까. 하지만 재산이라고 해 봐야 돈으로 따지면 별것 아닐 거야."

어머니는 또 어머니대로 선생님의 답장이 오기를 노심초사 기다렸다.

"아직도 편지가 오지 않았니?"

어머니는 나만 보면 성화를 부렸다.

15

"도대체 어떤 선생님을 말하는 거야?"

형이 물었다.

"지난번에 말했잖아."

질문하고도 설명해 주면 금세 잊어버리는 형이 불쾌했다.

"듣기는 했다만."

들었지만 이해는 안 된다는 뜻이었다. 나는 굳이 형에게 선생님을 이해시키고 싶지 않았다. 하지만 화가 났다. 또 예전의 형

143

모습이 나왔다는 생각이 들었다.

형은 내가 선생님, 선생님 하며 존경하는 이상 그 사람은 반드시 저명인사여야 한다고 생각했다. 적어도 대학교수는 될 거라고 추측했다. 이름 없는 사람, 아무것도 하지 않는 사람이 무슨 가치가 있는가? 형은 그런 면에서 아버지와 똑같았다. 하지만 아버지가 능력이 없어 놀고 있는 거라고 속단하는 데 비해 형은 뭔가 할 수 있는 능력이 있는데도 빈둥거리는 걸 보면 별 볼 일 없는 인물이라는 식으로 말했다.

"에고이스트는 좋지 않아. 아무 일도 하지 않고 산다는 건 뻔뻔한 생각이니까. 사람은 자신의 능력을 최대한 발휘하면서 살아야 하는 거야."

나는 형에게 에고이스트라는 말의 의미를 제대로 알고나 있는지 되묻고 싶었다.

"그래도 그 사람 덕분에 일자리를 구할 수 있다면 다행이지. 아버지도 기뻐하시는 것 같고."

형은 나중에 이런 말을 했다. 선생님에게 편지가 오지 않는 이상 나는 그렇게 믿을 수도 없고, 또 그렇다고 말할 용기도 없었다. 어머니의 섣부른 판단으로 모두에게 그렇게 말해 버린 지금 그 이야기를 부정할 수도 없었다. 나는 어머니의 성화가 아니어도 선생님의 편지를 기다렸다. 그리고 그 편지에 모두가 생각하고 있는 일자리 이야기가 쓰여 있었으면 좋겠다고 생각했다. 나는 죽음을 앞두고 있는 아버지, 그런 아버지를 조금이라도 안심시키고 싶어 하는 어머니, 일을 안 하면 사람도 아닌 것처럼 말하는 형, 그 밖에 매제와 큰아버지, 큰어머니를 위해서라도 전혀 무관심한 일에 신경을 써야 했다.

아버지가 이상한 누런 액체를 토했을 때, 나는 전에 선생님과 사모님에게 들은 위험한 상황을 떠올렸다.

"저렇게 오랫동안 누워 있으니 위도 나빠질 만하지."

아무것도 모르는 어머니를 보자 눈물이 났다.

형과 내가 거실에서 만났을 때 형은 "들었니?"라고 물었다. 그건 의사가 돌아가기 전에 형에게 했던 말을 들었느냐는 의미였다. 나는 설명을 기다리지 않아도 그 의미를 알고 있었다.

"너, 여기 돌아와서 집안을 관리할 생각은 없니?"

형이 내게 물었다. 나는 아무 말도 하지 않았다.

"어머니 혼자서는 아무것도 못하실 테니까."

형이 또 말했다. 형은 나를 흙냄새나 맡으며 시골에서 썩어도 아깝지 않은 사람이라고 여기고 있는 듯했다.

"책을 읽는 것뿐이라면 시골에서도 충분히 할 수 있고, 게다가 일자리를 구할 필요도 없으니 안성맞춤 아냐?"

"형이 돌아오는 게 순서 아닌가?"

내가 말했다.

"나는 무리지."

형이 한마디로 딱 잘라 거절했다. 형의 마음속에는 앞으로 바깥세상에서 일을 해 나가겠다는 의욕이 가득했다.

"네가 싫다면 큰아버지에게 부탁해 보겠지만. 그렇더라도 어머니는 누군가가 모셔야 하지 않을까?"

"어머니가 과연 이곳을 떠나려고 하실지 그게 더 의문이야."

형제는 아직 아버지가 돌아가시기도 전부터 아버지가 돌아가신 이후의 일에 대해 이런 이야기를 나누었다.

16

아버지는 가끔 헛소리를 했다.

"노기 대장님께 죄송하구나. 정말 면목이 없어. 아니야, 나도 곧 뒤를 따라가야지……."

어머니는 불안해하면서 가능한 한 모두 머리맡에 앉아 있게 했다. 의식이 분명할 때는 몹시 쓸쓸해하는 병자에게도 그것이 희망처럼 보였다. 특히 방 안을 둘러보고 어머니의 모습이 보이지 않으면 아버지는 반드시 "너희 어머니는?" 하고 물었다. 묻지 않아도 눈이 그렇게 말하고 있었다. 나는 자주 일어나서 어머니를 부르러 갔다. "왜 그러세요?" 하고 어머니가 하던 일을 멈추고 아버지의 방으로 오면 아버지는 어머니 얼굴을 응시할 뿐 아무 말도 하지 않았다. 그런가 하면 전혀 엉뚱한 소리를 하기도 했다. 갑자기 "여보, 당신한테도 여러 가지로 신세를 많이 졌어."라며 자상한 말을 건네기도 했다. 어머니는 그런 말을 들으면 언제나 눈물지었다. 그러고는 예전의 건강한 아버지를 떠올리는 것 같았다.

"저렇게 청승맞은 소리를 하시지만 옛날에는 내게 무척 심하셨지."

어머니는 아버지에게 빗자루로 등을 맞았을 때의 일 등을 이야기했다. 지금까지 몇 번이나 그 이야기를 들은 나와 형은 평소와는 전혀 다른 기분으로 어머니의 이야기를 아버지의 추억처럼 귀담아들었다.

아버지는 자신의 눈앞에 희미하게 드리워진 죽음의 그림자를 보면서도 유언 비슷한 말을 하지 않았다.

"지금 의식이 있으실 때 무엇이든 물어봐야 하지 않을까?"

형이 내 얼굴을 쳐다보았다.

"글쎄."

우리가 먼저 그런 이야기를 꺼내는 게 병자에게 어떤 영향을 끼칠지 판단할 수 없었다. 두 사람은 결정을 내리지 못하고 결국 큰아버지와 의논했다. 큰아버지도 고개를 갸웃거렸다.

"하고 싶은 말이 있는데 못하고 죽는 것도 안타깝고, 그렇다고 이쪽에서 재촉하는 것도 도리가 아닌 것 같고⋯⋯."

이야기는 결국 흐지부지되었다. 그러던 중 아버지가 혼수상태에 빠졌다. 역시 아무것도 모르는 어머니는 그것을 단순히 잠든 거라고 오해하고는 오히려 기뻐했다.

"그냥 저렇게 편안하게 주무시니까 옆에 있는 사람들도 덜 힘들구나."

아버지는 가끔 눈을 뜨고 누구는 어찌 된 거냐고 갑자기 물었다. 그 누구는 바로 조금 전까지 그곳에 앉아 있던 사람이었다. 아버지의 의식에는 어두운 곳과 밝은 곳이 생겨서 그 밝은 곳만이 어둠을 누비는 하얀 실처럼 일정한 거리를 두고 연속되는 것처럼 보였다. 어머니가 혼수상태를 보통의 수면과 혼동하는 것도 무리는 아니었다.

그러면서 혀가 점차 꼬부라졌다. 뭔가 말을 꺼내도 말꼬리가 불분명한 채 끝나기 때문에 무슨 말인지 도통 알아들을 수 없을 때가 많았다. 게다가 이야기를 시작할 때는 위독한 병자라고는 생각되지 않을 정도로 큰 목소리를 냈다. 우리는 당연히 평소보다 목소리를 높여 아버지의 귓가에 대고 말해야 했다.

"이마를 차게 하면 기분이 좋으세요?"

"응."

나는 간호사와 함께 아버지의 물베개를 바꾼 후 새 얼음을 넣은 얼음주머니를 이마 위에 얹었다. 거칠게 부숴서 생긴 뾰족한 얼음 파편이 주머니 속에서 어느 정도 가라앉는 동안 나는 벗겨진 아버지의 이마 한쪽 끝에 얼음주머니를 부드럽게 대 주었다. 그때 형이 복도를 따라 들어와 우편물을 내게 건네주었다. 왼손을 내밀어 우편물을 받은 나는 이상한 느낌이 들었다.

그것은 보통 편지에 비해 상당히 묵직했다. 일반 편지봉투를 이용하지도 않았다. 당연히 보통 때 사용하는 편지봉투에 들어갈 만한 분량도 아니었다. 붓글씨를 쓰는 종이로 싸서 풀로 꼼꼼하게 붙였다. 나는 형에게 우편물을 받을 때 그것이 등기라는 것을 깨달았다. 우편물 뒤를 보니 선생님의 이름이 가지런히 쓰여 있었다. 하던 일을 멈추고 봉투를 뜯어볼 수도 없었기에 나는 일단 우편물을 품속에 넣어 두었다.

그날은 아버지의 상태가 유난히 좋지 않았다. 내가 화장실에 가려고 자리를 뜨자 복도에서 마주친 형이 보초병 같은 말투로 물었다.

"어디 가니?"

그러더니 형은 한마디 더 했다.

"아무래도 상태가 좀 이상하니까 가능한 한 옆에 있도록 해."

나도 형과 같은 생각이었다. 나는 우편물을 품속에 넣은 채 다시 아버지 방으로 돌아왔다. 아버지는 눈을 뜨고 그곳에 앉아 있는 사람의 이름을 어머니에게 물었다. 어머니가 저 사람은 누구라고 일일이 설명하자 아버지는 그때마다 고개를 끄덕였다.

고개를 끄덕이지 않을 때는 어머니가 목소리를 높여 "'아무개' 씨예요. 아시겠어요?" 하고 확인했다.

"여러 가지로 신세 많이 졌어요."

아버지는 이렇게 말했다. 그러고는 또다시 혼수상태에 빠졌다. 머리맡에 둘러앉아 있던 사람들은 잠시 말없이 병자의 모습을 지켜보았다. 이윽고 그중 한 사람이 일어나 옆방으로 갔다. 그러자 또 한 사람이 일어섰다. 나도 세 번째로 자리에서 일어나 내 방으로 왔다. 아까 품에 넣어 둔 우편물을 뜯어볼 요량에서였다. 물론 아버지의 머리맡에서 풀어 볼 수도 있었지만 분량이 많아 보여 그 자리에서 한 번에 읽을 수는 없을 터였다. 나는 짬을 내어 차분하게 편지를 읽는 데 썼다.

단단한 겉봉투를 찢었다. 안에서 나온 것은 가로세로로 줄이

쳐진 칸 안에 꼼꼼하게 써 넣은 원고 같았다. 그리고 봉하기 편하도록 두 번 접혀 있었다. 나는 접힌 양면지를 반대로 접어 읽기 쉽게 반듯하게 폈다.

이 많은 양의 종이와 잉크가 무엇을 말하는지 놀랍고 궁금했다. 그리고 동시에 아버지가 신경 쓰였다. 이 편지를 다 읽기도 전에 아버지에게 무슨 일이 생기거나 형이나 어머니, 아니면 큰아버지가 부르는 일이 틀림없이 생길 거라는 예감이 들었다. 침착하게 선생님이 쓴 편지를 읽을 기분이 들지 않은 나는 불안해하면서 첫 페이지만 읽었다. 그 페이지에는 다음과 같이 적혀 있었다.

자네가 내 과거를 캐물었을 때 대답할 용기가 없던 나는 지금 자네 앞에 그 사실을 명백하게 이야기할 자유를 얻었다고 믿네. 하지만 그 자유는 자네가 도쿄에 올라오기를 기다리는 동안 또다시 사라져 버릴 정도로 하잘것없는 자유에 지나지 않아. 그래서 그것을 이용할 수 있을 때 이용하지 않으면 내 과거를 자네에게 간접 경험으로 알려 줄 기회를 영원히 잃게 될 거야. 그렇게 되면 그때 그렇게 굳게 약속했던 말은 완전히 거짓이 되고 말겠지. 말로 해야겠지만 어쩔 수 없이 펜으로 적기로 했다네.

여기까지 읽자 이 긴 편지가 무슨 내용인지 비로소 알 수 있었다. 선생님이 내 일자리에 관한 편지를 보낼 생각이 없다는 건 처음부터 알고 있었다. 하지만 글 쓰는 걸 싫어하는 선생님이 어째서 그 사건을 이렇게 길게 써서 내게 보낼 생각이 들었을까? 선생님은 왜 내가 도쿄에 갈 때까지 기다리지 못한 걸까?

'자유를 얻었으니 말하겠네. 하지만 그 자유는 또다시 영원히 사라져야 하는 거야.'

나는 마음속으로 이렇게 되뇌며 그 의미가 무엇인지 고민했다. 그리고 갑자기 불안감에 휩싸였다. 계속 뒷부분을 읽으려는데, 아버지 방 쪽에서 형이 큰 소리로 나를 불렀다. 나는 놀라서 벌떡 일어났다. 모두 모여 있는 곳으로 복도를 뛰다시피 하며 달려갔다. 아버지의 마지막 순간이 온 거라고 짐작했다.

18

아버지의 방에는 어느새 의사가 와 있었다. 가능한 한 아픈 사람을 편안하게 해 주기 위해 또다시 관장을 시도하는 중이었다. 간호사는 어젯밤의 피로를 풀기 위해 다른 방에서 자고 있었다. 익숙지 않은 형은 선 채로 어쩔 줄 몰라 허둥대고 있었다. 형은 내 얼굴을 보더니 "좀 도와줘."라고 말하고는 자리에 앉았다. 나는 형 대신 기름종이를 아버지의 엉덩이 밑에 댔다.

아버지는 좀 편안해 보였다. 삼십 분 정도 머리맡에 앉아 있던 의사는 관장 결과를 보고 다시 오겠다며 돌아갔다. 돌아가는 길에라도 혹시라도 위급한 일이 생기면 언제든 연락하라고 신신당부했다.

나는 금방이라도 무슨 일이 일어날 것 같은 방 안을 빠져나와 다시 선생님의 편지를 읽으려고 했다. 그러나 느긋한 기분이 들지 않았다. 책상 앞에 앉자마자 또 형이 큰 소리로 부를 것만 같았다. 그리고 이번에 부르면 그것이 마지막이라는 두려움에 손이 떨렸다. 나는 선생님의 편지를 대충 페이지만 넘겨 보았다. 내 눈은 꼼꼼하게 칸을 메운 글자의 획을 보았다. 하지만 그것을 읽을 여유는 없었다. 대충 훑어볼 여유조차 없었다. 가장 마지막 페이지까지 순서대로 넘겨 본 후 또다시 원래대로 접어 책상 위에 놓으려고 했다. 그때 문득 마지막에 가까운 한 구절이 눈에 들어왔다.

이 편지가 자네 손에 들어갈 때쯤이면 나는 이미 이 세상에 없을 거야. 벌써 죽었을 거야.

나는 깜짝 놀랐다. 지금까지 두근거리던 가슴이 일시에 얼어붙은 듯한 느낌이었다. 나는 다시 반대로 페이지를 넘겼다. 그리고 한 장에 한 줄 정도 거꾸로 읽기 시작했다. 나는 즉시 내가 알고 싶은 것을 찾기 위해 어른거리는 문자를 훑어 내려갔다. 알고 싶은 건 선생님의 안부뿐이었다. 선생님의 과거, 전에 선생님이 내게 말해 주겠다고 약속한 어두운 과거 따위는 궁금하지 않았다. 나는 거꾸로 페이지를 넘기면서 내게 필요한 정보를 쉽게 알려 주지 않는 긴 편지를 속이 타서 접었다.

나는 다시 아버지의 상태를 살피기 위해 방문 앞까지 갔다. 아버지의 방은 의외로 조용했다. 나는 보기에도 딱할 만큼 수척한 얼굴로 앉아 있는 어머니를 손짓으로 불러 "좀 어떠세요?"라고 물었다. 어머니는 "지금은 좀 그만하신 모양이야."라고 말했다. 나는 아버지의 눈앞에 얼굴을 들이밀고 "어떠세요? 관장을 하니 기분이 좀 좋아지셨어요?" 하고 물었다. 아버지는 고개를 끄덕였다. 그러고는 확실한 어투로 "고맙구나."라고 말했다. 뜻밖에도 아버지의 정신은 맑은 듯했다.

나는 다시 방을 나와 내 방으로 돌아왔다. 그곳에서 시계를 보면서 기차 시각표를 알아보았다. 나는 갑자기 일어나서 오비를 고쳐 매고 옷소매 속에 선생님의 편지를 집어넣었다. 그러고는 뒷문을 열고 바깥으로 나왔다. 나는 정신없이 의사의 집으로 달려갔다. 의사에게 아버지가 앞으로 이삼일은 괜찮은지, 그 점을 확실히 물어보고 싶었기 때문이다. 주사나 그 어떤 방법을 써서라도 연명해 달라고 부탁할 생각이었다. 의사는 공교롭게도 외출 중이었다. 가만히 앉아 그가 돌아오기를 기다릴 시간이 없었다. 마음도 전혀 진정되지 않았다. 나는 곧바로 인력거를 잡아타고 서둘러 기차역으로 향했다.

기차역의 벽에 종이쪽지를 대고 연필로 어머니와 형에게 편지를 썼다. 간단한 내용이었지만 말없이 가는 것보다는 낫다고 생각해서 편지를 급히 집에 전해 달라고 인력거꾼에게 부탁했다. 그리고 무작정 도쿄행 기차에 올라탔다. 나는 요란한 소리를 내며 달리는 삼등 열차 안에서 또다시 소매 속에서 선생님의 편지를 꺼내 그제야 처음부터 끝까지 읽기 시작했다.

선생님과 유서

1

나는 올여름에 자네에게 편지를 두세 통 받았네. 도쿄에서 좋은 일자리를 얻고 싶으니 잘 부탁한다는 말이 쓰여 있었던 건 아마 두 번째 편지였을 거야. 그 편지를 읽고 어떻게든 도와주고 싶었다네. 적어도 답장은 보내야 한다고 생각했지. 하지만 솔직히 나는 자네의 부탁과 관련해서 전혀 노력을 하지 않았어. 자네도 알다시피 나는 대인 관계가 원만하지 않은 정도가 아니라 이 세상 속에서 외톨이로 살고 있다는 표현이 맞을 정도라 무리하게 그런 노력을 할 여지가 없었던 거지. 하지만 그건 별문제가 아니야. 솔직히 말하자면 내 자신을 어떻게 해야 좋을지 고뇌하던 참이었네. 이대로 계속 인간들 틈바구니에 남겨진 미라처럼 존재할 것인지, 그렇지 않으면……. 그때 나는 '그렇지 않으면'이라는 말을 마음속으로 되풀이할 때마다 섬뜩했어. 절벽 끝까지 달려가서 갑자기 밑이 보이지 않는 아득한 골짜기를 내려다본 사람처럼 말이야. 나는 비겁했네. 그리고 비겁한 많은 사람들과 마찬가지로 번민했지. 유감이지만, 그때 내게는 자네라는 사람이 거의 존재하지 않았다는 게 맞는 말일 거야. 내게 자네의 일자리나 생계 따위는 완전히 무의미했으니까. 어떻게 되든 상관없었지. 나는 그런 일에 신경 쓰고 있을 형편이 아니었네. 나는 자네의 편지를 편지꽂이에 꽂아 둔 채 가만히 팔짱을 끼고 앉아 생각에 잠겼어. 집에 웬만큼 재산도 있는 사람이 뭐가 급해서 졸업한 지도 얼마 안 되었는데 일자리를 찾지 못해 저렇게 안달이 난 걸까? 나는 안타까운 생각에 멀리 있는 자네에게 뭐라고 한마디 해 주고 싶었어. 답장을 보내지 않았기 때문에 미안한 마음에 변명을 하려고 이런 말을 털어놓는 거라네. 자네를 화나게 하려고 일부러 무례한 말을 늘어놓는 건 아니야. 내 진심은 이 편지의 뒷부분을 읽어 보면 이해가 될 걸세. 어쨌든 나는 무슨 말이든 써서 답장을 보내야 했는데 그러지 못하고 태만했으니 그 점에 대해서는 자네에게 사죄하고 싶네.

그 후 나는 자네에게 전보를 쳤네. 사실대로 말하자면 그때 나는 자네를 만나고 싶었어. 그리고 자네가 원하는 대로 자네에게 내 과거를 털어놓고 싶었네. 자네는 지금 당장은 도쿄에 올 수 없다는 답장을 보내왔는데, 나는 너무 실망해서 한참 동안 그 전보를 바라보았지. 자네도 전보만으로는 신경이 쓰였는지 곧바로 긴 편지를 보내 주었기 때문에 자네가 도쿄로 올 수 없는 사정을 이해할 수 있었네. 자네를 무례하다고 탓할 생각은 전혀 없네.

자네의 소중한 아버님이 병중이신데 어떻게 그런 상황에서 집을 비울 수 있겠나? 아버님이 생사를 넘나들고 있다는 사실을 잊은 듯한 내 태도야말로 무례하기 짝이 없었지. 나는 실제로 그 전보를 칠 때 자네 아버지의 일은 까맣게 잊고 있었네. 도쿄에 있을 때는 힘든 병이니까 각별히 주의해야 한다고 그토록 충고해 놓고도 말이야. 나는 이처럼 모순투성이일세. 어쩌면 내 머리보다 내 과거가 나를 압박한 나머지 이런 모순투성이의 인간이 되어 버렸는지도 모르지. 나는 이런 내 자신을 충분히 자각하고 있네. 자네에게 용서를 구하고 싶군.

자네의 편지—자네에게 온 마지막 편지—를 읽었을 때 정말 미안하다는 생각을 했네. 그래서 미안한 마음을 담아 답장을 보내야지 하고 펜을 들었지만 단 한 줄도 쓰지 못하고 그만두었어. 어차피 쓸 바에는 이 편지를 쓰고 싶었지만, 이 편지를 쓰기에는 아직 시기가 좀 일렀기 때문에 그만둔 걸세. 내가 일부러 오지 않아도 된다는 간단한 전보를 다시 보낸 것은 그 때문이야.

2

나는 그러고 나서 이 편지를 쓰기 시작했네. 평소에 펜을 자주 들지 않는 나는 그때의 사건이나 생각이 마음대로 써지지 않아 무척 고통스러웠네. 그런 상태가 조금만 더 계속되었더라면 아마 나는 자네에 대한 의무를 포기했을 거야. 하지만 몇 번이나 그만두려고 펜을 내려놓아도 소용이 없었어. 한 시간도 안 되어 또다시 쓰고 싶어졌으니까. 자네는 이런 내 모습이 의무를 소중히 여기는 성격 때문이라고 생각할지도 모르지. 그 점은 부정하지 않겠네. 자네도 알다시피 나는 세상과 단절된 채 살아가는 고독한 사람이라 아무리 주위를 둘러봐도 내가 지켜야 할 제대로 된 의무는 없었어. 의도적이었는지 아니면 자연스럽게 그렇게 되었는지 몰라도 나는 그런 의무를 최대한 무시한 채 살아왔네. 하지만 의무에 냉담해서 이렇게 된 건 아니야. 오히려 내가 지나치게 예민해서 자극을 견뎌 낼 만큼 강하지 못했기 때문에 이처럼 소극적인 태도로 세월을 보내게 된 거지. 그렇기 때문에 일단 약속한 이상 그걸 지키지 않으면 마음이 몹시 불편하네. 나는 자네에 대한 이런 불편한 마음에서 벗어나기 위해서라도 펜을 다시 들어야 했네.

그리고 나는 글로 쓰고 싶었네. 자네에 대한 의무감과는 상관없이 내 과거를 쓰고 싶었어. 내 과거는 나만의 경험이니까 나만의 소유라고 해도 무방하겠지. 그것을 남에게 주지 않고 죽으면 아깝다고 할지도 모르겠네. 나 역시 그런 생각이 전혀 안 드는 건 아니야. 다만 그것을 받아들이지 못하는 사람에게 알려 줄 바에는 차라리 내 경험을 목숨과 함께 묻어 버리는 편이 낫다고 생각하네. 솔직히 지금 자네라는 존재가 없었다면 내 과거는 결코 간접적으로도 남에게 알려지지 않은 채 그대로 끝났겠지. 나는 몇 천만 명이나 되는 일본인 중에서 오직 자네에게만 내 과거를 말하고 싶은 거야. 자네는 진실한 사람이니까, 자네는 진실하게 인생 그 자체에서 살아 있는 교훈을 얻고 싶다고 했으니까.

나는 인간 세상의 어두운 그림자를 숨김없이 자네에게 보여 주고자 하네. 그렇다고 두려워하지는 말게. 그 어두운 그림자를 자세히 들여다보고 그중에서 자네에게 참고가 될 만한 걸 얻으면 되니까. 내가 말하는 어둠은 윤리적인 부분일세. 나는 윤리적으로 태어났고, 윤리적으로 성장한 사람이야. 윤리 의식은 요즘 젊은이들과는 많이 다를지도 모르지. 하지만 어떤 차이가 있든 나만의 것일세. 급해서 돈을 주고 빌린 대여복이 아니야. 그렇기 때문에 앞으로 성장하겠다고 한 자네에게는 어느 정도 참고가 될 거라고 생각하네.

자네는 현대 사상 문제로 곧잘 나와 토론했던 것을 기억하는가? 그에 대한 내 태도 역시 잘 알고 있을 걸세. 나는 자네의 의견을 경멸까지는 하지 않았지만 감동할 수도 없었어. 자네의 주장에는 그것을 뒷받침할 만한 배경도 없었고, 자신의 과거를 갖기에는 너무 젊었기 때문이야. 나는 가끔 웃었네. 자네는 자주 뭔가 부족하다는 표정을 지어 보였지. 그러다가 결국은 내 과거를 두루마리를 펼쳐 보이듯 보여 달라고 졸라 댔네. 나는 그제야 비로소 자네를 인정하게 되었네. 자네는 서슴지 않고 내 안에 살아 있는 무언가를 붙잡으려는 의지를 보여 주었기 때문이야. 내 심장을 가르고 따뜻하게 흐르는 피를 마시려고 했기 때문이지. 그때 나는 아직 살아 있었네. 죽는 게 싫었어. 그래서 훗날을 기약하며 자네의 요구를 물리쳤어. 나는 지금 스스로 나 자신의 심장을 도려내어 그 피를 자네 얼굴에 쏟아부으려고 하네. 내 심장의 고동이 멈추었을 때 자네 가슴에 새로운 생명이 싹틀 수만 있다면 그것으로 만족하네.

3

내가 부모님을 잃은 것은 스무 살이 채 안 되었을 때의 일이야. 언젠가 아내가 말한 것으로 기억하는데, 두 분은 같은 병으로 세상을 떠나셨네. 자네도 이상하게 생각할 만큼 거의 동시라고 해도 좋을 비슷한 시기에 잇달아 돌아가셨지. 사실을 말하자면 아버지의 병은 장티푸스라는 무서운 병이었네. 그런데 옆에서 간호하시던 어머니마저 그 병에 감염되어 돌아가셨지.

나는 두 분 사이에 태어난 유일한 자식이었네. 집안에는 재산이 상당히 많았기 때문에 무엇 하나 부족함이 없던 나는 구김살 없는 밝은 성격으로 자랄 수 있었네. 내 과거를 돌아볼 때 만일 그때 부모님이 돌아가시지 않았다면, 아니 적어도 한 분만이라도 살아 계셨더라면 나는 지금까지 어릴 때의 그 행복한 기분을 누리며 살고 있지 않았을까?

두 분이 돌아가신 후 나는 홀로 남겨졌네. 내게는 지식도, 경험도, 분별력도 없었어. 아버지가 돌아가실 때 어머니는 곁을 지킬 수 없었네. 어머니가 돌아가실 때조차 아버지의 죽음을 알리지 않았어. 어머니는 그 사실을 알고 있었는지 혹은 주위 사람들이 말하는 것처럼 아버지가 회복기로 접어들고 있다고 믿었는지 그것은 잘 모르겠네. 어머니는 그저 숙부에게 모든 것을 부탁했어. 그 자리에 있던 나를 가리키면서 "아무쪼록 이 아이를 잘 부탁드려요."라고 말했네. 나는 그전부터 부모님의 승낙을 얻어 도쿄로 가기로 했기 때문에 어머니는 그 부분에 대해서도 아울러 말할 생각이었을 거야. 그래서 "도쿄에."라고만 덧붙이자 숙부가 금세 그 말을 받아서 "알았어요. 아무 걱정 말아요."라고 대답했어. 어머니는 고열을 견뎌 낼 수 있는 강한 체력이 있었는지, 숙부는 "대단한 분이야."라며 내게 어머니의 칭찬을 했어. 하지만 그 말이 과연 어머니의 유언이었는지, 지금 생각해 보면 잘 모르겠네. 어머니는 물론 아버지가 걸린 병이 얼마나 무서운 것인지 알고 계셨어. 그리고 자신이 그 병에 감염되었다는 사실도 알고 계셨네. 하지만 자신이 그 병으로 목숨까지 잃을 거라는 생각까지 하셨는지는 확실히 모르겠네. 더구나 열이 높을 때의 어머니의 말은 아무리 이치에 맞는 명확한 것이라고 해도 시간이 지난 후에는 어머니 머릿속에 전혀 남아 있지 않을 때가 자주 있었어. 그러니까…… 어쨌든 그런 건 문제가 되지 않았어. 단지 이런 식으로 상황을 풀어 나가거나 이런저런 측면에서 생각하는 습관은 이미 그때부터 몸에 배어 있었네. 이 점은 자네에게 처음부터 말해야 한다고 생각하네. 그 구체적인 사례로 내가 이야기하고자 하는 내용과 별로 관계가 없는 이런 일이 오히려 자네에게 도움이 될 거라고 생각하네. 그러니까 자네도 그렇게 생각하고 읽어 주게. 이런 내 성격이 윤리적으로 개인의 행위나 동작에 영향을 미쳤기 때문에 나는 그 후 타인의 도덕심을 더 의심하게 된 거라고 생각하네. 그런 성격이 내가 고뇌하고 번민하는 데 큰 영향을 미친 것은 분명하니 자네도 기억해 주게. 이야기가 자꾸 옆으로 빗나가면 이해하기 힘드니까 다시 하던 이야기로 돌아가세. 그래도 나는 이 긴 편지를 쓰는데, 나와 같은 처지에 있던 다른 사람과 비교하면 다소 침착한 편이라고 생각하네. 세상 사람들이 잠들면 전철 소리도 더는 들리지 않네. 덧문 밖에는 어느새 처량하게 우는 희미한 벌레 소리가 이슬에 젖은 가을을 살며시 생각나게 하는군. 아무것도 모르는 아내는 옆방에서 곤히 자고 있네. 내가 펜을 들고 움직일 때마다 펜 끝에서 소리가 나는군. 나는 오히려 차분한 마음으로 책상 앞에 앉아 있네. 익숙하지 않기 때문에 글씨가 칸 밖으로 벗어날지도 모르지만 머릿속이 혼란스러워서 펜이 제멋대로 내달리는 것은 아닐세.

4

어쨌거나 홀로 남은 나는 어머니의 말씀대로 숙부를 의지할 수밖에 없었어. 숙부는 모든 일을 도맡아 뒤처리를 해 주었네. 그리고 내가 희망하는 대로 도쿄로 갈 수 있도록 주선해 주었어.

나는 도쿄에 있는 고등학교에 진학했네. 당시의 고등학교는 지금보다 훨씬 거칠고 난폭했어. 내가 아는 동급생 가운데는 한밤중에 어떤 장인(匠人)과 싸우다가 나막신으로 상대방 머리에 상처를 입힌 녀석도 있었네. 그런데 술을 마시고 정신없이 치고받다가 학교 모자를 상대방에게 빼앗기고 만 거야. 그 모자 안쪽에는 마름모꼴의 흰 천 조각에 그 남학생의 이름이 적혀 있었어. 그래서 일이 더 복잡하게 되어 하마터면 경찰서에서 그 남학생의 학교로 조회를 할 뻔했어. 그런데 친구가 이리저리 뛰어다니며 애써 준 덕택에 일이 더는 커지지 않고 해결되었지. 요즘처럼 고상한 분위기 속에서 자란 자네들에게 이런 난폭한 행위에 대해 들려주면 분명히 어처구니없어 하겠지. 사실 나도 그렇게 생각하네. 하지만 대신 그들은 요즘 학생들에게서는 찾아볼 수 없는 순수함이 있었어. 그때 내가 다달이 숙부에게 받던 돈은 지금 자네가 아버지에게 받고 있는 학비에 비하면 훨씬 적은 돈―물론 물가도 다르겠지만―이었어. 그렇지만 나는 전혀 부족함을 느끼지 않았어. 뿐만 아니라 많은 동급생 중에서도 경제적인 면에서는 결코 남을 부러워할 만큼 가없은 처지에 있지도 않았어. 지금 돌이켜 생각해 보면 오히려 남들이 부러워하는 편이었네. 왜냐하면 나는 매달 일정한 생활비 외에도 책값―나는 그때부터 책 사는 걸 좋아했어―과 용돈을 곧잘 숙부에게 말해서 내가 쓰고 싶은 만큼 쓸 수 있었으니까.

아무것도 모르는 나는 숙부를 믿었을 뿐만 아니라 늘 감사하는 마음으로 그분을 존경했어. 숙부는 사업가였다네. 현의원이기도 했지. 그래서 정당에도 관여하고 있던 걸로 기억하네. 그런 점에서 숙부는 아버지의 친동생이지만 아버지와는 성격이 달라서 전혀 다른 방면에 소질이 있었던 것 같아. 아버지는 조상에게 물려받은 유산을 소중하게 지키는 성실하기만 한 분이었네. 다도를 즐기고 꽃을 가꾸는 걸 좋아하셨어. 그리고 시집 등을 읽는 것도 좋아하셨지. 서화나 골동품에도 많은 관심을 갖고 계셨던 것 같아. 집은 시골에 있었지만 8킬로미터 정도 떨어진 시내―

그 시내에 숙부가 살고 있었어—그 시내에서 가끔 골동품상이 족자나 향로 등을 가지고 일부러 아버지를 찾아오곤 했네. 아버지는 한마디로 재산가라고 할 수 있었지. 비교적 고상한 취미를 가진 시골 신사였어. 그렇기에 성격으로 말하자면 활달한 숙부와는 많이 달랐지.

그렇지만 두 분은 이상하게 사이가 좋았어. 아버지는 곧잘 숙부에 대해 평하기를, 당신보다 훨씬 능력 있는 믿음직한 사람이라고 말씀하셨네. 당신처럼 부모에게 재산을 물려받은 사람은 아무래도 타고난 재주가 무뎌진다, 요컨대 세상과 맞서 싸울 필요가 없기 때문에 안 되는 거라고도 하셨지. 이 말은 어머니도 나도 들었네. 아버지는 아마도 내게 어떤 마음가짐이 되었으면 하는 바람으로 그 이야기를 한 것 같았어.

"너도 잘 새겨 두어라." 하고 말씀하시며 아버지는 내 얼굴을 바라보셨어. 그렇기 때문에 나는 아직도 그 말을 잊지 않고 있네. 그 정도로 우리 아버지가 신뢰하고 칭찬했던 숙부를 내가 어떻게 의심했겠나? 내게는 그렇지 않아도 자랑스러운 숙부였어. 부모님이 돌아가시고 나서 모든 면에서 그분의 보살핌을 받아야 했던 내게는 이미 단순한 자랑거리 이상이었네. 나라는 존재에게 꼭 필요한 사람이 되어 있었던 거야.

5

여름 방학에 내가 처음으로 고향에 내려갔을 때 부모님이 세상을 떠나고 안 계신 우리 집에는 새로운 주인인 숙부 내외가 살고 있었어. 그건 내가 도쿄에 가기 전부터 그렇게 하기로 약속이 되어 있었네. 혼자 남겨진 내가 그 집에 살지 않는 이상 그렇게 할 수밖에 없었거든.

그 무렵 숙부는 시내에 있는 여러 회사와 관계가 있었던 것 같아. 업무를 보자면 그때까지 살던 집에서 기거하는 편이 8킬로미터나 떨어진 우리 집으로 이사하는 것보다 훨씬 편리하다며 웃었네. 이 말은 우리 부모님이 돌아가신 후 내가 어떻게 집을 처분하고 도쿄로 가면 좋은가 하는 이야기가 나왔을 때 숙부의 입에서 나온 말이야. 우리 집은 역사가 오래된 집이었기 때문에 근방에 알려져 있었어. 자네 고향도 마찬가지라고 생각하네만, 시골에서는 유서 깊은 집을 상속인이 있는데도 부수거나 팔면 큰 사건이 된다네. 지금의 나는 그 정도의 일은 전혀 대수롭지 않게 여기지만 그 무렵에는 어렸기 때문에 도쿄에는 가고 싶고 집은 그대로 두어야 하는 형편이어서 어떻게 처분해야 할지 무척 고민했지.

숙부는 어쩔 수 없이 비어 있는 우리 집에 들어와 살기로 했네. 하지만 시내에 있는 집도 그대로 두고 양쪽 집을 왕래하도록 편의를 인정해 주지 않으면 곤란하다고 했네. 나로서는 물론 이의가 없었지. 어떤 조건이든 도쿄에만 갈 수 있다면 괜찮다고 생각했으니까.

아직 어렸던 나는 고향을 떠나서도 마음은 늘 고향 집을 그리워했네. 돌아갈 집이 있다는 애틋한 나그네의 심정으로 말이야. 비록 도쿄가 좋아 올라온 나였지만 방학이 되면 고향으로 돌아가야 한다는 마음은 강하게 남아 있었어. 나는 열심히 공부하고 즐겁게 놀고 방학이 되면 돌아갈 수 있는 고향 집을 꿈꾸었네.

내가 없는 동안 숙부가 어떻게 두 집을 왕래했는지는 모르겠어. 내가 도착했을 때는 숙부 가족이 모두 내 집에 모여 있었어. 학교에 다니는 아이들은 평소에는 시내의 집에 있었겠지만 그들도 방학을 맞아 시골에 놀러 온 것처럼 우리 집에 와 있었지.

모두 내 얼굴을 보고 기뻐하더군. 나 역시 부모님이 있을 때보다 와자지껄 밝은 분위기를 보자 기뻤지. 숙부는 원래 내 방을 차지하고 있던 장남을 내몰고는 내게 그 방을 내주었네. 방이 많았기 때문에 나는 다른 방도 괜찮다며 사양했지만 숙부는 '네 집'이라면서 듣지 않았어.

나는 가끔 돌아가신 부모님이 그리운 것 말고는 아무 불편함 없이 그 여름을 숙부의 가족과 함께 지내고 다시 도쿄로 돌아왔네. 다만 그 여름에 한 가지 신경 쓰인 일은 이제 막 고등학교에 들어간 내게 숙부 내외가 입을 모아 결혼을 권한 일이었어. 그 이야기는 서너 차례 되풀이되었네. 나도 처음에는 너무 갑작스러운 이야기라 놀라기만 했어. 하지만 두 번째 혼담 이야기를 꺼낼 때는 분명히 거절했네. 그 이야기가 세 번째 나왔을 때는 마침내 그 이유를 반문했네. 그들의 대답은 간단했어. 어서 결혼해서 이 집으로 돌아와 돌아가신 아버지의 뒤를 이으라는 것이었네.

내게 고향 집은 방학 동안 잠시 돌아와서 쉴 수 있는 그런 곳이었지. 아버지의 뒤를 이어야 한다든가, 그러기 위해서는 결혼을 해야 한다는 건 이론상으로는 모두 같은 말로 들렸어. 특히 시골 사정을 잘 아는 나는 충분히 이해할 수 있었네. 그게 싫은 건 아니었어. 하지만 공부하기 위해 도쿄로 올라간 지 얼마 안 된 내게는 마치 망원경으로 사물을 보는 것처럼 나와는 먼 이야기 같았어. 결국 나는 숙부의 권유를 뿌리치고 다시 우리 집을 떠났네.

6

나는 그 후 혼담에 관한 이야기를 잊었네. 내 주위에 있는 학생들의 얼굴을 보면 결혼 생활의 찌든 냄새를 풍기는 사람은 한 사람도 없었거든. 모두 자유로운 독신처럼 보였네. 그렇게 마음 편해 보이는 사람들 중에도 어쩌면 집안 사정 때문에 이미 결혼한 사람이 있었을지도 모르지만 아직 어린 나는 그런 것까지는 알아챌 수 없었어. 그리고 그런 특별한 상황에 있는 사람도 주위 사람들을 의식해서인지 학생이라는 신분과는 거리가 먼 가정 이야기는 최대한 하지 않으려고 조심했을 거야. 나중에 생각해 보니 나 자신이 이미 그런 부류에 속했는데 나는 그것도 모르고 어린애처럼 즐겁게 학업에 충실했네.

나는 학년 말에 다시 짐을 꾸려 부모님 묘소가 있는 시골로 돌아왔어. 그리고 작년과 똑같이 부모님이 계시던 우리 집에서 숙부 내외와 사촌들의 변함없는 얼굴을 보았네. 그리고 그곳에서 또다시 고향의 냄새를 맡았어. 그 냄새는 내게 언제나 그리운 것이었네. 한 학기 동안의 단조로운 생활에서 벗어날 수 있는 고마운 것이 틀림없었지.

하지만 나를 키워 낸 것과 똑같은 이런 분위기 속에서 숙부는 다시 결혼 문제를 들고나왔다네. 숙부의 말은 작년의 권유를 또다시 되풀이한 것에 지나지 않았지. 이유도 작년과 같았어. 다만 이전에 권유할 때는 구체적인 대상이 없었지만 이번에는 가장 중요한 당사자까지 정해 놓아 나를 곤혹스럽게 했네. 그 당사자란 다름 아닌 숙부의 딸, 즉 내 사촌 여동생이었어. 숙부는 사촌 여동생과 결혼하는 게 서로를 위해 좋은 일이라며 아버지도 살아생전에 그런 말씀을 하셨다더군. 나도 그러면 좋겠다는 생각이 들긴 했지. 아버지가 숙부에게 그런 이야기를 했다는 것도 있을 수 있는 일이라고 생각했고. 하지만 그건 내가 숙부 말을 듣고 비로소 그런 생각이 들었을 뿐 그 말을 듣기 전부터 알고 있던 건 아닐세. 그래서 난 더욱 놀랐던 거야. 하지만 숙부가 그 결혼을 희망하는 것도 무리는 아니라고 생각했지. 내가 너무 몰랐던 걸까? 어쩌면 그럴지도 모르지만 아마도 그 사촌 여동생에게 무관심했던 게 주된 이유였겠지. 나는 어릴 때부터 시내에 있는 숙부 댁에 자주 놀러 가곤 했어. 종종 그 집에서 머물기도 했지. 그리고 사촌 여동생과는 그때부터 친했어. 자네도 알지? 오빠와 여동생 사이에 연애 감정이 생기지 않는다는 걸 말이야. 나는 이 공인된 사실을 내 멋대로 설명하고 있는지도 모르지만 자주 만나고 너무 친해진 남녀 사이에는 사랑에 필요한 신선한 자극이

170

생기지 않는다고 생각하네. 향내를 맡을 수 있는 건 향을 피우기 시작한 순간뿐이고, 술맛이 느껴지는 건 술을 마시기 시작한 찰나인 것처럼 사랑의 충동에도 그런 순간이 존재한다고 생각하네. 일단 아무 느낌 없이 그 순간이 지나면 점차 상대에게 익숙해지면서 친밀감만 쌓일 뿐 사랑의 감정은 점점 마비되어 무뎌질 뿐이야. 아무리 생각해도 사촌 여동생을 아내로 맞을 수는 없었다네.

숙부는 만일 내가 그렇게 주장한다면 졸업할 때까지 결혼을 연기해도 좋다고 말씀하셨네. 하지만 쇠뿔도 단김에 빼라는 속담도 있으니 가능하면 더 늦기 전에 식만이라도 올리자는 말씀까지 하셨네. 사촌 여동생을 아내로 맞을 생각이 없는 내게는 어떤 제안도 마찬가지였네. 나는 또 거절했네. 숙부는 상당히 불쾌하다는 표정을 지었고 사촌 여동생은 울더군. 내게 시집올 수 없어서 슬픈 게 아니라 여자로서 결혼 신청을 거절당한 게 창피했기 때문이지. 내가 사촌 여동생을 사랑하지 않는 것처럼 사촌 여동생도 나를 사랑하지 않는다는 걸 알고 있었어. 나는 다시 도쿄로 돌아갔네.

7

내가 세 번째로 고향에 내려간 건 그로부터 일 년이 지난 초여름이었어. 나는 항상 학기말 시험이 끝나기가 무섭게 도쿄를 떠났네. 그만큼 고향이 그리웠지. 자네에게도 그런 그리움이 있을

171

거야. 태어난 곳은 공기 색깔이 다르고 흙냄새마저 특별하지. 부모님에 대한 기억도 짙게 감돌았고. 일 년 중 7, 8월 두 달 동안 그 속에 파묻혀서 마치 구멍 속에 들어간 뱀처럼 꼼짝 않고 지내는 일은 내게 더없이 따뜻하고 기분 좋은 일이었네.

단순했던 나는 사촌 여동생과 결혼하는 문제에 그다지 골치를 썩을 필요 없다고 생각했어. 싫은 것은 거절하면 되고, 거절하면 더는 아무 문제 없을 거라고 믿었지. 그래서 숙부의 뜻을 거절하면서도 전혀 걱정하지 않았네. 지난 일 년 동안 그 일은 더 신경 쓰지 않았기 때문에 방학이 되자 이전과 다름없이 기분 좋게 고향으로 돌아갔지.

그런데 돌아가 보니 나를 대하는 숙부의 태도가 완전히 달라져 있었어. 전처럼 반가운 얼굴로 대해 주지 않았네. 하지만 구김살 없이 자란 나는 돌아가서 사오일 동안은 전혀 그런 눈치를 채지 못했네. 단지 어떤 일을 계기로 문득 이상하다는 생각이 들기 시작했어. 그러자 이상한 건 숙부만이 아니었어. 숙모도, 사촌 여동생도 이상했지. 중학교를 졸업하면 도쿄의 상업고등학교에 들어갈 생각이라며 편지로 그에 관해 물어보던 사촌 남동생마저 이상했어.

성격상 나는 그냥 지나칠 수 없었다네. 내가 왜 이런 기분이 드는 걸까? 아니, 숙부네 가족의 태도가 왜 이렇게 차가워졌을까? 나는 갑작스럽게 돌아가신 부모님이 세상 물정에 어두운 내 눈을 밝혀서 온 세상이 잘 보이도록 해 준 건 아닐까 하고 생각했지. 나는 부모님이 세상을 떠난 후에도 이곳에 계실 때와 마찬가지로 나를 사랑해 주고 있다고 마음속으로 굳게 믿고 있었던 거야. 그 무렵에도 나는 결코 세상 이치에 어두운 편은 아니었어. 하지만 조상에게 물려받은 미신을 믿는 경향도 강하게 내 몸 속에 잠재되어 있었던 거야. 지금도 마찬가지겠지. 나는 혼자 산에 올라가 부모님 묘소 앞에 무릎을 꿇었네. 애도하는 마음과 감사하는 마음으로 무릎을 꿇은 거야. 그리고 내 미래의 행복을 이 차가운 돌 아래 누워 있는 두 분이 아직도 손에 쥐고 있기라도 한 것처럼 내 운명을 지켜 달라고 빌었네. 자네는 웃을지도 모르지. 하지만 비웃음을 당해도 어쩔 수 없네. 난 그런 사람이었어.

내 세계는 손바닥이 뒤집힌 것처럼 완전히 변했어. 하지만 내게 이런 경험은 처음이 아니었네. 내가 열여섯인가 열일곱 살 때, 이 세상에 아름다운 것이 있다는 사실을 처음 발견하고는 정말 깜짝 놀랐네. 눈을 의심하면서 몇 번이나 내 눈을 비볐네. 그리고 마음속으로 "아아, 아름다워." 하고 외쳤지 열여섯, 열일곱 살이면 남자든 여자든 이성에 눈을 뜨기 시작할 때야. 이성에 눈을 뜨기 시작한 나는 비로소 세상에 존재하는 아름다움을 대표하는 상징으로 여자를 보게 된 거지. 지금까지 그 존재를 조금도 깨닫지 못했던 이성에 갑자기 한꺼번에 눈이 뜨인 거야. 그 후 나의 세계는 완전히 새롭게 변했네.

내가 숙부의 태도가 변화한 것을 알아챈 이유도 이와 같아. 갑자기 눈에 보이는 거야. 아무 예감도 준비도 없이 불쑥 다가온 거지. 별안간 숙부와 그의 가족들이 지금까지와는 전혀 다른 사람들처럼 내 눈에 비친 거야. 나는 놀랐어. 그리고 이대로 두면 내 미래가 어떻게 될지 알 수 없다는 생각이 들었네.

8

　나는 숙부에게 맡겨 둔 우리 집 재산에 대해 자세한 설명을 듣지 않으면 돌아가신 부모님께 면목이 없다는 생각이 들었네. 숙부는 바쁘다는 핑계로 매일 밤 잠자리도 일정치 않았어. 집에서 이틀을 자면 사흘은 시내에서 지내는 식으로 양쪽을 오가면서 항상 들뜬 얼굴로 지냈네. 그리고 바쁘다는 말을 입에 달고 다녔지. 아무 의심도 하지 않을 때는 나도 숙부가 바쁜가 보다고만 생각했네. 그리고 우습게도 바쁘지 않으면 시대에 뒤떨어지는 거라고 해석했어. 하지만 다소 시간이 필요한, 재산 이야기를 하려는 목적이 생기고 나서 숙부의 그런 모습을 보니, 그것은 단순히 나를 피하려는 구실로밖에 보이지 않았네. 나는 좀처럼 숙부와 이야기할 기회를 얻지 못했어.

　그러다가 숙부가 시내에 첩을 두고 있다는 소문을 들었네. 중학교 동창생이 내게 말해 주었지. 숙부가 첩을 둔 일은 조금도 이상할 게 없었지만 아버지가 살아 계신 동안에는 그런 소문을 들어 본 적이 없는 나로서는 무척 놀랐어. 내 친구는 그 밖에도 숙부에 관한 여러 소문을 들려주었네. 사람들은 숙부의 사업이 한때 실패 직전까지 간 걸로 알고 있었는데 최근 이삼 년 사이에 갑자기 되살아났다는 것도 그중 하나였어. 그 소문을 듣고 내 의심은 더욱 깊어졌네.

마침내 나는 숙부와 담판을 벌였어. 담판이라는 말이 좀 부적절할지도 모르겠지만 이야기의 전개를 보면 그런 단어로밖에는 표현할 수 없을 만큼 상황이 그렇게 흘러갔지. 숙부는 끝까지 나를 어린애 취급하려 했네. 나 또한 처음부터 의심의 눈초리로 숙부를 대했어. 그러니 원만하게 해결될 리 없었지.

유감스럽게도 나는 지금 그 담판의 자초지종을 이 편지에 자세히 쓰지 못할 만큼 서두르고 있네. 사실 나는 이 일보다 더 중요한 이야기를 지금부터 하고자 하네. 내 펜은 벌써부터 그 이야기를 쓰고 싶어 하는데 겨우 참고 있는 거야. 자네를 만나 조용히 이야기할 기회를 영원히 잃어버린 나는, 글을 쓰는 게 서툰데다 소중한 시간을 아끼기 위해서라도 쓰고 싶은 게 있어도 생략해야 하네.

자네 아직 기억하고 있는가? 언젠가 내가 자네에게 이 세상에 처음부터 악인은 없다고 한 말을 말이야. 선량한 사람의 대부분은 여차하는 순간 갑자기 악인으로 돌변하니 방심하면 안 된다고 했지. 그때 자네는 내게 흥분하고 있다고 지적했어. 그리고 어떤 때 선량한 사람이 악인으로 변하는지 물었어. 내가 단 한마디, 돈이라고 대답하자 자네는 무척 불만스러운 표정을 짓더군. 자네의 불만스러워하던 얼굴을 지금도 기억하네. 지금에야 털어놓는 거지만 나는 그때 숙부의 일을 생각하고 있었네. 평범한 사람도 돈을 보면 갑자기 악인으로 돌변한다거나 세상에는 신뢰할 만한 사람이 존재하지 않는다는 예로 증오심과 함께 숙부를 떠올린 거야. 내 대답은 사상을 깊이 알고 싶어 하는 자네에게는 많이 부족했을지도 모르겠네. 진부했을지도 모르지. 하지만 내게 는 그것이 살아 있는 대답이었어. 실제로 나는 흥분했지 않은가? 나는 냉철한 머리로 새로운 이론을 말하기보다 뜨거운 혀로 평범 한 이론을 말하는 편이 진짜 살아 있는 거라고 믿네. 피의 힘으로 온몸이 움직이기 때문이지. 말은 공기의 진동을 전할 뿐만 아니 라 강한 것에 더욱 강하게 작용할 수 있기 때문이야.

9

한마디로, 숙부는 내 재산을 빼돌린 거야. 일은 내가 도쿄에 나와 있는 삼 년 사이에 쉽게 이루어졌네. 숙부에게 모든 것을 맡긴 채 의심조차 하지 않던 나는 세상 사람들이 말하는 진짜 바 보였던 거야. 그들이 볼 때 나는 그저 세상 물정에 어두운 순진 한 사람이 아니었을까? 그때의 나를 돌이킬 때마다 왜 좀 더 나 쁜 사람으로 태어나지 않았는지, 너무 정직한 자신에게 화가 나 서 견딜 수가 없네. 하지만 한편으로는 다시 한 번 그때로 돌아 가 태어날 때의 순수한 모습 그대로 살고 싶다는 생각도 든다네. 기억해 두게. 자네가 알고 있는 나는 더러운 속세에 물든 후의 나일세. 더럽혀진 햇수가 오래된 사람을 선배라고 한다면 나는 분명 자네 선배야.

만일 내가 숙부의 희망대로 사촌 여동생과 결혼했다면 그 결 과는 물질적으로 내게 유리했을까? 그건 생각해 볼 필요도 없는 일이야. 숙부는 속셈이 있어서 당신의 딸과 나를 결혼시키려고 한 거야. 호의적으로 양가의 편의를 위해서가 아니라 천박한 이해관계에 사로잡혀 내게 결혼 얘기를 꺼낸 거지. 나는 사촌 여동생을 사랑하지는 않았지만 그렇다고 싫어하지도 않았어. 하지만 나중에 생각해 보니 그 결혼을 거절한 것이 나로서는 다소 유쾌하게 느껴지더군. 어쨌든 숙부에게 속는 건 마찬가지였지만 상대가 그토록 원하는 사촌 여동생과의 결혼을 거절했다는 것만으로도 조금은 내 고집을 관철시킨 셈이니까. 하지만 그건 문제로 삼기에는 너무나 미미한 일이야. 더구나 이 일과 전혀 상관없는 자네에게는 아마 어리석은 자존심으로 보이겠지.

나와 숙부 사이에 다른 친척이 끼어들었네. 나는 그 친척도 전혀 신뢰하지 않았어. 신뢰하기는커녕 오히려 적대감이 생겼지. 나는 숙부가 나를 기만했다는 사실을 깨닫는 것과 동시에 다른 사람들도 분명히 나를 속이고 있을 거라고 굳게 믿었어. 아버지가 입에 침이 마를 정도로 칭찬한 숙부조차 이럴진대 다른 사람들은 오죽할까라는 게 내 논리였어.

그래도 그들은 나를 위해 내 소유로 되어 있는 모든 재산을 정리해 주었네. 그건 금액으로 따지면 내 예상보다 훨씬 적은 돈이었네. 그렇지만 나로서는 잠자코 그것을 받아들이거나 숙부를 상대로 소송을 거는 방법밖에 없었어. 나는 화가 나서 참을 수 없었어. 하지만 망설여지더군. 소송을 걸면 판결이 날 때까지 오랜 시간이 걸린다는 게 두려웠어. 나는 아직 학업 중이었고 학생 신분으로서 소중한 시간을 빼앗기는 건 심적 고통이 클 것 같았어. 생각 끝에 시내에 사는 중학교 때의 오랜 친구에게 부탁해서 내가 받은 재산을 전부 현금으로 바꾸려고 했네. 그 친구는 지금 당장 팔면 손해라고 충고했지만 나는 듣지 않았어. 나는 그때 고향을 영원히 떠날 결심을 했네. 죽을 때까지 숙부의 얼굴을 보지 않겠다고 마음속으로 맹세했지.

나는 고향을 떠나기 전에 마지막으로 부모님의 묘소를 찾아갔어. 그리고 그 이후로 한 번도 부모님의 묘소를 찾지 않았네. 아마 앞으로도 영원히 그런 기회는 오지 않겠지. 내 친구는 부탁한 대로 일을 처리해 주었네. 하지만 그건 내가 도쿄에 도착한 후 한참이 지나서였어. 시골에서는 전답을 팔려고 내놓아도 쉽게 팔리지 않고 급매로 내놓으면 제값도 못 받을 때가 많아 내가 받은 금액은 시가에 비해 아주 적은 돈이었어. 솔직히 내 재산이라고는 집에서 나올 때 가지고 나온 약간의 채권과 나중에 그 친구가 보내 준 돈이 전부였네. 내가 받아야 할 부모님의 유산치고는 터무니없이 적은 액수였어. 더구나 내 실수로 줄어든 게 아니라서 상심이 더욱 컸지. 하지만 학생이 생활하는 데는 충분한 금액이었어. 실제로 그 돈에서 나오는 이자의 반도 쓰지 못했네. 하지만 여유 있는 학생 생활이 나중에는 나를 생각지도 못한 상황에 빠뜨리고 말았다네.

10

경제적으로 여유 있던 나는 시끄러운 하숙집을 나와 단독주택을 마련하려고 했네. 하지만 그렇게 되면 가재도구를 모두 사야 하는 번거로움이 있었고, 살림을 맡아 줄 할머니도 한 분 구해야 했지. 그런데 그 할머니가 정직하지 않으면 곤란하기도 하고 집을 비워도 믿을 만한 사람이 아니면 그것도 걱정이었네. 이런저런 이유로 내 생각대로 무작정 실행에 옮기기는 좀 불안하더군. 어느 날 나는 우선 집만이라도 찾아볼까 하는 가벼운 마음에 산책 삼아 혼고다이에서 서쪽으로 내려가 고이시카와 언덕에서 곧장 덴즈인(정토종 사원_옮긴이) 쪽으로 올라갔어. 전철이 다니는 길이 되고 나서부터 그 주변은 아주 달라졌지만, 그 무렵에는 왼쪽이 무기 공장 담벼락이었고 오른쪽은 들판인지 언덕인지 구분이 안 되는 공터에 온통 풀이 무성했네. 나는 그 풀숲에 서서 아무 생각 없이 맞은편 언덕을 바라보았어. 지금도 경치가 그다지 나쁜 편은 아니지만, 그 무렵에는 서쪽 경관이 지금과는 많이 달랐어. 온통 푸른색으로 뒤덮여 있어 보기만 해도 마음이 편했지. 나는 문득 이 근처에 마땅한 집이 없을까 하고 생각했네. 그래서 곧바로 들판을 가로질러 북쪽으로 난 좁은 골목으로 들어갔어. 지금도 여전히 낡은 집이 다닥다닥 들어서 있는 그 동네는, 그때 더욱 지저분하고 엉망이었네. 나는 좁은 골목을 여기저기 누비며 돌아다녔지. 마지막에는 구멍가게 아주머니에게 아담한 셋집은 없는지 물어보았네. 아주머니는 "글쎄요."라며 잠시 고개를 갸웃하더니 "셋집은 좀⋯⋯." 하고 전혀 모르겠다는 표정을 지었어. 나는 포기하고 돌아서려 했어. 그러자 아주머니가 다시 "일반 가정집 하숙은 안 되나요?" 하고 물어보는 거야. 그때 생각이 바뀌었어. 조용한 가정집에서 혼자 하숙하면 오히려 집을 마련하는 데 드는 번거로움이 없으니까 그편이 나을 거라고 생각을 고쳐먹은 거지. 그래서 그 구멍가게에 앉아 아주머니에게 자세한 이야기를 들었어.

그 집은 어느 군인의 가족, 아니 그 유족이 사는 집이었어. 남편은 청일전쟁 때인가 전사했다고 가게 아주머니가 말해 주었지. 일 년 전까지는 이치가야의 사관학교 옆에 살았는데 마구간까지 있을 만큼 부지가 넓은 집이었기 때문에 그곳을 팔고 이곳으로 이사를 왔다고 하더군. 그런데 가족이 단출해서 적적하니 적당한 사람이 있으면 알아봐 달라는 부탁을 받았다는 거야. 나는 가게 아주머니를 통해 그 집에 미망인과 외동딸, 하녀밖에 없다는 걸 확인했어. 조용해서 좋겠다는 생각이 들더군. 하지만 그런 가족에게 나 같은 사람이 불쑥 찾아가면 신원도 불확실한 학생이라는 이유로 거절당하지 않을까 걱정되어 그만둘까도 생각했네. 하지만 학생으로서 그렇게 초라한 옷차림은 아니었고, 대학의 사각모를 쓰고 있었어. 자네는 웃을지도 모르겠네. 교모가 뭐 그리 대단한 거냐고 하면서 말이야. 하지만 그 시절의 대학생은 지금과 달리 세상 사람들이 꽤 신뢰해 주었어. 그때는 사각모 때문에 묘한 자신감을 얻기도 했으니까. 그래서 가게 아주머니가 알려 준 대로 소개도 없이 그 군인의 유족이 사는 집을 찾아갔어.

나는 미망인을 만나 그 집을 찾아온 까닭을 말했네. 미망인은 내 신분과 학교, 전공 등 몇 가지 질문을 하더니 괜찮겠다고 생각했는지 그 자리에서 언제든 이사를 와도 좋다고 하더군. 미망인은 성격이 곧고 확실한 사람이었어. 나는 군인의 아내는 모두 이런 성격인가 하고 감탄했네. 동시에 놀라기도 했어. 이런 성격인데 왜 적적하다는 건지 의아하더군.

11

나는 서둘러 그 집으로 이사했네. 내가 처음 그 집에 갔을 때 부인과 이야기한 방을 쓰기로 했네. 그 집에서 가장 좋은 방이었지. 근처에 고급 하숙집이 몇 채 있었기에 나는 학생 신분으로 빌릴 수 있는 가장 좋은 방이 어느 정도인지 알고 있었거든. 내가 새 주인이 된 방은 그런 방들보다 훨씬 훌륭했네. 금방 이사 왔을 때는 학생 신분인 내게는 분에 넘친다는 생각마저 들었으니까.

방은 다다미 여덟 장 크기의 방이었네. 도코노마 옆에 다른 선반이 있었고, 툇마루 반대쪽에는 한 칸짜리 벽장이 달려 있었어. 창은 하나도 없었지만 대신 남쪽을 향한 툇마루에 밝은 햇살이 스며들었다네.

나는 이사한 그날, 그 방의 도코노마에 장식된 꽃과 그 옆에 세워진 거문고를 보았네. 하지만 둘 다 내 마음에 들지 않았어. 나는 시나 서화 그리고 다도를 즐기던 아버지를 보면서 자랐기 때문에 어릴 때부터 운치 있는 취미 생활이 눈에 익숙했거든. 그 때문인지 여성스럽고 우아한 분위기의 장식을 보면 나도 모르게 경멸하는 버릇이 몸에 배어 있었네.

아버지가 생전에 수집한 골동품은 숙부 때문에 엉망진창이 되어 버렸지만 그래도 조금은 남아 있었어. 나는 고향을 떠날 때 그 물건들을 중학교 때 친구에게 맡겨 두었네. 그리고 그중 괜찮아 보이는 물건 네다섯 점만 고리짝 밑에 넣어 가지고 왔지.

나는 이사하자마자 그 골동품을 꺼내 도코노마에 장식해 놓고 즐길 생각이었네. 그런데 지금 말한 거문고와 꽃꽂이를 보자 갑자기 그럴 용기가 사라졌어. 나를 환영하기 위해 그 꽃을 장식해 놓았다는 것을 나중에 알았을 때, 나는 속으로 쓴웃음을 지었어. 게다가 거문고는 전부터 그 자리에 있었기 때문에 마땅히 둘 만한 곳이 없어서 어쩔 수 없이 그대로 세워 놓은 것이겠지.

이런 이야기를 하면 자연히 그 배경에 존재할 젊은 여자의 모습이 자네 머릿속을 스치고 지나가겠지. 나도 이사하기 전부터 벌써 그런 호기심이 싹트고 있었네. 이런 엉뚱한 관심이 일찌감치 나를 긴장하게 만들었는지 아니면 내가 아직 사람들과의 만남이 서툴러서 그랬는지 그 집 아가씨를 처음 만나 인사할 때 나는 당황해서 쩔쩔매고 말았어. 아가씨도 얼굴이 빨개졌지.

그때까지 나는 미망인의 풍채나 태도를 보고 아가씨의 모습까지 상상하고 있었네. 하지만 내 상상은 아가씨에게 그다지 유리한 쪽은 아니었어. 군인의 부인이니까 그렇겠지, 그 부인의 딸이니까 이렇겠지 하고 나름대로 상상의 날개를 편 거야. 그런데 아가씨의 얼굴을 본 순간, 내 추측은 보기 좋게 빗나갔네. 그리고 내 머릿속에는 지금까지 상상도 하지 못한 이성의 향기가 새롭게 밀려왔어. 그 후로는 도코노마의 한가운데에 장식된 꽃이 싫지 않았어. 더구나 그곳에 세워져 있는 거문고도 전혀 눈에 거슬리지 않았네.

그 꽃은 시들 만하면 어김없이 다른 꽃으로 바뀌어 있었어. 거문고도 가끔 내 방에서 직각으로 구부러진 다른 방으로 옮겨져 있었어. 나는 내 방 책상 위에 턱을 괴고 앉아 거문고 소리를 듣곤 했네. 거문고를 타는 실력이 좋은지는 알 수 없었어. 하지만 그다지 복잡한 가락이 아닌 걸 보면 잘하는 건 아니라고 생각했네. 아마 꽃꽂이 정도의 실력일 거라고 여겼어. 꽃꽂이에 관해서는 나도 잘 아는데, 아가씨는 결코 잘하는 편이 아니었거든.

그래도 전혀 기죽지 않고 다양한 꽃으로 내 방을 장식해 주었네. 그런데 꽃을 꽂는 방법은 언제나 똑같았어. 게다가 꽃병은 한 번도 바뀐 적이 없었네. 하지만 노래 솜씨는 꽃꽂이 실력보다 더 서툴렀어. 거문고 줄을 튕기기만 할 뿐 노랫소리는 거의 들리지 않았으니까. 사실, 노래를 부르기는 하는데 마치 비밀 이야기라도 하듯 아주 작은 소리였어. 게다가 선생님에게 야단을 맞거나 하면 그나마도 전혀 들리지 않았네.

나는 즐거운 마음으로 엉성한 꽃꽂이를 바라보며 서툰 거문고 소리에 귀를 기울였네.

12

나는 고향을 떠날 때 이미 염세적으로 변해 있었어. 그때 타인은 믿을 수 없는 존재라는 생각이 뼛속 깊이 사무쳤기 때문일세.

내가 증오하는 숙부 내외와 그 밖의 친척들이 이 세상의 모든 인간을 대표한다고 생각했으니까. 기차를 탈 때도 옆 사람을 경계할 정도였어. 어쩌다 상대가 말이라도 걸어오면 더욱 경계를 늦추지 않았지. 참으로 우울한 나날이었네. 마치 납덩이를 삼킨 것처럼 가슴이 답답해서 미칠 지경이었어. 그러다 보니 내 신경은 극도로 예민해졌지.

내가 다시 도쿄로 올라온 후 그전에 살던 하숙집을 나오려고 한 이유도 그 때문이었다고 생각하네. 경제적으로 여유가 있었기 때문에 단독주택을 마련할 생각까지 했던 거라고 하면 그뿐이지만, 원래 내 성격으로는 아무리 수중에 여유가 있어도 그런 귀찮은 일을 자청하지는 않았을 거야.

나는 고이시카와로 이사한 후에도 한동안 이런 긴장 상태에서 좀처럼 벗어날 수 없었네. 스스로도 부끄러울 만큼 늘 주위를 두리번거리며 경계를 풀지 않았어. 이상하게도 머리와 눈은 그렇게 열심히 움직였지만 그와는 정반대로 말수는 점점 줄어들었네. 나는 고양이처럼 집안사람들의 모습을 주의 깊게 관찰하면서 말없이 책상 앞에 앉아 있었네. 가끔은 그들에게 미안한 생각이 들 만큼 나는 그들의 일거수일투족을 살피고 있었던 거야. 물건만 훔치지 않았을 뿐 소매치기나 다름없다는 생각이 들어 나 자신이 싫어질 때도 있었어.

자네는 아마 이상하게 생각하겠지. 그런 내가 어떻게 그 집 아가씨를 좋아할 정도로 마음의 여유가 생겼는지. 그리고 그녀의 서투른 거문고 소리를 어떻게 즐거운 마음으로 들을 수 있었는지도 말이야. 내게 그런 질문을 한다고 해도 어쨌든 양쪽 모두 사실이기 때문에 자네에게는 있는 그대로 이야기해 줄 수밖에 없네. 해석은 똑똑한 자네에게 맡기기로 하고 나는 그저 한마디만 덧붙이겠네. 나는 돈에 대해서는 인간을 의심했지만 사랑에 대해서는 아직 인간을 의심하지 않았던 거야. 그렇기 때문에 다른 사람이 볼 때 이상한 일이나, 또는 스스로 생각해도 모순된 일도 내 가슴속에서는 자연스럽게 공존하고 있었던 거지.

나는 주인아주머니를 항상 사모님이라고 불렀기 때문에 이제부터는 사모님이라고 하겠네. 사모님은 나를 조용하고 얌전한 사람으로 보았네. 그리고 공부를 열심히 한다고 칭찬도 해 주었어. 하지만 내 불안한 눈초리나 주위를 경계하는 모습에는 아무 말도 하지 않더군. 알아채지 못한 건지 아니면 말조심하느라고 그런 건지는 모르지만 어쨌든 그런 부분에는 전혀 신경 쓰지 않는 것처럼 보였네. 뿐만 아니라 언젠가는 나를 대범한 사람이라고 아주 존경 어린 말투로 이야기한 적도 있었어. 그때 정직한 나는 약간 얼굴을 붉히며 상대의 말을 부정했네. 그러자 사모님은 "자네 스스로 아직 깨닫지 못했기 때문에 그렇게 말하는 거야." 하고 진지하게 설명해 주었어. 사모님은 처음에 나 같은 학생은 받을 생각이 없었던 모양이야. 어디 공직에 있는 사람에게 방을 빌려 줄 요량으로 주위 사람들에게 주선해 달라고 부탁해 두었던 것 같아. 월급이 많지 않아서 어쩔 수 없이 일반 가정집에 하숙할 만한 사람이면 괜찮겠다고 전부터 생각하고 있었던 거지. 사모님은 자신이 상상하던 손님과 나를 비교하면서 내가

185

더 대범하다고 칭찬했네. 그렇게 절약하며 사는 사람에 비하면 나는 돈에는 대범했을지도 모르지. 하지만 그건 성격과는 상관 없기 때문에 나의 내면적인 모습과는 거의 관계가 없는 거나 마찬가지였네. 하지만 사모님은 여자인 만큼 나의 일면만으로 내 전부를 그렇게 보려고 노력한 거야.

13

사모님의 그런 태도는 자연히 내 심경 변화에도 영향을 끼쳤네. 얼마 안 되어 나는 주위를 경계하지 않게 되었어. 내 마음이 내가 있어야 할 곳에 제대로 자리 잡은 듯한 기분이 들기도 했네. 말하자면 사모님을 비롯한 집 안의 사람들이 세상을 삐딱하게 바라보는 내 눈이나 남을 믿지 못하는 내 모습에도 전혀 간섭하지 않고 무심한 듯 그냥 따뜻한 시선으로 지켜봐 주었기 때문에 큰 행복을 느낀 거지. 내 날카로운 신경은 상대와 부딪치는 일이 없었기 때문에 점차 차분해졌네.

사모님은 생각이 깊은 분이라 일부러 그렇게 대해 주었다는 생각도 들고. 아니면 사모님의 말대로 실제로 나를 대범한 사람으로 보았을지도 모르겠네. 머릿속으로는 아주 사소한 것까지 신경이 쓰였지만 실제 겉으로 드러내는 일은 거의 없었기에 어쩌면 사모님이 내게 속고 있었는지도 모르지.

나는 마음이 안정되기 시작하면서 차츰 그들과도 가까워졌네. 사모님이나 아가씨와 농담을 주고받을 정도로 말이야. 차를 준

비했으니 안방으로 건너오라는 날도 있었네. 또 내가 저녁에 귀가하면서 과자를 사와 두 사람을 내 방으로 부를 때도 있었어. 나는 갑자기 교제 범위가 넓어진 듯한 느낌이 들었네. 그 때문에 귀중한 공부 시간을 빼앗길 때도 몇 번 있었어. 하지만 이상하게도 나는 그런 방해가 전혀 싫지 않았네. 사모님은 원래 한가한 사람이었어. 아가씨는 학교에 다니는 데다 꽃꽂이와 거문고 등을 배우고 있어서 분명히 바쁠 거라고 생각했는데 의외로 시간 여유가 많아 보였어. 그래서 세 사람은 얼굴만 마주치면 이런저런 세상 돌아가는 이야기를 하며 시간을 보냈지.

나를 부르러 오는 건 대개 아가씨였어. 아가씨는 툇마루를 직각으로 돌아 내 방 앞으로 올 때도 있었고, 거실을 지나 옆방의 방문 뒤쪽에서 모습을 보일 때도 있었어. 아가씨는 거기까지 와서 잠깐 멈춘 후 반드시 내 이름을 부르며 "공부하고 계세요?"라고 물었어. 어려운 책을 책상 위에 펼쳐 놓고 있을 때가 많았기 때문에 옆에서 보면 꽤 열심히 공부하는 사람으로 보였을 거야. 하지만 솔직히 그다지 열심히 책을 보고 있었던 건 아닐세. 눈은 책을 향해 있었지만 정신은 다른 데 팔려 있었으니까. 아가씨가 부르러 오기만을 이제나저제나 기다린 거지. 아무리 기다려도 오지 않으면 할 수 없이 내가 아가씨 방 앞으로 가서 "공부하십니까?"라고 물었네.

아가씨의 방은 거실에 붙어 있는 다다미 여섯 장 크기의 방이었어. 사모님은 그 거실에 있을 때도 있었고, 아가씨 방에 있을 때도 있었지. 요컨대 이 두 개의 방은 가운데 방문이 있어도 없

187

는 거나 마찬가지여서 모녀가 서로 오가며 딱히 누구 방이라는 구분 없이 사용하고 있었던 거야. 내가 바깥에서 말을 걸면 "들어오게."라고 대답하는 건 꼭 사모님이었어. 아가씨는 함께 있어도 거의 대답하지 않았네.

가끔은 아가씨가 일이 있어서 내 방에 들렀다가 둘이 앉아서 이런저런 이야기를 나눌 때도 있었어. 그럴 때는 마음이 묘하게 불안했지. 그러다가 젊은 아가씨와 마주 앉았다는 이유로 불안한 것만은 아니라는 생각이 들었어. 나는 왠지 안절부절못했어. 스스로 자신을 배반하는 듯한 부자연스러운 태도가 나를 괴롭혔네. 하지만 상대는 오히려 태연했어. 이 여자가 거문고를 배울 때 목소리도 제대로 내지 못한 바로 그 사람인가 싶을 정도로 전혀 부끄러워하지 않는 거야. 이야기가 너무 길어져서 거실에서 어머니가 불러도 "네." 하고 대답만 할 뿐 금방 일어서지 않을 때도 있었어. 그렇지만 아가씨는 결코 어린애가 아니었어. 내 눈에는 확실히 그게 보였네. 내가 알아챌 수 있게 행동하고 있다는 낌새마저 역력했지.

14

나는 아가씨가 가고 나면 안도의 한숨을 내쉬었네. 하지만 왠지 모를 아쉬움과 미안함도 함께 느꼈네. 나는 여자 같았는지도 모르네. 요즘 청년인 자네의 눈엔 더 그렇게 보이겠지. 하지만 당시의 우리는 대개 그랬네.

사모님은 외출하는 일이 거의 없었어. 가끔 집을 비울 때도 아가씨와 나만 남겨 놓고 가는 일은 없었지. 그것이 우연인지 아니면 일부러 그러는 건지는 알 수 없었네. 내 입으로 말하는 건 좀 이상하지만 사모님의 태도를 잘 관찰해 보면 어쩐지 당신의 딸과 나를 맺어 주려는 것처럼 보이기도 했거든. 그러면서도 어떤 때는 은근히 나를 경계하는 것 같아서 처음으로 그런 일을 경험하는 나로서는 가끔 불쾌하기도 했네.

나는 사모님이 어느 쪽이든 태도를 분명히 해 주기를 바랐네. 아무리 생각해도 그건 분명히 모순이었거든. 하지만 숙부에게 배신당한 기억이 아직도 생생한 나는 사모님의 그런 태도를 의심할 수밖에 없었어. 나는 사모님의 태도 중 어느 쪽이 진심이고 어느 쪽이 거짓인지 생각해 보았어. 그러나 쉽게 판단을 내릴 수가 없었어. 게다가 왜 그런 묘한 행동을 하는지 그 까닭을 이해할 수 없었던 거야. 아무리 고민해도 해답을 찾지 못한 나는 여자라서 그렇다고 치부하고는 꾹 참은 적도 있네. 분명히 여자라서 그런 거야. 어차피 여자는 어리석으니까. 나는 어려운 상황에 부딪히면 항상 그런 결론을 내렸다네.

그 정도로 여자를 업신여기던 내가 아가씨만큼은 도저히 업신여길 수 없었어. 내 이론은 그녀 앞에서는 무용지물이나 다름없었지. 그녀에게 거의 신앙에 가까운 사랑을 느끼고 있었으니까. 내가 종교에만 쓰는 이 단어를 젊은 여자에게 쓰는 것을 보고 자네는 이상하게 생각할지도 모르지만 나는 지금도 굳게 믿고 있네. 진정한 사랑은 신앙심과 그다지 다르지 않다는 걸 말이야.

아가씨의 얼굴을 볼 때마다 나 자신이 아름다워지는 기분이 들었어. 아가씨를 생각하면 고결한 기운이 금방이라도 내게 전해지는 것 같았네. 만일 사랑이라는 불가사의한 세계에 양극이 있어서 그중 높은 지점에는 신성함이 있고, 낮은 지점에는 성욕이 있다면 내 사랑은 분명히 그 높은 지점에 있었을 거야. 나는 인간이기 때문에 육체를 떠나서는 살 수 없네. 하지만 아가씨를 보는 내 눈이나 아가씨를 생각하는 내 마음은 전혀 육체의 냄새를 띠고 있지 않았네.

사모님에 대한 반감과 함께 아가씨에 대한 내 사랑이 커져 갔기 때문에 세 사람의 관계는 하숙을 시작할 때보다 더 복잡해졌네. 하지만 그런 변화는 거의 마음속으로만 겪을 뿐 결코 겉으로는 나타나지 않았네. 그런데 어떤 일을 계기로 지금까지 내가 사모님을 오해하고 있었던 것은 아닐까 하는 생각이 들었어. 나에 대한 사모님의 모순된 태도가 어느 쪽도 거짓이 아닐 거라는 생각이 다시 들기 시작한 거야. 그리고 그것이 서로 상반되게 사모님의 마음을 지배한 게 아니라 언제나 양쪽이 동시에 사모님 마음에 존재한다고 생각했어. 말하자면 사모님이 가능한 한 아가씨를 나와 가까이 지내게 하면서도 나를 경계하는 건 모순이지만, 경계할 때 다른 쪽 태도를 잊어버리거나 뒤집는 것이 아니라 역시 우리 두 사람을 가까운 사이로 만들고 싶어 한다는 걸 알았어. 다만 당신이 생각한 적당한 거리 이상으로 두 사람의 관계가 깊어지는 것만은 꺼리고 있었던 거야. 나는 아가씨에게 육체적으로 다가갈 생각이 없었기에 사모님의 그런 걱정은 불필요하게 느껴졌어. 하지만 더는 사모님을 의심하거나 나쁘게 생각하지 않게 됐네.

15

나는 사모님의 태도를 여러 면에서 종합해 보고 내가 이 집에서 충분히 신뢰받고 있다는 걸 확인했네. 더구나 첫 대면 때부터 나를 신뢰했다는 증거까지 발견했어. 남을 의심하기 시작한 나는 이런 발견이 조금은 기이하게 느껴졌어. 나는 남자에 비해 여자가 그만큼 직감이 뛰어난 거라고 생각했네. 동시에 여자가 남자한테 속는 것도 그런 점 때문이 아닐까 하고 생각했어. 사모님을 그렇게 관찰한 내가 아가씨에 대해 똑같은 직감을 강하게 발휘하고 있었으니 지금 생각하면 참 어이없는 이야기지. 나는 타인을 믿지 않겠다고 마음속으로 맹세했으면서도 아가씨를 굳게 믿고 있었으니까. 그러면서 또 한편으로는 나를 신뢰하는 사모님을 기이하게 여겼지.

나는 그들에게 내 고향 이야기를 거의 하지 않았네. 특히 이번 사건은 전혀 언급하지 않았어. 그 일을 떠올리는 것조차 불쾌했으니까. 나는 가능한 한 사모님의 이야기만 들으려고 노력했네. 그런데 그런 나를 상대는 이해하지 못했어. 무슨 말만 나오면 내 고향 사정을 알고 싶어 하는 거야. 나는 결국 모든 일을 털어놓았어. 두 번 다시 고향에는 돌아가지 않겠다고 했네. 아버지와 어머니의 무덤만 있을 뿐 돌아가도 내겐 아무것도 남아 있지 않다고 말하자 사모님은 감정이 격해 보였어. 아가씨는 울더군. 나는 이야기하기를 잘했다는 생각이 들었어. 기뻤네.

내 이야기를 들은 사모님은 역시 자신의 직감이 들어맞았다는 표정을 지었네. 그러고는 마치 나를 친척 대하듯 하는 거야. 나는 화가 나지 않았어. 오히려 유쾌했지. 그런데 내 마음속에는 또 다른 의혹이 슬며시 고개를 쳐들었네.

내가 사모님을 의심하기 시작한 건 아주 사소한 일 때문이었어. 그런 사소한 일이 거듭될수록 내 의혹은 더 깊어 갔네. 어느 날 문득 사모님이 숙부와 같은 속셈으로 아가씨와 나를 맺어 주려는 게 아닌가 하는 생각이 든 거야. 그러자 지금까지 그토록 친절해 보이던 사람이 갑자기 교활한 사람으로 비쳐지기 시작했어. 나는 고통스럽게 입술을 깨물었네.

사모님은 처음부터 식구가 단출해서 적적하니까 하숙을 치는 거라고 공언했네. 나도 그 말이 거짓이라고는 생각하지 않았어. 서로 친해져서 속마음을 털어놓은 후에도 전혀 거짓은 없었다고 생각하네. 하지만 경제적인 면에서는 그다지 부유한 편은 아니었어. 이해(利害) 측면에서 생각해 보면 나와 특수한 관계를 맺는 것은 사모님에게 결코 손해는 아니었으니까.

나는 또 경계하기 시작했어. 하지만 앞서 말한 것처럼 아가씨를 깊이 사랑하는 내가 그녀의 어머니를 경계한들 무슨 소용이겠나. 이런 어리석은 나 자신을 비웃고 책망한 적도 있어. 그러나 그 정도의 모순이었다면 아무리 바보라고 해도 그다지 큰 고통을 느끼지는 않았을 거야. 정작 내 번민은 사모님과 마찬가지로 아가씨도 나를 기만하고 있는 것은 아닐까 하는 데 있었어. 두 사람이 내 등 뒤에서 서로 짜고 일을 꾸미고 있는 것은 아닐까 하는 생각에 고통스러웠네. 그러면서도 한편으로는 아가씨를 굳게 믿었어. 결국 나는 신념과 망설임의 중간에서 꼼짝도 할 수 없었네. 내게는 양쪽 모두 상상이자 또 진실이었던 거야.

16

　나는 변함없이 학교에 다녔네. 하지만 교수님의 강의가 아득히 먼 곳에서 들리는 것 같았어. 공부도 마찬가지였지. 눈에 들어오는 활자는 머릿속에 채 들어오기도 전에 연기처럼 사라져 버렸어. 게다가 나는 말이 없었어. 두세 명의 친구가 그것을 오해하고 내가 명상에라도 잠겨 있다는 듯 다른 친구들에게 말했네. 나는 굳이 오해를 풀려고 하지 않았네. 오히려 적당한 구실을 만들어 준 것 같아서 기뻤지. 그래도 가끔은 스트레스가 쌓였는지 발작적으로 떠들어서 그들을 놀라게 한 적도 있네.

　내 하숙집은 드나드는 사람이 별로 없었네. 친척도 많지 않은 것 같았어. 아가씨의 학교 친구가 가끔 놀러왔지만 그들은 조용히 이야기를 나누고 돌아갈 때가 많았어. 그것이 나에 대한 배려라는 걸 꽤 눈치 빠른 나도 알아채지 못했네. 나를 찾아오는 사람 중에는 특별히 소란스러운 사람도 없었지만 집안사람들에게 신경 쓸 만큼 어려워하는 사람은 한 명도 없었으니까. 그런 점에서는 하숙생인 내가 마치 주인 같았고, 정작 주인인 아가씨가 오히려 객식구 같았네.

이 이야기는 그저 생각나서 썼을 뿐 실은 아무래도 상관없는 이야기일세. 다만 한 가지 신경 쓰이는 일이 있었지. 차를 마시는 방이나 아가씨 방에서 갑자기 낯선 남자의 목소리가 들릴 때가 있었거든. 그 목소리는 내 손님과는 달리 굉장히 낮았네. 그렇기 때문에 무슨 이야기를 하고 있는지 전혀 알 수 없었어. 잘 들리지 않으니까 더 신경 쓸 수밖에 없었지. 나는 앉아 있으면서도 이상하게 안절부절못했네. 나는 먼저 그 사람이 친척일까 아니면 그냥 아는 사람일까 생각했네. 그리고 젊은 사람일까 아니면 나이가 많은 사람일까 다시 생각하는 거야. 앉은 채로는 그런 걸 알 수가 없지. 그렇다고 일어나서 문을 열어 볼 수는 없잖은가? 내 신경은 약간 떨리는 정도가 아니라 커다란 파동을 일으키며 나를 괴롭혔네. 나는 손님이 돌아간 다음에 잊지 않고 그의 이름을 물어보았네. 사모님과 아가씨의 대답은 아주 간단했어. 나는 두 사람에게 불만스러운 얼굴을 보이면서도 스스로 만족할 때까지 그들에게 자세하게 캐물을 용기는 없었네. 물론 그럴 권리도 없었지. 나는 자신의 품격을 손상시키면 안 된다는 교육에서 온 자존심과 실제로 그 자존심을 배신하고 있는 호기심 어린 표정을 동시에 그들에게 드러냈네. 그들은 웃었어. 그것이 조소의 의미가 아닌 호의에서 온 건지 아니면 호의처럼 보이고 싶은 건지 그 자리에서는 판단이 서지 않을 만큼 마음의 평정을 잃었네. 그리고 다 지난 후에야 내가 바보 취급을 당한 거야, 바보 취급을 당한 게 아닐까 하고 몇 번이나 마음속으로 되뇌곤 했다네.

나는 자유로운 몸이었지. 예를 들면, 학교를 도중에 그만두든지, 또 어디 가서 무엇을 하든지, 아니면 어떤 여자와 결혼을 하든지 누구와도 상의할 필요가 없었으니까. 나는 그때까지 큰 결심을 하고 몇 번이나 사모님에게 아가씨를 달라고 말하려고 했네. 하지만 그때마다 망설이다 제대로 말도 꺼내지 못했어. 거절당하는 게 무서워서가 아니었네. 만일 거절당하면 내 운명이 어떻게 변할지 모르지만 대신 지금까지와는 방향이 다른 곳에 서서 새로운 세상을 멀리까지 바라볼 수 있다는 이점도 생기니 그정도의 용기라면 얼마든지 낼 수 있었네. 하지만 나는 남의 꼬임에 넘어가는 게 싫었네. 남의 손바닥에서 놀아나는 일만큼은 죽어도 싫었어. 숙부에게 기만당한 나는 앞으로 무슨 일이 있어도 남에게 속지 않겠다고 결심했네.

17

내가 책만 구입하는 걸 보고 사모님은 옷도 좀 해 입으라고 하더군. 사실 나는 시골에서 짠 무명옷밖에 없었어. 그 무렵의 학생들은 비단이 들어간 옷은 입지 않았어. 내 친구 중 부모님이 요코하마에서 장사를 해서 꽤 잘사는 녀석이 있었네. 어느 날 그친구에게 비단으로 짠 방한용 속옷이 배달되었어. 그러자 모두 그 옷을 보고 웃었지. 그 친구는 부끄러워하면서 이런저런 변명을 늘어놓았지만 결국 모처럼 보내 준 속옷을 고리짝 안에 쑤셔넣고 입지 않았네. 그런데 짓궂은 친구들이 그에게 몰려들어 속옷을 입혔지. 그러다가 운 나쁘게 그 속옷에 이가 생긴 거야. 친구는 마침 잘되었다고 생각했겠지. 그는 말 많은 비단 속옷을 둘둘 말아 산책하러 나갔다가 네즈에 있는 커다란 수챗구멍에 버리고 말았네. 그때 함께 걷던 나는 다리 위에 서서 웃으면서 친구의 행동을 보고 있었는데 내 마음속 어디에도 아깝다는 생각이 전혀 없었네.

그 당시와 비교하면 나도 꽤 어른이 되어 있었지. 하지만 아직 스스로 외출복을 맞춰야겠다는 생각은 하지 못했어. 나는 졸업해서 수염을 기를 때가 오지 않는 이상 지금부터 옷차림에 신경 쓸 필요는 없다는 이상한 생각을 갖고 있었지. 그래서 사모님에게 책은 필요하지만 옷은 필요 없다고 말했네. 사모님은 내가 사는 책의 양을 알고 있었네. 구입한 책을 모두 읽느냐고 묻더군. 내가 구입한 책 중에는 사전도 있었지만 아직 한 번도 손대지 않은 책도 다소 있었기에 그 질문에 자신 있는 대답을 못 했네. 그러다가 어차피 필요 없는 것을 살 바에는 책이나 옷이나 매한가지라는 생각이 들더군. 나는 여러모로 신세를 지고 있다는 구실 아래 아가씨가 마음에 들어 하는 오비나 옷감을 사 주고 싶었네. 그래서 사모님께 모든 걸 부탁했지.

그런데 사모님이 혼자서는 안 가겠다고 하더군. 나도 함께 가자고 말이야. 물론 아가씨도 가야 한다고 했네. 지금과는 다른 분위기 속에서 자란 우리에게는 학생 신분으로 젊은 여자와 함께 걷는 관습은 없었네. 그 무렵의 나는 지금보다 더 관습에 얽매여 있었기 때문에 약간 주저했지만 용기를 내어 함께 나갔네.

아가씨는 옷차림에 신경을 많이 쓰고 나왔더군. 원래 피부가 하얀 데다 분을 많이 발라 더욱 눈에 띄었어. 사람들이 힐끔거리며 지나갔네. 그리고 아가씨를 본 사람은 묘하게도 꼭 그 시선을 돌려 내 얼굴을 보았어. 세 사람은 니혼바시에 가서 사고 싶은 걸 샀네. 물건을 고르는 데도 생각보다 시간이 한참 걸렸네. 사모님은 일부러 내 이름을 부르면서까지 어떠냐고 물어보았어. 가끔 옷감을 아가씨의 어깨에서 가슴까지 길게 대 놓고 내게 두세 걸음 떨어져서 어떤지 봐 달라는 거야. 그럴 때마다 나는 그건 안 좋다고 하거나 그건 잘 어울린다는 둥 어쨌거나 한 사람 몫은 했네.

그러다 보니 시간이 오래 걸려서 집으로 돌아올 즈음에는 어느새 저녁 시간이 다 되었더군. 사모님은 내게 감사의 표시로 뭔가 대접하겠다면서 기하라다나라는 만담극장이 있는 좁은 골목 길로 나를 데리고 들어갔네. 골목도 좁았지만 식당도 매우 좁았어. 그 근처의 지리를 전혀 모르는 나는 사모님이 이런 좁은 골목의 구석에 있는 식당까지 알고 있다는 사실에 좀 놀랐네.

우리는 밤이 되어서야 집으로 돌아왔네. 그다음 날은 일요일이었기 때문에 나는 하루 종일 방 안에 틀어박혀 있었어. 그리고 월요일에 학교에 갔더니 같은 과 친구 하나가 나를 놀리더군. 언제 부인을 얻었느냐며 장난삼아 추궁을 하는 거야. 그러고는 부인이 아주 미인이라며 칭찬하더군. 세 사람이 함께 니혼바시에 갔을 때 그 친구가 우리를 본 모양이야.

18

나는 집으로 돌아와 사모님과 아가씨에게 그 이야기를 했네. 사모님은 웃으면서 그런 소리를 들어서 입장이 매우 난처했겠다며 내 얼굴을 보았어. 나는 그때 속으로 여자는 이런 식으로 남자의 의중을 떠보는구나 하고 생각했네. 사모님의 그 눈길은 충분히 내게 그런 생각을 하게 만들었네. 어쩌면 그때 내 마음을 솔직하게 털어놓았더라면 사정은 더 나아졌을 거라고 생각하네. 하지만 나는 그때까지도 의심을 떨치지 못하고 망설였지. 나는 속마음을 털어놓으려다 다시 주춤했네. 그리고 일부러 화제를 돌렸지.

나는 정작 중요한 자신의 이야기는 화제에서 빼 버렸네. 그리고 아가씨의 결혼에 대해 사모님의 심중을 살짝 떠보았지. 사모님은 두세 군데에서 혼담 이야기가 오가고 있다고 하더군. 하지만 아직 학교에 다니는 데다 나이도 어리기 때문에 사모님 쪽에서는 그다지 서두르지 않는다고 말했네.

직접적으로 표현하지는 않았지만 사모님은 아가씨의 외모에 꽤 자신 있는 것 같았어. 마음만 먹으면 괜찮은 혼처는 언제든 정할 수 있다는 말까지 했으니까. 그리고 아가씨 외에 자식이 없는 것도 쉽게 떠나보내고 싶지 않은 이유 중 하나였네. 시집을 보낼지 아니면 데릴사위를 들일지조차 망설이고 있는 건 아닐까 하는 생각도 들었네.

사모님과 이야기하는 동안 나는 많은 정보를 얻은 듯했어. 그러나 그 때문에 내 마음을 털어놓을 기회를 놓치고 말았네. 결국 내 생각은 한마디도 말하지 못했어. 나는 적당한 선에서 이야기를 끝내고 내 방으로 돌아가려고 했네.

좀 전까지 옆에 앉아서 너무한다며 함께 웃으며 이야기하던 아가씨는 어느새 한쪽 구석으로 가서 이쪽에 등을 돌리고 있었어. 나는 일어서서 나가려다 그녀의 뒷모습을 보았네. 뒷모습만으로 인간의 마음을 읽을 수는 없으니 아가씨가 이 문제를 어떻게 생각하고 있는지 전혀 추측할 수 없었지. 아가씨는 옷장 앞에 앉아 있었어. 옷장 문이 30센티미터 정도 열려 있는 틈으로 뭔가를 꺼내 무릎 위에 올려놓고 바라보고 있는 것 같았네. 나는 그 틈 끝에서 그저께 산 옷감을 발견했네. 내 옷도 아가씨 것과 함께 옷장 구석에 겹쳐 놓았던 거야.

내가 잠자코 자리를 뜨려 하자 사모님이 갑자기 정색을 하며 어떻게 생각하느냐고 내게 묻더군. 그 물음은 무엇을 어떻게 생각하느냐는 거냐고 반문해야 할 만큼 너무 막연했어. 그 질문이 아가씨를 빨리 결혼시키는 게 좋겠느냐는 의미라는 게 확실해졌을 때 나는 가능한 한 천천히 보내는 편이 좋을 거라고 대답했네. 사모님은 자기도 그렇게 생각한다고 말했어.

나와 두 모녀의 관계가 이런 상황인 가운데 또 한 남자가 이 집에 들어오게 되었네. 그 남자의 등장은 내 운명에 큰 변화를 가져왔네. 만일 그 남자가 내 삶에 끼어들지 않았다면 아마도 자네에게 이런 긴 편지를 쓸 필요도 없었겠지. 나는 그가 내 삶에 끼어들어 내 일생을 짙은 어둠 속으로 몰아넣으려 하는데도 전혀 알아채지 못하고 무기력하게 있었던 거야. 고백하자면, 그 남자를 집으로 데려온 건 바로 나였어. 물론 사모님의 허락도 필요했기 때문에 처음엔 모든 사정을 솔직히 말하고 사모님에게 부탁했네. 그런데 사모님은 그러지 말라고 했어. 내게는 그를 꼭 데려와야 할 충분한 이유가 있었지만 사모님에게는 그를 거절할 만한 명분이 전혀 없었네. 그래서 나는 내 마음대로 강하게 밀어붙였지.

19

나는 여기서 그 친구의 이름을 K라고 부르겠네. K와 나는 어릴 때부터 친했어. 어릴 때부터라고 하면 굳이 설명하지 않아도 알 거야. 우리 두 사람은 고향 친구였어. K는 진슈(眞宗, 정토종의 분파_옮긴이)의 승려 아들이었네. 장남은 아니고 차남이야. 그래서 어떤 의사 집안에 양자로 갔다네.

내가 태어난 고장은 혼간지(本願寺, 정토진종의 본산_옮긴이)파의 세력이 대단히 큰 곳이었기 때문에 진슈의 승려는 다른 종파에 비해 물질적으로 풍족했던 것 같아. 예를 들면, 만일 승려에게 딸이 있어서 그 딸이 결혼 적령기가 되면 절의 재정을 신도와 상의해서 어딘가 적당한 혼처 자리를 찾아 시집을 보내 준다네. 물론 결혼 비용은 승려가 대는 게 아니야. 그래서 진슈 절은 대부분 풍족했던 거야.

K가 태어난 집도 풍족한 집안이었네. 하지만 차남을 도쿄로 보내 공부시킬 정도의 여력이 있었는지는 잘 모르겠네. 또 도쿄

에서 공부할 수 있다는 이유로 양자로 보낸 건지 그것도 잘 모르 겠네. 어쨌든 K는 의사 집안에 양자로 들어갔어. 우리가 중학교에 다닐 때의 일이네. 나는 교단에서 선생님이 출석을 부를 때 K의 성이 바뀌어 깜짝 놀란 일을 지금도 기억하네.

K가 양자로 간 곳도 상당히 재산이 많은 집안이었어. K는 양부모에게 학비를 받아 도쿄로 올라온 거야. 나와 함께 올라온 것은 아니지만 도쿄에 도착한 후 곧바로 같은 하숙집에 들어갔지. 한 방에 두세 명씩 책상을 나란히 놓고 지내던 시절이었지. K도 나와 같은 방에서 지냈어. 산에서 사로잡힌 동물이 우리 안에서 서로 부둥켜안고 바깥을 노려보는 것과 같았겠지. 두 사람은 도쿄와 도쿄 사람을 두려워했네. 그러면서도 다다미 여섯 장짜리 방 안에서 큰 뜻을 품고 넓은 세상으로 나가 뜻을 펼치겠다는 결의를 다지곤 했네.

우리는 진지했어. 실제로 아주 훌륭한 사람이 될 생각이었네. 특히 K의 결심은 대단했지. 절에서 태어난 그는 늘 정진(精進)이라는 말을 사용했네. 그리고 그의 모든 행동은 이 정진이라는 한마디로 표현되는 것처럼 보였어. 나는 마음속으로 항상 K를 동경하면서도 두려워했네.

K는 중학교 때부터 종교와 철학 같은 어려운 주제를 거론해 나를 난처하게 만들었네. 그의 아버지의 영향이었는지 아니면 자신이 태어난 집, 즉 절이라는 어떤 특별한 공간이라는 분위기 탓이었는지는 모르겠네. 어쨌든 그는 보통 승려보다는 훨씬 승려다운 성품을 지녔던 것 같아. 원래 K의 양부모는 그를 의사로

만들 생각으로 도쿄로 보냈네. 하지만 성격이 완고한 그는 결코 의사가 되지 않겠다는 결심을 하고 도쿄로 온 거야. 나는 그에게 그건 양부모를 속이는 거나 마찬가지가 아니냐고 따졌네. 대담한 그는 그렇다고 대답하더군. 그리고 자신이 원하는 길을 가기 위해서는 그렇게 할 수밖에 도리가 없다고 말했지.

그때 그가 말한 길이라는 말은 아마 그 자신도 명확하게 이해하지 못했을 거야. 물론 나도 이해했다고는 할 수 없네. 그러나 아직 젊은 우리에게는 이 막연한 말이 가슴 깊이 와 닿았네. 잘 이해하지는 못해도 숭고한 분위기에 매료되어 원하는 곳을 향해 나아가려는 의지만큼은 꺾이지 않았어.

나는 K의 주장에 찬성했어. 내 동의가 K에게 얼마나 힘이 되었는지는 나도 모르네. 외골수인 그는 설령 내가 반대했더라도 틀림없이 소신껏 밀고 나갔을 거야. 그러나 혹시라도 일이 잘못되면 찬성을 한 내게도 얼마간 책임이 있다는 것 정도는 아직 어리지만 나도 잘 알고 있었네. 그때 그 정도의 각오가 없었다 해도 성숙한 눈으로 과거를 되돌아볼 필요가 생겼을 때는 내게 주어진 만큼의 책임은 당연히 내가 짊어진다는 생각으로 찬성한 것일세.

20

K와 나는 같은 과에 입학했네. K는 양자로 들어간 집에서 보내 주는 돈으로 태연하게 자신이 가고 싶은 길을 걷기 시작했네.

K의 마음속에는 양부모님이 알 리 없다는 생각과 알아도 상관 없다는 배짱이 동시에 있었을 거라고 생각하네. K는 나보다 느긋했지.

첫 여름 방학에 K는 고향으로 돌아가지 않았네. 고마고메에 있는 어느 절에 방 하나를 얻어 공부하겠다고 하더군. 내가 돌아온 건 9월 초순이었는데, 그는 정말 대관음상 옆의 초라한 절에 틀어박혀 있었어. 그의 방은 본당 바로 옆의 좁은 방이었는데, 그는 그곳에서 자신의 생각대로 공부할 수 있어서 무척 기뻐하고 있는 것처럼 보였어. 나는 그때 그의 생활이 점차 승려처럼 되어 가고 있다고 인정한 것 같아. 그는 손목에 염주를 팔찌처럼 차고 있었어. 내가 그건 왜 하고 있느냐고 묻자, 그는 엄지손가락으로 하나 둘 하고 세는 흉내를 내는 거야. 그는 이렇게 날마다 몇 번이나 염주를 세는 것 같았네. 하지만 나는 그 의미를 알 수 없었어. 둥근 염주를 한 알 한 알 세어 본들 끝이 없었으니까. K는 그렇게 염주를 하나씩 세던 손을 어디에서 어떤 기분으로 멈추었을까? 대수로운 일은 아니지만 나는 곧잘 그런 생각을 했네.

나는 또 그의 방에서 성서를 보았네. 나는 그때까지 그의 입을 통해 불경의 이름은 여러 번 들은 기억이 있지만 기독교에 대해서는 질문을 받은 적도 대답한 적도 없었기에 좀 놀랐다네. 나는 그 이유를 묻지 않을 수 없었지. K는 특별한 이유는 없다고 하더군. 많은 사람이 읽는 책이라면 읽어 보는 게 당연하지 않느냐고 했어. 게다가 그는 기회가 생기면 코란도 읽어 볼 생각이라고 하더군. 그는 마호메트와 검이라는 말에 흥미가 큰 것 같았어.

이 년째 되던 여름에 그는 고향에서 빨리 내려오라는 재촉을 받고 마지못해 돌아갔네. 돌아가서도 전공에 대해서는 아무 말도 하지 않은 것 같아. 또 가족들도 전혀 눈치채지 못했어. 자네는 학교 교육을 받은 사람이니 이런 일에 대해 잘 알겠지만, 세상 사람들은 학생들의 생활이나 규칙 등에 놀랄 정도로 무지하다네. 우리에게는 너무나 당연한 일이 외부에서는 전혀 통하지 않지. 또 우리는 비교적 내부 공기만 마시기 때문에 학교 내의 일은 세상 사람들이 뭐든지 훤히 알고 있을 거라고 생각하는 버릇이 있네. K는 그런 점에서는 나보다 훨씬 더 세상을 잘 알고 있었지. 그는 아무 일도 없었다는 얼굴로 돌아왔네. 고향을 떠날 때는 나도 함께 있었기 때문에 기차를 타자마자 곧바로 어쨌느냐고 K에게 물어보았네. K는 아무 일도 없었다고 대답했지.

세 번째 여름은 내가 부모의 묘소가 있는 고향을 영원히 떠나겠다고 결심한 바로 그해였네. 나는 그때 K에게 고향으로 돌아가라고 권했지만 그는 응하지 않았어. 그렇게 해마다 집에 돌아가서 뭐하느냐고 하더군. 그는 또다시 도쿄에 머물면서 공부할 생각인 것 같았네. 나는 할 수 없이 혼자서 도쿄를 떠나기로 했네. 내가 고향에서 지낸 그 두 달이라는 시간이 내 운명에서 얼마나 파란만장한 것이었는지는 앞에 쓴 그대로이기 때문에 되풀이하지 않겠네.

나는 우울함과 고독과 분노로 터질 것 같은 가슴을 안고 9월이 되어 다시 K를 만났네. 그런데 그의 운명 역시 나와 마찬가지로 변화가 있었다네. 그는 내가 모르는 사이에 양부모에게 편지를 보내 자신의 기만을 고백한 거야. 그는 처음부터 그런 각오로 있었던 듯해. 집안사람들로 하여금 '이제 와서 어쩔 수 없으니 네가 원하는 대로 해라.'라는 말을 은근히 기대했던 거야. 어쨌든 대학에 들어와서까지 양부모를 속일 생각은 없었던 것 같아. 또 속이려고 해도 그렇게 오래가지는 않는다는 걸 이미 알고 있었는지도 모르지.

21

K의 편지를 본 양아버지는 크게 노했네. 그리고 부모를 속이는 괘씸한 녀석에게는 학비를 보내 줄 수 없다는 냉엄한 편지를 보내왔어. K는 그 편지를 내게 보여 주었네. K는 그 편지와 비슷한 시기에 본가에서 보낸 편지도 보여 주었지. 그 편지 역시 양아버지의 편지에 뒤지지 않을 만큼 냉정하게 질책하는 내용이었어. 양자로 간 집에 대한 미안한 감정 때문인지 자신들도 더는 상관하지 않겠다고 적혀 있었어. K가 이 사건 때문에 다시 본가로 호적을 되돌릴지 아니면 그 밖의 다른 타협의 길을 모색해서 계속 양부모 댁에 있을지는 나중 문제였어. 당장 해결해야 할 문제는 다달이 필요한 학비였네.

나는 K에게 그 문제를 해결할 무슨 뾰족한 생각이 있는지 물어보았어. K는 야간 학교 교사라도 할 생각이라고 하더군. 그때는 요즘과 비교할 때 의외로 세상살이에 여유가 있었기에 아르바이트 자리도 자네가 생각하는 것보다 많은 편이었어. 나는 K가 그걸로 충분히 생활할 수 있으리라 생각했지. 하지만 내게 도 책임이 있었어. K가 양아버지의 희망을 저버리고 자신이 가고 싶은 길을 가려고 했을 때 나도 찬성했으니까. 그렇기에 마냥 팔짱만 끼고 나 몰라라 할 수는 없었어. 나는 그 자리에서 물질적인 원조를 해 주겠다고 제안했다네. 그런데 K는 단번에 내 제안을 거절하더군. 그의 성격상 자립하는 편이 친구의 보호 아래 있는 것보다 훨씬 마음 편했겠지. 그는 대학에 들어간 이상 혼자 힘으로 해내지 못한다면 남자가 아니라고 말하더군. 내 책임을 다하기 위해 K의 자존심에 상처를 입힐 수는 없었네. 그래서 그가 원하는 대로 하게 놔두고 나는 한발 물러섰어.

얼마 지나지 않아 K는 기어이 자신이 원하는 일자리를 찾아냈네. 하지만 시간을 아끼는 그에게 이 일이 얼마나 괴로웠을지는 상상이 되고도 남았네. 그는 이전과 마찬가지로 조금도 공부를 게을리 하지 않고 새로운 짐을 짊어진 채 열심히 앞을 향해 달린 거야. 나는 그의 건강을 염려했어. 하지만 강직한 K는 웃기만 할 뿐 내 충고는 귀담아듣지 않았어.

동시에 그와 양부모의 감정의 골은 더욱 깊어 갔어. 시간 여유가 없어진 그는 전처럼 나와 이야기할 기회조차 낼 수 없었기 때문에 결국 자초지종을 자세히 듣지는 못했지만 해결의 기미는 보이지 않고 상황이 더 악화되고 있다는 것만은 잘 알고 있었어. 다른 사람이 중재에 나서서 타협을 시도했다는 것도 알고 있었네. 그 중재인은 편지로 K에게 빨리 고향으로 내려오라고 재촉했지만 K는 도저히 무리라며 응하지 않았네. K는 학기 중이라 갈 수 없기 때문에 어쩔 수 없다고 했지만, 상대편이 볼 때는 고집을 피우는 거나 다름없었지. K의 그런 고집이 사태를 더욱 악화시킨 것 같아. 그는 양부모의 감정을 더욱 상하게 했을 뿐만 아니라 본가의 분노를 사게 되었네. 내가 걱정되어 양쪽을 달래기 위해 편지를 썼을 때는 이미 돌이킬 수 없는 상황이었어. 내 편지는 답장 한 번 받지 못한 채 묻혀 버려 나도 화가 났지. 그때까지도 돌아가는 상황을 지켜보며 K를 동정하던 나는 그 후로는 무조건 K의 편을 들어야겠다고 다짐했네.

결국 K는 본가로 호적을 되돌리기로 했어. 양부모가 대 주던 학비는 본가에서 변상하게 되었지. 그 대신 본가 쪽에서도 K에게 더는 상관하지 않을 테니 앞으로는 멋대로 하라고 했지. 옛날 말로 하면 의절이 되는 거겠지. 어쩌면 그다지 강경한 것은 아니었을지도 모르지만 본인은 그렇게 해석했다네. K는 어머니가 안 계셨어. K 성격의 일부는 분명히 계모 밑에서 자란 결과라고도 볼 수 있을 거야. 만일 그의 생모가 살아 있었다면 그와 본가 사이가 그렇게까지 벌어지기 전에 해결되었을지도 모른다고 생각하네. 그의 아버지는 두말할 것도 없이 승려였어. 하지만 의리를 아주 중요시 여긴다는 면에서는 오히려 무사를 닮은 것 같았네.

22

K의 사건이 일단락된 후 나는 그의 매형에게 장문의 편지를

받았네. K가 양자로 간 집은 매형의 친척집이었기에 그를 양자로 보내자는 이야기가 나왔을 때도, 그가 다시 본가로 돌아가게 되었을 때도 매형이 중간에서 중재했다고 K가 내게 말한 적이 있었어. 편지에는 그 후 K가 어떻게 지내고 있는지 알려 달라고 쓰여 있었네. 누나가 걱정하고 있으니 가능한 한 빨리 답장을 보내 달라는 부탁도 들어 있었어. K는 친아버지의 절을 잇게 된 형보다 시집간 이 누나를 더 좋아했어. 그들은 모두 한 부모에게서 태어난 형제였지만, 이 누나와는 나이 차가 꽤 있었어. 그래서 K가 어릴 때는 계모보다 오히려 이 누나가 오히려 친어머니처럼 보였을 거야.

나는 K에게 편지를 보여 주었어. K는 아무 말도 하지 않았지만 자신이 있는 곳에 이 누나에게 같은 내용의 편지가 두세 번 왔다고 털어놓았네. K는 그때마다 걱정하지 말라는 답장을 보냈다고 했어. 이 누나는 하필이면 살림이 그다지 넉넉지 않은 집으로 시집을 갔기 때문에 아무리 K가 걱정되어도 물질적인 도움은 줄 수 없었던 거야. 나는 K가 누나에게 보낸 답장과 같은 내용을 적어 그의 매형에게 보냈네. 그리고 혹시라도 힘든 상황이 생기면 그때는 내가 어떻게든 알아서 할 테니 안심하라고 했네. 물론 나 혼자만의 생각이었지.

K의 앞날을 걱정하는 그의 누나를 안심시키려는 생각도 있었지만, 나를 무시했다고밖에는 생각할 수 없는 그의 본가나 양부모에게 보란 듯이 도와주고 싶다는 생각도 있었네.

K가 본가 호적으로 되돌린 것은 1학년 때였어. 그 후 2학년 중

반이 될 때까지 거의 일 년 동안 그는 혼자 힘으로 살았네. 하지만 이 과도한 노력이 차츰 그의 건강과 정신에 영향을 미친 것 같았어. 그리고 양부모와의 갈등과 같은 시끄러운 문제도 한몫했겠지. 그는 점차 감상적이 되어 갔네. 때때로 이 세상의 모든 불행을 자기 혼자 짊어지고 있는 듯한 말을 할 때도 있었어. 그리고 그것을 부정하면 화를 내곤 했지. 자신의 미래를 비추는 빛이 차츰 그에게서 멀어져 간다고 생각해서 무척 초조했던 거야. 학문을 시작할 때는 누구나 위대한 포부를 갖고 새로운 여행을 떠나는 것이 보통이지. 하지만 일 년이 지나고 이 년이 지나 어느새 졸업할 때가 되어 좀처럼 앞으로 나아가지 못하는 자신의 모습을 깨닫는 순간 대부분 크게 실망하지. K의 경우도 마찬가지였지만 그가 초조해하는 모습은 평소에 비해 훨씬 심각했어. 나는 결국 그를 안정시키는 게 급선무라고 생각했네.

나는 그에게 일을 그만두라고 했지. 그리고 당분간 쉬는 게 더 큰 미래를 위해 바람직하다고 충고했어. K는 고집이 워낙 세서 좀처럼 내 말을 듣지 않을 거라는 예상은 했지만, 실제로 말을 꺼내 보니 생각보다 설득하기 힘들어서 어떻게 해 볼 도리가 없었어. 다만 K는 자신의 목적이 학문만은 아니라고 주장했네. 의지력을 키워 강한 사람이 되는 게 자신의 바람이라고 하더군. 그러기 위해서는 어려운 환경에서 직접 살아 봐야 한다는 거야.

다른 사람들이 볼 때는 마치 술주정을 하는 것처럼 들렸겠지. 게다가 어려운 환경에 있지만 그의 의지는 전혀 강해지지 않았어. K는 오히려 신경 쇠약에 걸려 있었어. 나는 어쩔 수 없이 그의 의견에 동감이라는 태도를 보였어. 결국 나도 그런 생각으로 인생을 살 생각이었다고 확실하게 말했네. 하지만 모두 허무맹랑한 말은 아니었어.

K의 주장을 듣다 보면 점점 그의 정신세계로 빨려 들 정도로 그에게는 힘이 있었으니까. 마지막으로 나는 K와 함께 살면서 같은 목표를 향해 나아가고 싶다고 제안했네. 나는 그의 고집을 꺾기 위해 그의 앞에 무릎까지 꿇었네. 그렇게 해서 그를 내가 사는 하숙집으로 데려온 거야.

23

내 방에는 다다미 넉 장 크기의 손님용 방이 붙어 있었어. 현관에 들어서 내 방으로 오려면 꼭 이 방을 지나야 했기 때문에 실용적인 면에서는 아주 불편한 방이었네. 나는 K에게 이 방을 내주었어. 원래는 다다미 여덟 장 크기의 내 방에 책상 두 개를 놓고 옆방을 같이 쓸 생각이었는데 K는 좁아도 혼자 쓰는 게 편하다며 스스로 그 방을 택한 거야.

앞에서 말했지만 사모님은 반대했어. 전문적인 하숙집이라면 한 사람보다 두 사람이 편리하고 두 사람보다 세 사람이 이득이지만 결코 돈을 벌려고 하숙을 치는 게 아니므로 웬만하면 그만두라고 했지. 내가 결코 귀찮게 할 사람이 아니니 괜찮을 거라고 하자, 그렇더라도 잘 모르는 사람은 싫다는 거야. 그렇다면 지금 신세지고 있는 나도 마찬가지 아니냐고 했더니, 나에 대해서는 잘 안다고 변명하며 좀처럼 물러서지 않았어. 나는 쓴웃음을 지었다네. 그러자 사모님은 또 다른 이유를 대는 거야. 그런 사람을 데려오는 건 나를 위해 좋지 않으니 그만두라는 거였어. 왜 나를 위해 좋지 않은지 묻자, 이번에는 사모님이 쓴웃음을 짓더군.

솔직히 나 역시 굳이 K와 같이 있을 필요는 없었네. 하지만 매달 필요한 생활비를 돈으로 내놓으면 그는 분명히 받지 않을 거라고 생각했지. 그만큼 자립심이 강한 남자였어. 그래서 그를 내가 사는 하숙집에 함께 살게 하면서 두 사람분의 식비를 그가 모르게 사모님에게 몰래 주려고 했던 거야. 하지만 나는 K의 경제 문제를 사모님에게 털어놓을 생각은 없었네.

K의 건강에 대해서만 말했지. 혼자 두면 점점 사람이 이상해질 거라고 했다네. 그리고 K가 양부모와 사이가 나빠진 일, 본가와도 절연한 일 등을 들려주었어. 나는 물에 빠진 사람을 구해다가 자신의 온기를 나누어 줄 각오로 K를 데려온 거라고 말했네. 그러니 따뜻하게 보살펴 달라고 사모님과 아가씨에게 부탁했지. 사모님도 그제야 이해해 주더군. 하지만 내게 아무 이야기도 듣지 못한 K는 자초지종을 전혀 모르고 있었다네. 나는 다행이라고 생각하고 마지못해 이사 온 K를 아무렇지도 않은 얼굴로 맞아들였어.

사모님과 아가씨는 친절하게 그의 짐 정리 등을 도와주며 여러모로 신경 써 주었어. 모든 것이 나에 대한 호의에서 나온 거라고 해석한 나는 속으로 기뻐했네. K가 여전히 무뚝뚝한 얼굴을 하고 있었음에도 말이야.

211

내가 K에게 새로운 집에 온 기분이 어떠냐고 물었을 때 그는 단 한마디, 나쁘지 않다고만 했어. 내가 볼 때는 나쁘지 않은 정도가 아니었지. 그가 지금까지 지내던 곳은 북향이라서 볕도 들지 않아 습하고 퀴퀴한 냄새가 나는 누추한 방이었네. 음식도 그 방에 걸맞게 형편없었지. 내가 사는 곳으로 이사한 것은 그에게 깊은 계곡에 갇혀 있던 새가 우뚝 솟은 나무 위로 옮겨 간 것만큼이나 큰 변화였지. 그런데도 전혀 그런 내색을 하지 않는 것은 그의 성격 때문이기도 하지만 또 다른 이유는 그의 주장과도 관계가 있었네. 불교의 가르침 속에서 성장한 그는 의식주에 사치를 부리는 것만큼은 부도덕한 일인 양 생각하고 있었지. 옛날 고승이나 성자들의 전기를 읽은 그는 자주 정신과 육체를 따로 분리해서 생각하는 버릇이 있었어. 육체를 단련하면 영혼의 빛이 더욱 강해진다고 믿었을지도 모르네.

나는 가능한 한 그와 대립하지 말아야겠다고 다짐했어. 얼음을 햇볕으로 녹이려고 한 거지. 얼마 안 되어 녹아서 따뜻한 물이 되면 스스로 자신을 깨닫게 될 날이 올 게 틀림없다고 생각했던 거야.

24

나도 사모님이 따뜻하게 대해 준 결과 점점 쾌활해졌으니 이번에는 K에게 적용해 보려 한 거야. K와 내 성격이 많이 다르다는 건 오랫동안 교제해서 잘 알고 있었지만 이 집에 들어오고 나서 내 신경이 다소 가라앉은 것처럼 K의 마음도 이곳에 있다 보면 언젠가는 안정을 되찾으리라고 생각했지.

K는 나보다 의지가 강한 친구였어. 공부도 나보다 두 배는 했을 거야. 게다가 선천적으로 나보다 머리가 좋았어. 나중에는 전공이 달랐기 때문에 뭐라고 말할 수 없지만 같은 반에 있을 때는 중학교나 고등학교에서도 K의 성적이 항상 높았어. 내게는 평소에 무엇을 해도 K에게는 못 당한다는 자각이 있었을 정도였지. 하지만 내가 반강제로 K를 지금의 하숙집으로 데려왔을 때는 내 쪽이 사리 판단을 잘하고 있다고 믿었어. 그는 참을성과 인내심을 구분하지 못하고 있다고 생각했거든. 이 말은 특히 자네를 위해서 덧붙이는 거니까 잘 들어 주게. 육체든 정신이든 우리의 모든 능력은 외부의 자극을 받아 발달하기도 하고 파괴되기도 하지만, 어느 쪽이든 자극을 점차 강하게 줄 필요가 있지. 그렇기 때문에 잘못 판단하면 매우 안 좋은 방향을 향해 나아가는데도 자신은 물론 주위 사람들도 깨닫지 못할 우려가 생기는 거야. 의사의 설명을 들어 보면 인간의 위장만큼 제멋대로인 것도 없다고 하더군. 죽만 먹다 보면 어느새 그보다 단단한 음식은 소화할 능력이 없어져 버린다는 거야. 그러니까 뭐든 먹는 연습을 해 두라고 의사는 말하지. 하지만 이건 단순히 익숙해진다는 의미는 아니라고 생각하네. 점차 자극의 강도를 높이면 영양 기능의 저항력도 강해진다는 의미여야 하지. 만일 반대로 위의 힘이 차츰 약해졌을 때 그 결과가 어떻게 될지 상상해 보면 금방 알 수 있는 일이야. K는 나보다 훌륭한 사람이었지만, 그것을 전혀 모르

고 있었어. 일단 어려운 상황에 익숙해지면 나중에는 그런 상황이 전혀 아무렇지도 않게 느껴진다고 혼자 결론을 내린 거지. 고통을 겪다 보면 더는 고통스럽지 않게 여겨질 때가 올 거라고 믿고 있었던 것 같아.

나는 K를 설득할 때 그 점을 분명히 하고 싶었어. 하지만 그 말을 하면 반발할 게 틀림없었네. 또 옛날 사람들의 예를 들고 나올 게 뻔했지. 그러면 나 또한 그 사람들과 K가 다른 점을 명백하게 설명해야 하는 거야. 그가 그 점을 수긍하면 좋겠지만 그의 성격으로 보아 논쟁이 거기까지 가면 쉽게 물러서지는 않을 거야. 더 앞으로 나아가겠지. 그리고 자신의 입으로 내뱉은 말을 실천하려 하겠지. 그는 그 정도로 무서운 남자였네. 위대했지. 스스로 자신을 파괴하면서 앞으로 나아가는 거야. 결국 그는 자신의 성공을 저버렸다는 점에서는 대단할지 모르지만 어쨌든 결코 평범하지는 않았어. 그의 성격을 잘 아는 나는 결국 아무 말도 할 수 없었네. 게다가 그는 약간 신경 쇠약에 걸린 것 같았어. 만일 내가 그를 끝까지 설득하려고 했다면 그는 틀림없이 불같이 화를 냈을 거야. 그와 다투는 걸 두려워하지는 않았지만 지독하게 고독했던 내 과거를 되돌아볼 때, 친구인 그가 나와 똑같은 고통을 겪게 하고 싶지는 않았네. 나 때문에 그가 고독해지는 건 더 싫었어. 그래서 나는 그를 내 하숙집으로 데려온 후에도 얼마 동안은 비평하는 듯한 표현은 최대한 자제했네. 그저 느긋하게 주위 사람들이 그에게 어떤 영향을 미치는지 그 결과를 지켜보기로 한 거야.

　나는 사모님과 아가씨에게 가능한 한 K와 많은 이야기를 나누어 달라고 부탁했네. 대화 없는 생활이 그를 그렇게 만든 거라고 믿었기 때문이지. 사용하지 않는 철이 녹이 스는 것처럼 그의 마음도 녹이 슬어 버린 거라고 생각한 거야.

　사모님은 K에게 말도 제대로 못 붙이겠다며 웃었어. 아가씨는 일부러 그 예까지 들어가며 내게 설명했네. 화로에 불이 남아 있느냐고 물으면 K는 없다고 대답한다는 거야. 그럼 가지고 오겠다고 하면 필요 없다고 거절한다는 거야. 춥지 않느냐고 물으면 춥지만 필요 없다고 대답할 뿐 더는 대꾸하지 않는다는 거야. 나는 그냥 쓴웃음만 짓고 있을 수는 없었어. 미안한 마음에 어떻게든 얼버무리려고 했네. 그때는 봄이었으니까 굳이 불을 쬘 필요는 없었지만 이래서는 말도 못 붙이겠다는 소리를 듣는 것도 무리는 아니었지.

　그래서 나는 가능하면 내가 중심이 되어 두 모녀와 K가 친해질 수 있도록 노력했네. K와 내가 이야기하고 있는 자리에 두 모녀를 부르거나 그녀들과 내가 방에서 이야기할 때 일부러 K를 부르는 등 어떻게 해서든 그들이 친해지도록 한 거야. 물론 K는 그것을 별로 좋아하지 않았어. 어떤 때는 불쑥 일어나 방에서 나갔네. 또 어떤 때는 아무리 불러도 좀처럼 나오지 않았어. K는 그런 쓸데없는 이야기가 뭐가 재미있느냐고 했지. 나는 그저 웃기만 했네. 하지만 마음속으로는 K가 그 때문에 나를 경멸하고 있다는 걸 잘 알았어.

어떤 의미에서 나는 실제로 그가 경멸할 만했는지도 모르지. 그가 지향하는 곳은 나보다 훨씬 높은 곳에 있다고도 할 수 있겠지. 나도 그것을 부정하지는 않겠네. 그러나 눈만 높고 다른 부분이 조화를 이루지 못한다면 결국 불완전한 거지. 나는 무엇보다 그를 인간답게 만드는 일이 우선이라고 생각했어. 아무리 그의 머릿속이 훌륭한 이미지로 가득 차 있다고 해도 그 자신이 훌륭해지지 않는 이상 아무 소용이 없다는 걸 발견한 거지. 나는 그를 인간답게 만드는 첫 번째 수단으로 우선 이성 옆에 그를 앉히는 방법을 강구한 거야. 그리고 그를 그런 분위기에 노출시켜 녹슨 그의 피를 깨끗하게 하려는 시도를 했지.

이 시도는 차츰 성공하기 시작했네. 처음에는 서로 어울리기 어려울 것처럼 보였지만 점차 하나가 되기 시작했어. 그는 자신 외에 또 다른 세계가 있다는 걸 조금씩 깨닫는 것 같더군. 어느 날 그는 내게 여자는 그렇게 경멸할 만한 존재는 아니라는 투로 말했네. 처음에 K는 여자에게도 나 정도의 지식과 학문을 바란 모양이야. 그리고 그것이 발견되지 않자 곧바로 경멸하는 마음이 생긴 거지. 그때까지 그는 성별에 따라 다르다는 걸 깨닫지 못하고 모든 남녀를 같은 시선으로 관찰하고 있었던 거야. 나는 그에게 만일 우리 두 사람이 영원히 남자끼리만 이야기를 나눈다면 두 사람은 그저 곧장 앞을 향해 나아가기만 할 거라고 말했어. 그는 그렇다고 했네. 나는 그때 아가씨에게 빠져 있었기 때문에 자연히 그런 말도 하게 된 거야. 하지만 그런 속사정은 그에게 한마디도 털어놓지 않았네.

지금까지 책으로 성벽을 쌓고 그 안에 틀어박혀 있던 K의 마음이 점차 누그러지는 걸 보는 일은 매우 유쾌했네. 처음부터 그런 목적으로 시작했으니 자신의 성공에 따르는 희열을 맛본 거야. 나는 K에게 말하지 않는 대신 사모님과 아가씨에게 내가 느낀 바를 말했어. 두 사람도 만족하는 모습이었네.

<h2 style="text-align:center">26</h2>

K와 나는 같은 과였지만 전공이 달랐기에 자연히 학교 가는 시간이나 귀가 시간이 달랐네. 내가 일찍 귀가할 때는 그가 없는 방을 그대로 가로지르면 그만이지만 늦게 귀가할 때는 그에게 간단히 인사하고 내 방으로 들어가는 게 보통이었지. K는 늘 책을 읽다가 고개를 들고 나를 바라보면서 지금 왔느냐고 꼭 인사를 했다네. 나는 잠자코 고개를 끄덕이거나 그냥 "응." 하고 대답하며 지나치곤 했지.

어느 날 나는 간다에 일이 있어 평소보다 늦게 귀가했네. 나는 잰걸음으로 돌아와 대문을 열었네. 그와 동시에 아가씨의 목소리를 들었지. 목소리는 분명히 K의 방에서 났어. 현관에서 곧장 들어가면 거실과 아가씨의 방이 이어져 있고, 그곳에서 왼쪽으로 돌면 K의 방과 내 방이 나오는 구조라서 오랫동안 그 집에 있었던 나는 어디서 누구의 목소리가 나는지 정도는 알 수 있었지. 나는 얼른 문을 닫았네. 그 순간 아가씨의 목소리도 멈췄어. 나는 그때 신고 벗는 데 꽤 시간이 걸리는 끈 달린 구두를 신고 있었네. 내가 허리를 굽히고 구두끈을 푸는 동안 K의 방에서는 아무 소리도 들리지 않았어. 나는 이상하게 생각했지. 어쩌면 내 착각인지도 모른다는 생각도 들더군. 하지만 내가 평소와 마찬가지로 K의 방을 지나가기 위해 문을 열자 두 사람은 분명히 그곳에 앉아 있었네. K는 평소처럼 지금 왔느냐고 말했어. 아가씨도 "오셨어요?" 하고 앉은 채 인사했네.

기분 탓인지 그 간단한 인사말이 조금 딱딱하고 부자연스럽게 들리더군. 나는 아가씨에게 "사모님은요?" 하고 물었어. 그 질문에 별다른 의미는 없었네. 그저 집 안이 평소보다 조용했기에 물어본 것뿐이지.

역시 사모님은 외출 중이었네. 하녀도 사모님과 함께 나가고 없었어. 그러니까 집에는 K와 아가씨밖에 없었던 거야. 그 순간 이상한 생각이 들었네. 꽤 오랫동안 이 집에 살았지만 사모님은 한 번도 아가씨와 나만 남겨 둔 채 집을 비운 적이 없었거든. 나는 무슨 급한 일이라도 생겼느냐고 아가씨에게 물었네. 아가씨는 그저 웃기만 했어. 나는 이런 상황에서 웃는 여자가 싫었어. 젊은 여자들이 원래 그런지는 모르지만 아가씨 역시 시도 때도 없이 잘 웃는 그런 여자였지. 하지만 아가씨는 내 표정을 보더니 금방 웃음을 거두었어. 급한 일은 아니지만 잠깐 볼일이 있어서 나갔다며 웃지 않고 대답했네. 하숙생인 내가 더는 꼬치꼬치 캐물을 권리는 없었지. 나는 입을 다물었네.

내가 옷을 갈아입고 자리에 앉으려고 할 때 사모님과 하녀도 돌아왔네. 이윽고 저녁 식탁에서 서로 얼굴을 마주하는 시간이

왔어. 하숙 초기에는 나를 손님 대접했기 때문에 식사 때마다 하녀가 상을 들고 내 방에 갖다 주었지만 언제부터인지 식사 때가 되면 안채로 가서 먹게 되었네. K가 새로 이사를 왔을 때도 내가 우겨서 그를 나와 똑같이 대해 달라고 했지. 대신 나는 얇은 판자로 만든, 다리가 접히는 멋있는 식탁을 사모님에게 선물했네. 지금은 어느 집에서나 사용하는 식탁이지만 당시에는 그런 모양의 식탁에 둘러앉아 식사를 하는 가족은 거의 없었어. 그 식탁은 내가 일부러 오차노미즈에 있는 가구점까지 가서 내가 생각한 대로 특별 주문해 만든 것이었네.

그날 저녁, 식탁에서 사모님은 항상 정해진 시간에 찾아오던 생선 장사가 오늘은 오지 않는 바람에 할 수 없이 반찬거리를 사러 시내까지 나갔다 왔다고 했네. 하숙생이 있으니 그도 그렇다는 생각을 하고 있을 때 아가씨가 내 얼굴을 보더니 또 웃기 시작했어. 하지만 이번에는 사모님에게 야단맞고 금방 웃음을 거두었네.

27

일주일쯤 지나서 나는 또 K와 아가씨가 함께 이야기하고 있는 방을 지나갔네. 그때 아가씨가 내 얼굴을 보자마자 웃기 시작했어. 그 자리에서 무엇이 그리 우스운지 물어야 했지만 나는 말없이 내 방으로 와 버렸네. 그래서 K도 평소처럼 지금 왔느냐고 내게 말을 걸 수 없었지. 아가씨는 곧바로 K의 방을 나와 거실로 들어간 것 같았어.

저녁 식사 때 아가씨는 내게 이상한 사람이라고 하더군. 나는 그때도 왜 이상하냐고 물어봐야 했지만 아무 대꾸도 하지 않았어. 다만 사모님이 아가씨에게 눈을 흘기는 모습을 보았을 뿐이야.

나는 식사 후 산책이나 하자며 K를 밖으로 데리고 나왔네. 우리는 덴즈인 뒤에서 식물원 골목을 빙 돌아 다시 도미자카 아래쪽으로 나왔어. 꽤 오랫동안 산책을 했지만 두 사람의 대화 내용은 그다지 많지 않았네. 나도 말이 많은 편은 아니었지만 K는 나보다 더 말이 없었거든. 하지만 나는 걸으면서 가능한 한 대화를 이끌어 내려 노력했네. 화제는 주로 하숙집 사모님과 아가씨였어. 나는 그가 사모님과 아가씨를 어떻게 생각하고 있는지 알고 싶었던 거야. 그런데 그는 도통 알 수 없는 대답만 하는 거야. 게다가 무척 간단했네. 그는 두 모녀보다 전공 학과에 더 관심이 많은 것 같았어. 무엇보다 그 무렵은 2학년 학년말 시험이 바로 눈앞에 닥쳤을 때라 누가 보더라도 그가 학생다워 보였겠지. 그런 데다 그는 스베덴보리(Emanuel Swedenborg[1688~1772년], 스웨덴의 과학자. 그리스 도교 신비주의자, 철학자, 신학자_옮긴이)에 대해 이런저런 이야기를 해서 그가 누군지도 모르는 나를 깜짝 놀라게 했네.

우리가 순조롭게 시험을 마쳤을 때 사모님은 둘 다 이제 일 년밖에 안 남았다며 기뻐해 주었네. 그렇게 말하는 사모님의 유일한 자랑거리라고 할 수 있는 아가씨의 졸업도 얼마 남지 않았지. K는 내게 여자는 제대로 배우지도 않고 학교를 졸업하는 거라고 하더군. K는 아가씨가 학문 외에 배우는 바느질이나 거문고, 꽃꽂이는 안중에도 없는 듯했어. 나는 세상 물정에 어두운 그에게 한마디 했네. 여자의 가치는 학문에만 있는 게 아니라며 예전의 이론을 다시 되풀이했지. 그는 별다른 반박을 하지 않았어. 그렇다고 이해한 것 같지도 않았네. 나는 그것이 유쾌했어. 무관심해 보이는 그의 모습이 여전히 여자를 경멸하는 것처럼 보였기 때문이지. 내가 모든 여자의 상징으로 여기는 아가씨를 그는 대수롭지 않게 여기는 것 같았거든. 지금 돌이켜 보면 K에 대한 나의 질투심은 그때부터 이미 싹트고 있었던 거야.

나는 여름 방학에 어디로 갈지 K와 의논했네. K는 별로 가고 싶지 않은 것 같았어. 물론 그는 자신이 가고 싶은 곳이 어디가 됐든 갈 수 있는 형편은 아니지만 내가 함께 가자고 하면 어디를 가든지 상관없는 처지였어. 나는 왜 가고 싶지 않은지 그에게 물어보았네. 특별한 이유는 없다고 하더군. 그냥 집에서 책이나 읽는 것이 마음 편하다는 거야. 내가 피서지 같은 시원한 곳에 가서 공부하는 편이 건강에도 좋다고 주장하자, 그렇다면 나 혼자 가라고 하더군. 하지만 나는 K만 이곳에 남겨 두고 가고 싶지 않았어. K와 아가씨가 점점 가까워지는 게 싫었으니까. 내가 바라던 대로 되었는데 왜 그토록 기분이 상했는지 묻는다면 솔직히 할 말이 없네. 나는 바보임이 틀림없어. 끝이 없는 두 사람의 논쟁을 보다 못한 사모님이 중재에 나섰지. 결국 두 사람은 함께 보슈에 가기로 했네.

28

K는 여행을 별로 좋아하지 않았다네. 나도 보슈는 처음이었어. 두 사람은 사전 지식 없이 배가 가장 먼저 도착한 곳에서 내렸네. 호타라는 곳이었지. 지금은 어떻게 변했는지 모르지만 그당시에는 정말 보잘것없는 어촌이었지. 어디를 가든 비린내가 진동했네. 그리고 바다에 들어가면 파도에 밀려서 손과 발을 긁히기 일쑤였어. 주먹만 한 돌이 밀어닥치는 파도에 같이 휩쓸려서 굴러다녔거든.

나는 금세 그곳에 싫증 났어. 하지만 K는 좋다고도 싫다고도 하지 않았네. 적어도 얼굴 표정만은 아무렇지도 않았어. 그러면서도 그는 바다에 들어갈 때마다 어딘가 꼭 다쳐서 나오는 거야. 나는 마침내 그를 설득해서 그곳을 떠나 도미우라로 갔네. 그리고 도미우라에서 다시 나코로 옮겼네. 이 연안은 당시에도 주로 학생들이 모여드는 곳이었기 때문에 어디를 가든 우리에게는 안성맞춤인 해수욕장이었지.

K와 나는 해안의 바위 위에 앉아 먼바다의 빛깔이나 가까운 바닷속을 바라보곤 했네. 바위 위에서 내려다본 불빛은 유난히 아름다웠지. 보통은 시장에서 볼 수 없는 붉은색 또는 쪽빛을 띤 작은 물고기들이 투명한 파도 속을 이리저리 헤엄치고 있는 모습이 아주 선명하게 보였네. 나는 그곳에 앉아 자주 책을 읽었지. K는 아무것도 하지 않고 침묵을 지킬 때가 많았어.

그가 사색에 잠겨 있는지, 경치에 정신이 팔려 있는지, 아니면 어떤 상상을 하고 있는지 전혀 알 수 없었네. 나는 가끔 고개를 들어 K에게 무슨 생각을 하고 있는지 물었네. K는 아무 생각도 하지 않고 있다고 대답했지. 나는 내 옆에 이렇게 가만히 앉아 있는 사람이 K가 아니고 아가씨였다면 얼마나 좋을까 하고 생각할 때가 많았네. 그것뿐이라면 그래도 괜찮은데 때로는 K도 어쩌면 나와 똑같은 상상을 하면서 바위 위에 앉아 있는 것은 아닐까 하고 별안간 의심이 드는 거야.

왠지 조용히 그곳에서 책을 펼치고 앉아 있는 게 싫어졌어. 나는 갑자기 벌떡 일어섰네. 그리고 주위를 아랑곳하지 않고 큰 소리로 외쳤지. 완성된 시나 노래를 느긋하게 읊조리는 일은 할 수 없었네. 그저 야만인처럼 소리를 질렀어. 어떤 때는 갑자기 그의 목덜미를 뒤에서 꽉 움켜잡았네. 이대로 바닷속으로 밀어 버리면 어떻게 하겠느냐고 K에게 물었어. K는 전혀 동요하지 않았어. 뒤돌아선 채 "마침 잘되었어. 그렇게 해 줘."라고 대답하더군. 나는 곧바로 목덜미 잡은 손을 놓았네.

그 무렵 K의 신경 쇠약증은 상당히 호전되어 보였네. 그와 반대로 나는 점점 더 예민해지고 있었어. 나보다 침착해진 K가 부럽기도 했지만 한편으로는 얄밉기도 했지. 그는 전혀 나를 상대하려고 하지 않았기 때문이야. 내게는 그것이 일종의 자신감처럼 보였어. 하지만 나는 그의 자신감을 인정하는 것만으로는 결코 만족할 수 없었어. 내 의혹은 한발 더 나아가 그 자신감의 이유를 분명히 하고 싶었네. 그는 학문이든 일이든 앞으로 자신이 나아가야 할 미래의 빛을 다시 되찾은 걸까? 단순히 그것뿐이라면 나와 K 사이에는 충돌이 일어날 소지는 없었네. 오히려 돌봐 준 보람이 있어서 기쁠 테니까. 하지만 그의 안정감이 만일 아가씨 때문이라면 나는 결코 그를 용서할 수 없었을 거야. 이상하게도 그는 내가 아가씨를 사랑하는 낌새를 전혀 알아채지 못하는 것 같았어. 물론 나도 K가 알아챌 정도로 유별나게 행동하지는 않았지만 그는 그런 면에서는 워낙 둔한 사람이었네. 나는 처음부터 K라면 괜찮을 거라고 생각했기에 아무 걱정 없이 그를 집으로 데려왔던 거야.

29

나는 용기를 내서 내 마음을 K에게 털어놓으려고 했어. 여행지에 와서야 그런 생각을 한 건 아니었다네. 여행을 떠나기 전부터 그럴 작정이었지. 하지만 고백할 기회를 잡는 것도 그런 기회를 만드는 것도 내 재주로는 좀처럼 무리였네. 지금 생각하면 그 무렵 내 주위에 있던 사람들은 좀 묘했어. 여자에 관해 이야기하는 사람은 아무도 없었네. 그중에는 이야기할 거리가 없는 사람도 꽤 있었겠지만 설령 이야깃거리가 있다고 해도 입을 다물고 있는 게 보통이었어. 비교적 개방적인 분위기 속에서 살고 있는 자네가 볼 때는 분명 이상하다고 생각되겠지. 그것이 아직도 남아 있는 유교의 가르침인지 아니면 일종의 수줍음 때문인지, 판단은 자네에게 맡기겠네. K와 나는 뭐든 서로 이야기할 수 있는 사이였어. 때로는 사랑과 연애에 대한 주제로 이야기를 나누었지만 늘 추상적인 이론으로 빠지곤 했어. 그나마 여간해서는 화제에 오르지도 않았네. 책 이야기나 미래와 포부, 자기 수양 같은 내용이 대부분이었어. 아무리 친해도 갑작스럽게 연애 이야기를 꺼낼 수는 없었지. 두 사람은 서먹하면서도 친했네. 아가씨 일을 K에게 털어놓으려고 마음먹자 왠지 답답하고 조바심이 나서 얼마나 고통스러웠는지 모른다네. 나는 K의 머리 어딘가 한 군데에 구멍을 뚫고 그 구멍으로 부드러운 공기를 불어넣고 싶다는 생각이 들었어.

자네가 보기에는 박장대소할 일이지만 그때 내게는 큰 고민거리였어. 나는 여행지에서도 집에 있을 때와 마찬가지로 비겁했어. 나는 내내 기회를 엿보며 K를 관찰했지만 묘하게 고답적인 그의 태도를 어떻게 해 볼 수 없었네. 내가 보기에 그의 심장 주위는 검은 옻으로 두껍게 칠해져 굳어져 있는 것 같았지. 내가 쏟아부으려는 피는 한 방울도 그의 심장 속으로 들어가지 않고 부을 때마다 튕겨져 나왔네.

어떤 때는 K의 태도가 너무 강하고 고답적이어서 오히려 안심한 적도 있네. 그리고 자신이 의심한 것을 내심 후회하면서 역시 마음속으로 K에게 용서를 빌었지. 용서를 빌면서 스스로 너무 보잘것없는 인간인 것 같아 내 자신이 싫어지더군. 하지만 그것도 잠시뿐이었네. 또다시 그를 의심하는 마음이 되살아나는 거야. 모든 것이 나의 의심에서 비롯되었기 때문에 내게는 무척 불리했어. 외모도 여자들이 K를 더 좋아할 것처럼 보였네. 성격도 나와 달리 대범해서 여자들이 좋아할 것 같았어. 어딘지 좀 부족한 것 같으면서도 또 한편으로는 자기주장이 확실한 남자다운

225

면도 나보다 우세하다고 생각했네. 학교에서의 전공은 다르지만 나는 K의 적수가 안 된다는 걸 확실히 자각하고 있었지. 모든 면에서 상대가 나보다 우월하다는 생각에 잠시 안심했던 나는 금세 다시 불안해졌어.

K는 안절부절못하는 내 모습을 보고 싫증이 났으면 먼저 도쿄로 돌아가도 좋다고 했지만 그런 말을 듣자 오히려 돌아가고 싶지 않았네. 실은 K가 도쿄로 돌아가는 게 싫었는지도 모르네. 우리는 보슈 반도의 돌출된 곳을 돌아 반대편으로 갔어. 조금만 가면 나온다는 그 지역 주민들의 말에 속아 뜨거운 뙤약볕 아래를 걷고 또 걸었네. 우리가 왜 이렇게 고생하면서 정처 없이 걸어야 하는지조차 알 수 없었다네. 나는 K에게 농담처럼 그런 말을 했어. 그러자 K는 다리가 있으니까 걷는 거라고 하더군. 그리고 더워지면 바다에 들어가자며 어디든 상관없이 바다만 보이면 뛰어들었어. 그리고 나면 또다시 살갗이 타들어 갈 것처럼 뜨거운 태양 속을 걸었기 때문에 녹초가 되고 말았지.

30

이렇게 몇 날 며칠을 걷다 보니 더위와 피로에 지쳐 몸 상태가 말이 아니었어. 하지만 병이 난 건 아니었지. 갑자기 내 영혼이 다른 사람의 몸속으로 들어간 듯한 기분을 느낀 거야. 나는 평소와 마찬가지로 K와 이야기를 나누면서 어딘지 모르게 보통 때와는 기분이 달라진 것을 느꼈어. 그에 대한 친밀감도 증오도 여행하는 동안에만 느끼는 특별한 감정일 거라는 생각이 든 거지. 말하자면 우리는 더위와 바다, 그리고 걷는 일 때문에 지금까지와는 다른 새로운 관계가 될 수 있었던 거야. 그때의 우리는 마치 길동무가 된 행상인 같았어. 아무리 많은 이야기를 나누더라도 평소와 달리 머리를 써야 하는 복잡한 화제는 입에 올리지 않았네.

우리는 이런 상태로 초시까지 갔는데, 가는 도중에 있었던 일을 지금도 잊을 수 없네. 보슈를 떠나기 전, 우리는 고미나토라는 곳에서 다이노우라 해안을 구경했어. 이미 햇수도 꽤 지났고 더구나 나는 그다지 흥미도 없었기에 확실하게 기억하지는 못하지만 어쨌든 그곳은 니치렌(日蓮, 일본 불교 종파의 하나인 니치렌종의 개조[開祖]로 독자적인 법화불교를 수립_옮긴이)이 태어난 마을이라고 하더군. 니치렌이 태어나던 날, 도미 두 마리가 파도에 밀려 물가로 올라왔다는 이야기가 전해지고 있었네. 그 후 마을 어부들이 도미 잡는 일을 삼갔기 때문에 연안에는 도미가 많았어. 우리는 작은 배를 빌려 일부러 도미를 보러 바다까지 나갔네.

그때 나는 오로지 파도만 보고 있었어. 그리고 그 파도 속에서 움직이는, 약간 보랏빛이 도는 도미 색깔이 너무 신기해서 계속 바라보았지. 하지만 나와 달리 K는 도미에 별로 흥미가 없어 보였어. 그는 도미보다는 오히려 머릿속에서 니치렌에 대해 상상하고 있었던 것 같아. 마침 그곳에 단조지라는 절이 있었네. 니치렌이 태어난 마을이라서 탄생이라는 단어를 사용했겠지. 훌륭한 절이었네. K는 그 절에 가서 주지스님을 만나 보고 싶다고 하더군. 솔직히 그 무렵에 우리의 몰골은 말이 아니었어. 특히 K는 바람에 날려 모자가 바다로 떨어져 버린 후에는 삿갓을 사서 쓰고 다녔어. 게다가 두 사람 모두 옷은 지저분하고 땀에 절어서 냄새가 정말 심했다네. 나는 스님을 만나는 일은 그만두라고 했지. 그러나 고집 센 K는 듣지 않았어. 정 싫으면 밖에서 기다리라는 거야. 나는 할 수 없이 함께 현관으로 들어갔지만 마음속으로는 분명히 거절당할 거라고 생각했지. 그런데 의외로 스님들이 우리를 매우 친절하게 맞아 주더니 주지스님이 있는 넓고 훌륭한 방으로 안내하더군. 그때의 나는 K와 생각이 많이 달랐기에 스님과 K의 대화를 별로 귀 기울여 듣지 않았네. K는 끊임없이 니치렌에 대해 물어보는 것 같았어. 니치렌은 소니치렌이라고 불릴 정도로 초서에 아주 능했다고 스님이 말했을 때, 글씨가 서툰 K가 시시하다는 표정을 짓던 것을 나는 아직도 기억하고 있네. K는 그런 일보다 더 깊은 의미를 갖는 니치렌에 대해 알고 싶었던 거겠지. 주지스님이 그 점에서 K를 만족시켰는지 어떤지는 의문이지만 그는 절 경내를 나서자 끊임없이 내게 니치렌에 대해 말하기 시작했네. 나는 덥고 지쳐서 아무 관심도 없었기에 그저 대충 맞장구를 쳤지. 나중에는 그나마도 귀찮아서 아예 입을 다물어 버렸네.

아마도 그다음 날 밤이었던 것 같아. 우리가 여관에 도착해 밥을 먹고 잠자리에 들려는 순간, 갑자기 K가 어려운 주제로 말하기 시작했어. K는 어제 자신이 니치렌에 대해 이야기하는데도 내가 전혀 관심 갖고 들어주지 않았다며 그 점에 대해 매우 불쾌

하게 여기고 있었네. 정신적으로 발전하려는 마음이 없는 사람
은 바보라면서 나를 아주 경박한 사람으로 몰아붙이더군. 그런
데 내 가슴에는 아가씨의 일로 응어리진 감정이 있었기 때문에
그의 경멸에 가까운 말을 그저 웃으며 받아들일 수는 없었네. 나
는 나대로 변명하기 시작했어.

31

그때 나는 몇 번이나 '인간답다'는 말을 썼네. K는 이 '인간답다'
는 말 속에 내 모든 약점을 숨기고 있다고 하더군. 나중에 생각해
보니 과연 K가 말한 그대로였어. 하지만 인간답지 않다는 말의
의미를 K에게 이해시키기 위해 그 말을 쓰기 시작한 나는 출발점
부터가 이미 반항적이었기에 그것을 반성할 만한 여유가 없었어.
나는 더욱 강하게 내 생각을 주장했네. 그러자 K가 자신의 어디
가 그렇게 인간답지 않으냐고 물었어. 나는 그에게 말했네.

"너는 인간다워. 어쩌면 너무 인간다운지도 모르지. 하지만 입
으로는 전혀 인간답지 않은 말을 하고 있어. 게다가 인간이 아닌
것처럼 행동하려고 하지."

내가 이렇게 말하자, 그는 단지 자신의 수양이 부족해서 남에
게는 그렇게 보일지도 모르겠다고만 대답할 뿐 반박하려 하지
않았네. 나는 맥이 풀렸다기보다 왠지 그가 안됐다는 생각이 들
었어. 나는 곧바로 논쟁을 끝냈네. 그의 태도도 점차 수그러들
었어. 그가 말한 것처럼 만일 내가 옛날 사람들을 알고 있었다면

그런 공격은 하지 않을 거라며 원망하더군. 물론 K가 말한 옛날 사람이 영웅이나 호걸은 아니야. 영혼을 위해 육체를 혹사하거나 도를 깨닫기 위해 육체를 채찍질한, 이른바 고행자들을 가리키는 거라네. K는 내게 자신이 그 때문에 얼마나 고통스러워하는지 모르는 게 정말 유감이라고 말했네.

그러고 나서 K와 나는 그대로 잠들었지. 그리고 그다음 날부터 다시 평소와 다름없이 떠돌이 행상인처럼 땀을 뻘뻘 흘리며 걷기 시작했어. 하지만 나는 길을 걸으면서 문득문득 그날 밤의 일을 떠올렸어. 내게는 더없이 좋은 기회가 주어졌는데 왜 모르는 척하고 그대로 지나쳤는지 후회스럽더군. '인간답다'는 추상적인 말을 쓰는 대신 좀 더 직설적이고 단순한 이야기를 K에게 털어놓을 걸 하는 후회가 들었어. 사실, 내가 그런 말을 만들어 낸 것도 아가씨에 대한 내 감정이 깔려 있었기 때문이었네. 솔직한 심정을 숨기고 만들어 낸 이론을 K에게 들려주기보다는 솔직하게 있는 그대로 그에게 드러내는 편이 내게는 훨씬 유리했을 거야. 내가 그렇게 하지 못한 건 학문의 교류를 바탕으로 이루어진 우리의 우정을 아가씨 때문에 깰 만큼 내겐 용기가 없었기 때문이라는 걸 이 자리에서 고백하겠네. 너무 잘난 척했다거나 허영심에 사로잡혀 있었다고 해도 결국 똑같은 이야기지만 내가 밝히는 잘난 척이나 허영심의 의미는 보통 말하는 것과는 좀 다르다네. 나는 자네가 그 부분만 이해해 줘도 만족하겠네.

우리는 새까맣게 타서 도쿄로 돌아왔네. 돌아왔을 때 나는 기분이 또 바뀌어 있었다네. 인간답다거나 인간답지 않다거나 하는 핑계는 거의 머릿속에 남아 있지 않았어. K에게서도 종교인다운 모습을 전혀 찾아볼 수 없었지. 아마 그의 마음속 어디에도 영혼이 어떻고 육체가 어떻다는 등의 주제는 품고 있지 않았겠지. 우리는 마치 다른 인종 같은 얼굴로 숨 가쁘게 돌아가는 도쿄를 둘러보았네. 그리고 료고쿠에 가서 무더운 날인데도 닭고기 요리를 시켜 먹었어. K는 그 힘으로 고이시카와까지 걸어서 돌아가자고 했네. 체력으로 보면 K보다 내가 강했기에 곧바로 그러자고 했어.

집에 도착했을 때 사모님은 우리의 모습을 보고 깜짝 놀라더군. 우리는 단순히 그을리기만 한 게 아니라 무작정 걷는 동안 매우 야위었거든. 사모님은 그래도 건강해 보인다며 칭찬해 주었어. 아가씨는 사모님의 모순된 말이 이상하다면서 웃었지. 여행 전에는 그녀가 웃을 때마다 가끔 화가 났지만 그때만큼은 기분이 좋았어. 당시 상황도 그러했지만 오랜만에 그녀의 웃음소리를 들었기 때문이겠지.

32

그뿐만 아니라 아가씨의 태도가 전과 좀 달라졌다는 걸 느꼈어. 오랜만에 여행에서 돌아온 우리가 예전처럼 일상생활을 하려면 여러모로 여자의 손길이 필요했네. 그런데 그 뒷바라지를 해 주는 사모님은 그렇다 치더라도 아가씨가 모든 면에서 나를 우선으로 하고 K를 나중으로 미루는 것처럼 보였던 거야. 그런 행동을 노골적으로 드러냈으면 나도 난처했을지 모르네. 어쩌면 불쾌감을 줄 수도 있었던 일을 아가씨는 겉으로 티 내지 않고 요령껏 했기 때문에 나는 기뻤어. 말하자면 아가씨는 나만 알 수 있도록 그녀만의 친절함을 은근히 내게 좀 더 베풀어 주었던 거야. 그렇기 때문에 K는 별로 불쾌한 얼굴도 하지 않고 태연했네. 나는 남몰래 쾌재를 불렀어.

여름이 지나고 9월 중순부터 우리는 다시 학교에 나가야 했네. K와 나는 각자의 시간표에 따라 집에 들어오고 나가는 시간이 달랐어. 내가 K보다 늦게 귀가하는 날은 일주일에 세 번 정도였는데, 아가씨의 그림자를 K의 방에서 보는 일은 전혀 없었어. K는 언제나처럼 내게 눈을 돌리며 "지금 오는 거야."를 규칙처럼 되풀이했네. 내 인사도 거의 기계처럼 간단하면서 무의미했어.

아마도 10월 중순이었던 것 같아. 나는 늦잠을 잔 탓에 기모노를 입은 채 서둘러 학교에 간 적이 있었네. 끈을 묶을 시간조차 없어서 조리를 대충 신자마자 뛰쳐나간 거야. 그날은 K보다 내가 먼저 돌아오는 날이었네. 현관문을 열었는데 당연히 집에 없다고 생각했던 K의 목소리가 언뜻 들렸어. 동시에 아가씨의 웃음소리가 내 귓가에 울렸네. 나는 평소처럼 손이 많이 가는 끈 달린 구두를 신지 않았기에 곧바로 신발을 벗고 방문을 열었네. 언제나처럼 책상 앞에 앉아 있는 K가 보였어. 하지만 아가씨는 이미 거기에 없었네. 나는 K의 방에서 마치 도망치듯 사라지는 아가씨의 뒷모습을 힐끗 보았을 뿐이야. K에게 왜 이렇게 빨리 돌아왔느냐고 묻자 K는 몸이 안 좋아서 쉬었다고 하더군. 내 방으로 들어와 그대로 앉아 있는데 얼마 안 되어 아가씨가 차를 가지고 들어오더군. 나는 아까는 왜 도망쳤느냐고 웃으면서 물을 만큼 숫기가 없었지. 그러면서도 마음속으로는 자꾸 그 일이 신경 쓰였어. 아가씨는 곧바로 자리를 뜨더니 툇마루 옆을 지나 안채로 들어가 버렸어. 하지만 K의 방 앞에 잠시 멈춰 서더니 서로 몇 마디 주고받고 있었네. 아마도 좀 전에 나누던 대화와 관련이 있는 것 같았는데, 앞의 이야기를 듣지 못한 나는 도대체 무슨 말을 하는지 알 수 없었네.

그러는 사이에 아가씨의 태도가 점점 자연스러워졌어. K와 내가 함께 집에 있을 때도 곧잘 K 방의 툇마루에 와서 그의 이름을 불렀네. 물론 우편물을 가지고 올 때도 있었고 세탁물을 두고 갈 때도 있었어. 같은 집에 있는 두 사람의 관계로 볼 때 그 정도의 교류는 당연했지만 아가씨를 독차지하고 싶은 강한 욕망에 사로잡혀 있던 내게는 그런 사소한 행동조차 둘 사이에 뭔가 있는 것처럼 보였던 거야. 어떤 때는 아가씨가 일부러 내 방으로 오는 걸 피해 K에게만 가는 거라고 생각할 정도였어. 자네는 왜 K를 그 집에서 내보내지 않았는지 궁금하겠지. 하지만 그렇게 한다면 오기 싫다는 K를 무리하게 데려온 내 꼴만 우습게 될 테니까 그럴 수가 없었네.

33

차가운 비가 내리는 11월의 어느 날에 일어난 일이었네. 나는 외투를 적시며 평소와 마찬가지로 곤냐쿠엔마를 지나 좁은 언덕 길을 올라 집으로 돌아왔네. K의 방은 텅 비어 있었지만 화로에 서는 벌건 숯불이 타고 있어서 방 안이 훈훈했어. 나도 따뜻한 화롯불 위에 시린 손을 녹이고 싶은 생각에 서둘러 내 방문을 열었네. 그런데 내 화로에는 식은 재만 하얗게 쌓여 있을 뿐 불씨조차 남아 있지 않았네. 갑자기 기분이 상하더군.

그때 내 발소리를 듣고 사모님이 나왔어. 사모님은 말없이 방 한가운데 우두커니 서 있는 나를 보더니 안됐다는 듯 외투를 벗기고 기모노 입는 걸 도와주었네. 그러고는 내가 춥다고 말하자 곧바로 옆방에서 K의 화로를 들고 와 주었어. K가 돌아왔느냐고 묻자 사모님은 들어왔다가 다시 나갔다고 했네. 그날도 시간 표상으로는 K가 나보다 늦게 들어오는 날이었기 때문에 어찌 된 일인지 궁금하더군. 사모님은 "무슨 볼일이라도 생겼나 보지." 하고 별로 대수롭지 않게 말했네.

나는 얼마 동안 방에 앉아 책을 읽었어. 말소리 하나 들리지 않는 집 안은 너무나 고요해서 초겨울의 추위와 쓸쓸함이 뼛속까지 파고드는 기분이었다네. 나는 곧바로 책을 덮고 일어섰어. 갑자기 사람들로 북적거리는 번화가로 가고 싶었지. 비는 그친 것 같았지만 하늘은 아직 차가운 납처럼 무거워 보였기 때문에 만약을 대비해 우산을 어깨에 메고 무기 제조 공장 뒤편의 돌담을 따라 동쪽으로 언덕을 내려갔네. 그때는 아직 도로 정비가 제대로 안 되어 있던 때여서 언덕의 경사가 지금보다 훨씬 심했어. 길은 폭도 좁은 데다 지금처럼 똑바로 나 있지 않았거든. 그런 데다 그

언덕 밑으로 내려가면 남쪽은 높은 건물로 막혀 있고 배수가 잘 되지 않아서 거리는 온통 진흙으로 질퍽거렸지. 특히 좁은 돌다리를 건너 야나기초로 통하는 길목이 상태가 안 좋았어. 나막신이나 장화를 신어도 제대로 걸을 수 없었네. 누구든지 길 한가운데 자연스럽게 생겨난 진흙이 없는 좁은 길을 조심스럽게 지나야 했거든. 그 폭은 불과 30~60센티미터밖에 되지 않았기 때문에 어쩔 수 없이 길바닥에 깔린 오비 위를 밟으며 건너편으로 건너는 거나 마찬가지였어. 길을 가는 사람들은 모두 한 줄로 서서 조심스럽게 지나갔지. 나는 그 좁은 길 위에서 K와 마주쳤네. 신발에만 신경을 쓰고 있던 나는 그와 마주칠 때까지 그의 존재를 전혀 알아채지 못했네. 갑자기 내 앞이 막혀서 무심코 눈을 들었을 때에야 비로소 그곳에 서 있는 K를 알아본 거야. 나는 K에게 어디에 다녀오는 길이냐고 물었네. K는 "잠깐 근처에."라고만 대답하더군. 그의 대답은 평소와 다름없이 담담했어. K와 나는 좁은 길 위에서 몸을 스치며 지났어. 그러자 K 바로 뒤로 한 젊은 여자가 보였어. 근시인 나는 그때까지 알아보지 못했는데 K를 보내고 나서 그 여자의 얼굴을 보는 순간 그녀가 바로 아가씨라는 사실에 적잖이 놀랐네. 아가씨는 약간 얼굴을 붉히며 내게 인사했네. 그때의 머리 모양은 지금과 달리 앞머리를 부풀리지 않고 머리 한가운데에 뱀처럼 둘둘 말아 올리는 식이었지. 멍하니 아가씨의 머리를 보고 있는데 다음 순간 어느 쪽인가가 길을 양보해야 한다는 사실을 깨달았지. 나는 과감하게 진흙탕 속으로 한쪽 발을 내디뎠네. 그리고 비교적 지나기 쉬운 곳을 아가씨에게 내주었어.

그러고 나서 야나기초로 나온 나는 어디로 가야 할지 알 수가 없어졌네. 어디를 가도 재미없을 것 같다는 생각이 들더군. 나는 흙탕물이 옷에 튀는 것도 상관하지 않고 질퍽거리는 진흙탕 속을 마구 걸었네. 그러고는 바로 집으로 돌아왔지.

34

나는 K에게 아가씨와 함께 나간 거냐고 물었네. K는 그렇지 않다고 대답했어. 마사고초에서 우연히 만나 함께 돌아온 거라고 설명하더군. 나는 그 이상의 구체적인 질문은 삼갔지. 그런데 식사하면서 다시 아가씨에게 같은 질문을 하고 말았어. 그러자 아가씨는 내가 싫어하는 그 미소를 지어 보이는 거야. 그리고 어디에 다녀왔는지 알아맞혀 보라고 하더군. 그 무렵의 나는 화를 잘 내는 성격이었기 때문에 아가씨가 그렇게 장난스럽게 대꾸하자 화가 나고 말았네. 그런데 그걸 알아챈 사람은 같은 식탁에 둘러앉은 사람들 중 사모님 한 분뿐이었어. K는 오히려 태연했네. 아가씨의 태도는 일부러 그러는지 아니면 순진해서 그러는지 구별할 수 없는 면이 좀 있었지. 젊은 여자로서 아가씨는 사려 깊은 편이었지만 내가 젊은 여자들에게 공통으로 느끼는 싫어하는 부분도 그녀에게 전혀 없는 건 아니었어. 그리고 그 싫어하는 부분이란, K가 그 집에 들어오면서부터 비로소 내 눈에 보이기 시작했네. 나는 그것을 K에 대한 질투심이라고 해야 할지

나에 대한 아가씨의 애교라고 봐야 할지 판단할 수 없었네. 지금도 그때의 질투심을 결코 지울 수 없어. 내가 몇 번이나 말했듯이 사랑의 이면에 있는 이 감정의 움직임을 분명히 의식하고 있었으니까. 더구나 주위 사람들의 눈에는 대수롭지 않게 보이는 사소한 일에도 이런 감정이 반드시 고개를 쳐들고 싶어 했으니까. 여담이지만, 이런 질투심은 사랑의 또 다른 일면이 아닐까? 나는 결혼 후 이 감정이 점점 희미해지는 걸 느꼈네. 그리고 애정도 결코 예전처럼 뜨겁지 않았어.

　나는 그때까지 주저하던 내 속마음을 상대에게 확실하게 털어놓을까 하고 생각했네. 그 상대란 아가씨가 아닌 사모님을 말하는 거라네. 사모님에게 아가씨를 달라고 확실하게 담판 지으려고 생각한 거야. 그러나 그런 결심을 하고도 단행할 날짜를 차일피일 미루고 있었네. 이렇게 말하면 내가 무척 우유부단한 사람처럼 보이겠지. 또 그렇게 보여도 상관없지만, 실제로 내가 섣불리 털어놓지 못한 건 의지가 부족해서만은 아니야. K가 아직 이 집에 오지 않았을 때는 남의 계략에 속기 싫다는 마음이 나를 억눌러 한 발짝도 움직이지 못했네. K가 온 뒤로는 어쩌면 아가씨가 K에게 마음이 있는 게 아닌가 하는 의구심이 끊임없이 나를 짓눌렀고, 아가씨가 K에게 마음을 주고 있다면 내 사랑은 입 밖에 낼 가치도 없다는 마음이 들었네. 창피당하는 게 두렵다는 것과는 이야기가 조금 다르네. 내가 아무리 좋아한다 해도 상대방이 다른 사람을 좋아한다면 그런 여자와 결혼할 수는 없으니까. 세상에는 억지로 자신이 좋아하는 여자를 아내로 맞아들이고 기뻐하는 사람도 있어. 하지만 당시의 나는 그런 사람은 세상의 이치를 모르는 사람이거나 사랑의 심리를 잘 모르는 둔한 사람이라고 생각했네. 일단 아내로 맞이하고 나면 그럭저럭 살게 된다는 이론을 받아들일 수 없을 만큼 나는 순수했네. 요컨대 나는 지극히 고상한 사랑의 이론가였어. 동시에 지름길을 마다하고 먼 길을 돌아서 가는 사랑의 실천가였지.

함께 사는 동안 아가씨에게 속마음을 털어놓을 기회가 몇 번 있었지만 나는 일부러 그러지 않네. 그때 일본의 관습으로 볼 때 그런 고백은 용납되지 않는다는 생각이 강했거든. 하지만 결코 그것만이 나를 속박했다고는 할 수 없네. 나는 일본인, 특히 일본의 젊은 여자는 그런 상황에서 상대방에게 거리낌 없이 자신의 생각을 입에 올릴 만큼 용기가 없다고 생각한 거야.

35

나는 어느 방향으로도 나아가지 못하고 제자리걸음만 하고 있었네. 몸 상태가 좋지 않을 때 낮잠을 자다가 눈을 뜨면 주위의 사물이 분명히 보이는데도 아무리 애를 써도 손발을 움직이지 못할 때가 있어. 나는 가끔 남몰래 그런 고통을 겪었네.

그러는 동안 해가 바뀌고 봄이 되었지. 어느 날 사모님이 K에게 가루타(歌留多, 일본 고전 시구가 적힌 카드로 한 사람이 앞 문장을 읽으면 다른 사람이 뒷문장이 적힌 카드를 찾아내는 놀이_옮긴이) 놀이를 하려고 하는데 친구가 있으면 데려오지 않겠느냐고 말했어. 그러자 K는 자신에게 친구는 한 명도 없다고 말해 사모님을 놀라게 했지. 그러고 보면 K에게는 친구라고 할 만한 사람이 하나도 없었어. 길에서 만났을 때 인사를 나눌 정도의 사람은 몇명 있었지만 그들 역시 함께 가루타 놀이를 할 정도로 친분이 두텁지는 않았네. 사모님은 그렇다면 내가 아는 친구라도 불러오면 어떻겠느냐고 다시 말했지만 공교롭게도 나 역시 그런 떠들썩한 놀이를 할 기분이 아니었기에 건성으로 대꾸하고는 신경도 쓰지 않았네. 그런데 결국 밤이 되자 K와 나는 아가씨에게 불려가고 말았지. 다른 손님도 없이 몇 안 되는 사람들끼리 하는 가루타 놀이라 분위기는 아주 조용했네. 더구나 이런 놀이에 익숙지 않은 K는 팔짱을 낀 채 멍하니 보고 있는 거나 마찬가지였어. 나는 K에게 도대체 햐쿠닌잇슈(백 명의 가인이 부른 시가 중에서 대표적인 시가 하나씩만 뽑아 모은 것_옮긴이)를 알고나 있느냐고 물었지. K는 잘 모른다고 대답했어. 내 말을 들은 아가씨는 내가 K를 경멸하는 것처럼 보인 모양이야. 그 후 두드러지게 K의 편을 들기 시작했으니까. 결국 두 사람이 거의 한 팀이 되다시피 해서 나를 공격하는 꼴이 되었지. 나는 어쩌면 상대방의 태도에 따라 싸웠는지도 모르네. 다행히 K의 태도는 처음과 조금도 다르지 않았어. 그는 전혀 잘난 척하지 않았기 때문에 나는 아무일 없이 놀이를 끝낼 수 있었네.

그리고 이삼일이 지난 후 사모님과 아가씨는 아침부터 이치가야에 있는 친척 집에 다녀온다며 집을 나섰어. K도 나도 아직 학교 수업이 시작되지 않을 때라 그냥 집에 있었지. 나는 책을 읽는 것도 산책을 나가는 것도 귀찮아서 멍하니 화롯가에 앉아 팔꿈치로 턱을 괸 채 생각에 잠겨 있었네. 옆방에 있는 K도 전혀 소리를 내지 않았어. 두 사람 다 있는지 없는지조차 모를 정도로 조용했네. 이런 일은 두 사람 사이에 그다지 드문 일도 아니었기 때문에 나는 특별히 신경도 쓰지 않았네.

열 시쯤 됐을 때 K가 갑자기 내 방문을 열고 나를 쳐다보더군. 그는 문턱 위에 선 채 내게 무슨 생각을 하고 있느냐고 물었지. 나는 아무 생각도 하지 않고 있었네. 만일 뭔가 생각하고 있었다면 그건 아가씨였겠지. 아가씨를 생각할 때 물론 사모님의 존재는 따로 떼어 생각할 수 없지만, 요즘은 K를 떼어 놓고 생각할 수 없는 사람처럼 내 머릿속을 계속 맴돌며 이 문제를 복잡하게 만들고 있었네. K와 얼굴을 마주한 나는 지금까지 어렴풋이 그를 방해꾼처럼 의식하면서도 분명하게 그렇다고 할 수 없는 처지였어. 나는 평소와 다름없이 그의 얼굴을 보고도 잠자코 있었네. 그러자 K가 내 방으로 성큼성큼 들어오더니 내가 쬐고 있는 화로 앞에 앉더군. 나는 얼른 팔꿈치를 떼고 화로를 K 쪽으로 살짝 밀어 주었네.

K는 평소와는 어울리지 않는 이야기를 시작했네. 사모님과 아가씨가 이치가야의 어디로 갔을까 하고 묻는 거야. 나는 아마 숙모 댁에 갔을 거라고 대답했지. K는 그 숙모는 누구냐고 또 물었네. 나는 군인의 부인이라고 알려 주었어. 그러자 여자들은 대개 십오 일 지나서 새해 인사를 다니는데 왜 그렇게 빨리 간 걸까 하고 묻더군. 그 이유는 나도 모르겠다고 대답할 수밖에 없었지.

36

K는 좀처럼 사모님과 아가씨 이야기를 그만두지 않았네. 나중에는 나도 대답하지 못할 구체적인 이야기까지 묻는 거야. 나는 귀찮다기보다 이상한 기분이 들었네. 전에 내가 사모님과 아가씨 이야기를 할 때 그의 반응을 생각하면 그가 좀 달라졌다는 걸 눈치챌 수 있었어. 나는 결국 왜 오늘따라 그런 이야기만 하는 거냐고 그에게 물었네. 그러자 갑자기 입을 다물더군. 하지만 나는 굳게 다문 그의 입가가 실룩거리는 걸 놓치지 않았네. 그는 원래 말이 없는 사람이고, 평소 뭔가 말하려고 할 때는 곧잘 입 주위를 실룩거리는 버릇이 있었지. 그의 입술이 일부러 그의 의지에 반항하듯 쉽게 열리지 않는 동안 그는 자신의 할 말에 무게를 더하고 있었겠지. 일단 말을 꺼내면 그 목소리에는 보통 사람보다 두 배나 강한 힘이 있었어.

나는 그의 입을 쳐다보면서 또 무슨 말을 하려는 거구나 하고 금방 알아챘지만, 그의 입에서 어떤 말이 나올지는 전혀 예상할 수 없었네. 그래서 놀랐던 거야. 과묵한 그의 입에서 아가씨에 대한 애절한 사랑 고백을 들을 때의 나를 상상해 보게. 나는 그의 마법 지팡이에 의해 한순간에 돌처럼 굳어 버린 거나 다름없었어. 너무 놀란 나머지 꼼짝도 할 수 없었지.

그때의 나는 두려움의 돌덩어리라고 할까 아니면 고통의 돌덩어리라고 할까. 어쨌거나 하나의 돌덩어리였네. 돌이나 쇠붙이처럼 머리에서 발끝까지 갑자기 굳어 버린 거야. 숨 쉬기도 힘들만큼 굳어져 있었어. 다행히 그 상태는 오래가지 않았네. 나는 순간적으로 너무 놀랐지만 다시 인간다운 안정을 되찾았어. 그러고는 그제야 아차 하고 탄식했네. 내가 한발 늦었다고 생각한 거야.

하지만 앞으로 어떻게 해야 할지는 판단이 서지 않았네. 판단을 내릴 만한 마음의 여유가 없었겠지. 나는 겨드랑이 밑으로 흐르는 불쾌한 땀이 속옷에 스며드는 것을 꾹 참으며 꼼짝도 하지 않았네. 그러는 사이에 K는 평소의 무거운 입을 열고 띄엄띄엄 자신의 감정을 털어놓았어. 나는 너무 고통스러워서 견딜 수가 없었네. 아마 그 고통은 커다란 광고 문구처럼 내 얼굴 위에 또렷한 글자로 새겨졌을 거야. 아무리 K라 해도 그것을 눈치채지 못할 리 없었지만 그는 또 그대로 자신의 고백에 정신을 집중하느라 내 표정에는 신경 쓸 겨를이 없었지. 그의 고백은 처음부터 끝까지 똑같은 어조였네. 무겁고 느린 대신 웬만한 일로는 절대 흔들리지 않을 거라는 느낌을 강하게 받았네. 내 마음은 그의 고백을 들으면서 어떻게 할까 하는 생각으로 매우 혼란스러웠기 때문에 자세한 내용은 거의 귀에 들어오지 않았지. 그래도 그가 하는 말의 어조만은 강렬하게 가슴에 와 닿았어. 그 때문에 나는 앞에서 말한 고통뿐만 아니라 가끔은 어떤 두려움마저 느끼게 된 거야. 말하자면, 상대방은 나보다 강하다는 공포감이 싹트기 시작했지.

K의 이야기가 끝났을 때 나는 아무 말도 할 수 없었어. 나도 그의 앞에서 같은 내용을 고백할지 아니면 털어놓지 않는 편이 나을지 그런 이해관계를 생각하고 침묵을 지킨 건 아니야. 단지

아무 말도 할 수 없었다네. 말할 기분도 아니었고.

점심때 K와 나는 서로 마주 앉았네. 나는 하녀의 시중을 받으면서 평소와 달리 맛없는 식사를 마쳤네. 우리는 식사 중에도 거의 말을 하지 않았어. 사모님과 아가씨는 언제 돌아올지 알 수 없었지.

37

우리는 각자 방으로 돌아간 후 얼굴을 마주치지 않았네. K도 아침과 마찬가지로 매우 조용했어. 나도 꼼짝 않고 생각에 잠겨 있었네.

나는 속마음을 K에게 털어놓아야 한다고 생각했지. 하지만 그러기에는 이미 때를 놓쳤다는 생각이 들기도 했네. 왜 아까 K의 말을 가로막고 내가 먼저 역습을 하지 않았는지, 그것이 후회스러웠다네. 하다못해 K의 고백이 끝난 후에라도 내가 그 자리에서 속마음을 털어놓았더라면 좋았을 걸 하는 생각도 들었어.

K의 고백으로 끝나 버린 지금, 내가 다시 똑같은 말을 꺼낸다는 건 아무리 생각해도 우스운 일이었지. 이제 와서 자연스럽게 고백할 수 있는 방법을 찾는 건 무리였어. 나는 때늦은 후회로 머릿속이 혼란스러웠네.

나는 K가 다시 한 번 내 방문을 열고 들어오기를 내심 바랐다네. 내 처지에서는 K의 갑작스러운 일격에 당한 거나 마찬가지였으니까. 나는 방어할 준비가 전혀 안 되어 있었는데 말이야.

나는 오전에 잃은 것을 되찾고 싶었어. 그래서 가끔 고개를 들고 문을 바라보았어. 하지만 아무리 기다려도 방문은 열리지 않았네. 그리고 K는 끝내 조용했어.

그러는 동안 오랜 정적은 내 머릿속을 혼란스럽게 했어. K는 지금 방에서 무슨 생각을 하고 있을까 하고 온통 신경이 그쪽으로만 향해서 도저히 참을 수 없었지. 평소에도 이렇게 방문 하나를 사이에 두고 서로 침묵할 때가 많았어. 나는 K가 조용할수록 그의 존재를 잊을 때가 많았지만 그때의 나는 평소와 달리 마음의 평정을 잃고 있었던 거야. 그렇다고 내가 먼저 문을 열 수는 없었어. 일단 고백할 기회를 놓쳐 버린 나는 K가 먼저 다시 행동하기를 기다릴 수밖에 없었네.

결국 나는 가만히 있을 수 없었어. 억지로 가만히 있으려니 자꾸 K의 방으로 뛰어 들어가고 싶어지는 거야. 나는 참다못해 일어나서 툇마루 쪽으로 나갔네. 그리고 거실로 가서 괜스레 찻주전자의 물을 찻잔에 따라 한 잔 마셨어. 그리고 현관으로 나왔네. 나는 일부러 K의 방을 피해 집을 나와 거리의 한복판에 서 있었어. 물론 목적지는 없었네. 방 안에 가만히 앉아 있을 수 없어서 밖으로 나왔을 뿐이지. 그래서 추운 정월에 거리를 정처 없이 발길 닿는 대로 헤매고 다닌 거야. 하지만 어디를 가든지 내 머릿속은 온통 K의 생각뿐이었네. 나도 K를 떨쳐 내려고 거리를 돌아다닌 건 아니었지. 오히려 적극적으로 그의 모습을 떠올리며 거리를 배회한 거야.

우선 내게 그는 이해하기 힘든 사람으로 보였네. 갑자기 왜 내게 자신의 사랑을 고백했을까? 그리고 내게 털어놓을 만큼 언제 그렇게 그의 사랑이 커져 버린 걸까? 내가 알고 있는 평소의 그는 어디로 사라져 버린 걸까? 나는 갑작스러운 이 모든 문제를 도통 이해할 수 없었네. 나는 그의 강인함을 알고 있었어. 또 그의 진지한 성격도 알고 있었네. 나는 앞으로 어떤 태도를 취해야 할지 결정하기 전에 그에게 확인해야 할 게 많다고 믿었어. 동시에 앞으로 그를 상대해야 한다는 것이 이상하게 꺼려지더군. 나는 거리를 헤매면서도 자기 방에서 꼼짝도 하지 않고 있을 그의 모습을 계속 떠올렸어. 더구나 내가 어디를 가더라도 도저히 그의 마음을 움직일 수는 없다는 목소리가 어딘가에서 들려오는 거야. 요컨대 내게는 그가 어떤 악마처럼 생각되었지. 나는 영원히 그에게 저주받는 건 아닐까 하는 생각마저 들었네.

내가 지쳐서 집으로 돌아왔을 때 그의 방은 여전히 인기척도 없이 조용했네.

38

내가 집으로 돌아온 지 얼마 되지 않아 인력거 소리가 들리더군. 지금처럼 고무로 된 바퀴가 없던 시절이라 덜커덩대는 기분 나쁜 쇠바퀴 소리가 꽤 멀리 떨어진 곳에서도 들렸다네. 인력거는 문 앞에서 멈췄네.

저녁 식사를 하라는 소리를 들은 건 그로부터 삼십 분 정도 지나서였어. 옆방에는 사모님과 아가씨가 아무렇게나 벗어 던진 외출복이 놓여 있었네. 사모님과 아가씨는 늦어지면 우리에게 미안하다는 생각에 저녁 식사 준비에 늦지 않도록 서둘러 돌아왔다고 하더군. 하지만 사모님의 친절은 K와 내게 아무 효과도 없었지. 나는 식탁에 앉아서도 말을 아끼는 사람처럼 묻는 말에만 퉁명스럽게 대꾸했네. K는 나보다 더 말이 없었어. 모처럼 모녀가 함께 외출했다 돌아온 참이라 두 여자의 기분이 평소보다 훨씬 밝았기 때문에 우리의 태도는 더욱 눈에 띄었어. 사모님은 내게 무슨 일이 있었느냐고 물어보더군. 나는 기분이 좀 안 좋다고 대답했어. 실제로도 기분이 좋지 않았거든. 그러자 이번에는 아가씨가 K에게 똑같은 질문을 던졌네. K는 나처럼 기분이 안 좋다고는 대답하지 않았어. 단지 말이 하고 싶지 않아서라고 했네. 아가씨는 왜 말하고 싶지 않으냐고 캐물었어. 나는 그때 문득 무거운 눈꺼풀을 들어 K의 얼굴을 보았어. K가 뭐라고 대답할지 호기심이 생긴 거야. K의 입술은 약간 떨리고 있었어. 모르는 사람이 보면 마치 대답을 망설이는 것처럼 보였을 거야. 아가씨는 웃으면서 또 어떤 어려운 문제를 생각하고 있는 거라고 말했네. K의 얼굴은 약간 붉게 물들었어.

그날 밤 나는 평소보다 일찍 잠자리에 들었네. 내가 식사 때 기분이 안 좋다고 말했기 때문인지 사모님은 열 시쯤 소바유(메밀가루를 더운 물에 푼 음식_옮긴이)를 갖다 주더군. 하지만 내 방은 벌써 캄캄했네. 사모님은 "아이고, 벌써 자나 보네."라며 방문을 조금 열었어. 램프 불빛이 K의 책상 너머로 희미하게 내 방으로 새어 들었네. K는 아직 자지 않는 것 같았어. 사모님은 머리 밑에 앉아 감기에 걸린 것 같으니 몸을 따뜻하게 하는 게 좋다며 찻잔을 얼굴 가까이 내밀었네. 나는 할 수 없이 걸쭉한 소바유를 사모님이 보는 앞에서 마셨어.

나는 밤늦게까지 어둠 속에서 생각했네. 물론 한 가지 문제를 이리저리 생각해 보았지만 아무 효과도 없었어. 갑자기 K가 지금 옆방에서 무엇을 하고 있을까 궁금했네. 나는 반쯤 무의식 속에서 "어이." 하고 불렀지. 그러자 K도 "응." 하고 대답했어. 그 역시 안 자고 있었던 거야. 나는 아직 안 자느냐고 물었어. 그가 이제 잘 거라며 짧게 대답했네. 뭘 하고 있는지 내가 재차 물었네. 이번에는 K가 대꾸하지 않더군. 대신 5, 6분 정도 지나자 벽장문을 열고 이부자리를 펴는 소리가 들렸네. 나는 다시 한 번 지금 몇 시냐고 물었네. K는 한 시 이십 분이라고 대답했어. 이윽고 램프를 훅 하고 끄는 소리가 나더니 온 집 안이 고요한 어둠 속으로 빠져들었네.

하지만 내 눈은 그 어둠 속에서도 더욱 또렷해지기만 했어. 나는 또 반쯤 무의식 상태에서 "어이." 하고 K를 불렀네. K도 이전과 같이 "응." 하고 대답했어. 나는 오늘 아침에 그에게 들은 일에 대해 좀 더 자세히 이야기를 나누고 싶은데 어떠냐고 말을 꺼냈네. 물론 방문 너머로 그런 이야기를 주고받을 생각은 없었지만 K의 대답만은 그 자리에서 들을 수 있다고 생각했지.

그런데 K는 내가 아까 두 번 불렀을 때 두 번 다 대답한 것과는 달리 이번에는 응하지 않았어. "글쎄." 하며 낮은 목소리로 얼버무리더군. 나는 또 깜짝 놀랐네.

39

건성으로 대답하는 K의 태도는 다음 날도 그다음 날도 마찬가지였네. 그는 결코 자신이 먼저 그 이야기를 꺼내려는 기색을 보이지 않았어. 또 그럴 기회도 없었지. 사모님과 아가씨가 집을 비우지 않는 한 두 사람이 차분하게 그 이야기를 나눌 수도 없으니까. 나는 그것을 잘 알고 있었네. 잘 알고 있으면서도 이상하게 초조해졌어. 그 결과, 처음에는 K가 먼저 말을 꺼내기를 기다릴 생각으로 조용히 준비하던 내가 기회만 되면 이쪽에서 먼저 이야기를 꺼내자고 결심하게 된 거야.

동시에 나는 조용히 사람들을 관찰했네. 하지만 사모님의 태도나 아가씨의 행동도 평소와 별로 다르지 않았어. K의 고백 이전과 이후 그들의 행동에 특별히 달라진 점이 보이지 않는다는 건 그가 내게만 고백을 했을 뿐 정작 당사자나 그 보호자인 사모님에게는 아직 전하지 않았다는 게 분명했지. 그런 생각이 들자 약간 안심이 되더군. 그래서 무리하게 기회를 만들어 이야기를 꺼내는 것보다는 자연스럽게 기회가 찾아오게 하는 편이 좋겠다고 생각하고 당분간 그 문제는 덮어 두기로 했네.

이렇게 말하면 아주 간단하게 들릴지 모르지만, 그렇게 마음을 먹기까지는 바닷물의 밀물과 썰물처럼 꽤 복잡한 감정의 기복이 있었어. 나는 K가 행동으로 옮기지 않는 것을 보고 여러 가지 의미를 생각해 보았네.

사모님과 아가씨의 말과 행동을 관찰하며 두 모녀의 마음이 과연 눈앞에 보이는 그대로일까 하고 의심도 해 보았네. 그리고 인간의 가슴속에 장착된 복잡한 기계가 시곗바늘처럼 한 치의 오차도 없이 명료하게 계기반 위의 숫자를 가리킬 수 있을까 하는 생각도 했지. 요컨대 같은 일을 두고 이렇게도 생각해 보고 저렇게도 생각해 본 끝에 겨우 그런 결론에 도달한 거라고 생각해 주게. 좀 더 어렵게 이야기하면 결론에 도달했다는 말은 결코 이럴 때 써서는 안 될지도 모르겠네.

그러는 사이 학교 수업이 시작되었네. 우리는 시간이 같은 날은 함께 집을 나섰어. 집에 돌아올 때도 상황이 허락하면 역시 함께 돌아왔지. K와 나는 겉으로는 전과 달라진 게 없었지. 하지만 속으로는 각자 딴생각을 하고 있었던 게 틀림없어. 어느 날 나는 길거리에서 K에게 따졌네. 지난번의 고백이 내게만 한 것이었는지 아니면 사모님이나 아가씨에게도 했는지가 첫 번째 질문이었어.

내가 앞으로 어떤 태도를 취해야 할지는 이 질문에 대한 그의 대답 여부에 따라 달라지겠지. 그러자 그는 아직 아무에게도 털어놓지 않았다고 분명히 말했네. 나는 상황이 내 추측대로였기 때문에 내심 기뻤지. 나는 K가 나보다 훨씬 대담하다는 걸 잘 알고 있었어. 그렇기에 결코 그의 배짱을 당해 낼 수 없다는 것도 알고 있었다네.

하지만 한편으로는 또 이상하게 그를 믿는 구석이 있었어. 학비 때문에 양부모를 삼 년 동안이나 속인 그지만 그에 대한 나의 믿음은 조금도 변함이 없네. 오히려 그 일 때문에 그를 더 신뢰했을 정도야. 그렇기 때문에 아무리 의심을 잘 하는 나도 분명한 그의 대답을 속으로 부정할 생각이 없었어.

이번에는 그의 사랑을 어떻게 할지 물어보았네. 그것이 단순한 고백에 지나지 않는지 아니면 그 고백에 실제로 확실한 효과까지 얻을 생각인지 물은 거야. 그런데 그는 그 대목에서는 아무 대답도 하지 않더군. 말없이 고개를 숙인 채 걷기 시작했네.

나는 그에게 숨기지 말고 무슨 생각을 하고 있는지 모두 이야기해 달라고 부탁했네. 그는 내게 아무것도 숨길 게 없다고 분명히 말했어. 하지만 내가 알고 싶은 질문에는 한마디도 대답하지 않았지. 그렇다고 일부러 길거리에 멈춰 서서 캐물을 수는 없었네. 그러다 보니 이야기는 그렇게 끝나고 말았어.

40

어느 날 나는 오랜만에 학교 도서관에 갔다네. 넓은 책상의 한 구석에 앉아 창을 통해 쏟아지는 햇살을 받으며 새로 도착한 외국 잡지를 뒤적였지. 지도교수에게 다음 주까지 전공 학과와 관련된 어떤 사항을 조사해 오라는 과제를 받았기 때문이야. 그러나 필요한 조사 내용을 좀처럼 찾을 수 없어서 나는 여러 차례 잡지를 빌려야 했네. 마지막에 겨우 필요한 논문을 찾아낸 나는 일단 그것을 읽기 시작했어. 그때 갑자기 폭이 넓은 책상 맞은편에서 소곤거리듯이 작은 목소리로 나를 부르는 사람이 있었어. 나는 문득 고개를 들고 그곳에 서 있는 K를 보았네. K는 책상 위에 상반신을 구부리며 내게 얼굴을 가까이 들이댔어. 자네도 알

다시피 도서관에서는 다른 사람에게 방해가 되므로 큰 목소리로 이야기할 수 없기 때문에 K의 이런 행동은 누구나 하는 평범한 것이었지만 왠지 그때는 유별나 보이더군.

K는 낮은 목소리로 내게 공부하느냐고 물었어. 나는 조사할 게 있다고 대답했네. 그래도 K는 계속 얼굴을 가까이한 채 다시 낮은 목소리로 함께 산책을 하자고 말했어. 나는 잠시 기다려 주면 함께 갈 수 있다고 대답했지. 그는 기다리겠다고 말하고는 곧바로 내 맞은편의 빈자리에 앉았네. 그러자 나는 갑자기 정신이 산만해져서 집중할 수가 없었네. K가 내게 할 이야기가 있어서 뭔가 담판이라도 지으려는 것 같았거든. 나는 할 수 없이 막 읽기 시작한 잡지를 덮고 일어서려 했네. K는 태연하게 벌써 끝났느냐고 묻더군. 나는 별로 상관없다고 대답하고 잡지를 반환한 후 K와 함께 도서관을 나섰네.

우리는 특별히 갈 곳도 없었기 때문에 다쓰오카초에서 연못 끝으로 나와 우에노 공원 안으로 들어갔네. 그때 그는 갑자기 지난번 일에 대해 말을 꺼내더군. 전후 사정을 종합해 보면 K는 그 때문에 일부러 내게 산책하자고 한 모양이야. 하지만 그의 태도는 아직도 현실 쪽으로는 조금도 진전되지 않은 상태였어.

그는 내게 막연하게 어떻게 생각하느냐고 물었네. 어떻게 생각하느냐는 것은 그런 사랑의 감정에 빠진 그를 내가 어떻게 생각하고 있느냐는 이야기였어. 한마디로 그는 자신에 대해 내 비평을 듣고 싶었던 거야. 그 점에서 나는 그의 평소와 다른 면을 분명히 확인할 수 있었네. 몇 번이나 되풀이하는 것 같지만 그의 천성은 남의 의견에 신경 쓸 만큼 나약한 성품이 아니었어. 옳다고 믿으면 혼자 계속 밀고 나갈 만큼의 배짱과 용기가 있는 사람이었지. 양부모 일로 그런 면모를 알게 된 내가 이건 좀 다르다고 확실히 느낀 것도 당연했어.

K에게 이런 상황에서 내 의견이 왜 필요한지 묻자, 그는 평소와 달리 풀이 죽은 말투로 자신이 약한 인간이라는 사실이 정말 부끄럽다고 하더군. 그리고 어떻게 해야 좋을지 망설이는 자신이 스스로도 알 수 없을 만큼 혼란스럽기 때문에 내게 객관적인 평을 해 달라는 거였어. 나는 기회를 놓치지 않고 뭘 망설이는지 따졌어.

그는 앞으로 나아가야 할지 아니면 후퇴해야 할지 그것을 망설이고 있다고 설명했네. 나는 좀 더 다그쳤네. 그에게 물러서야겠다는 생각이 들면 물러설 수 있는지를 물었어. 그러자 갑자기 그가 입을 다물고 말았네. 그는 그저 괴롭다고 하더군. 실제로 그의 표정에는 괴로운 빛이 역력했어. 만일 상대가 아가씨가 아니었다면 나는 그에게 격려가 될 만한 대답을 그 까칠해진 얼굴에 자비로운 비처럼 내려 줄 수 있었을지도 모르네. 그 정도의 아름다운 동정심은 가지고 태어났다고 스스로 믿고 있었으니까. 하지만 그때의 나는 달랐어.

41

나는 마치 다른 유파의 사람과 무술 시합이라도 하는 것처럼

K를 주의 깊게 살펴보았어. 나의 눈과 마음, 신체의 모든 신경을 곤두세우고 K에게 맞선 거야. 죄 없는 K는 허점투성이라기보다 아예 활짝 열어 놓았다고 하는 편이 좋을 만큼 무방비 상태였어. 나는 K의 손에서 그가 보관하고 있는 요새의 지도를 건네받고 그가 보는 앞에서 천천히 살펴볼 수 있는 거나 마찬가지였지.

현실과 이상 사이에서 방황하며 휘청거리는 K를 발견한 나는 그를 한 방에 무너뜨릴 수 있다는 것만 생각했어. 그리고 곧바로 그의 허점을 보고 달려든 거야. 나는 갑자기 그에게 정색을 했네. 물론 그건 작전이었지만 그런 태도를 취하기 위해 긴장하고 있었기 때문에 스스로 우습다거나 부끄럽다고 느낄 여유가 없었어. 나는 먼저 "정신적으로 발전하고자 하는 의지가 없는 자는 어리석은 사람이야."라고 말했네. 이 말은 우리 두 사람이 보슈 여행을 할 때 K가 내게 한 말이야. 나는 그가 한 말을 그와 똑같은 어조로 그에게 던진 거지. 하지만 결코 복수는 아니었어. 복수 이상의 잔인한 의미를 담고 있었다는 걸 자네에게 고백하겠네. 나는 그 한마디로 K 앞에 놓인 사랑의 앞길을 막으려 한 거야.

K는 정토종계인 진슈 절에서 태어난 사람이야. 하지만 그의 성향은 중학교 시절부터 결코 본가의 종교 취지와는 달랐어. 교리를 어떻게 구분하는지도 모르는 내가 이런 말을 할 자격이 없다는 건 잘 알고 있지만 나는 그저 남녀에 관련된 부분만 그렇게 알고 있었어. K는 옛날부터 정진이라는 말을 좋아했네. 나는 그 말 속에 금욕이라는 의미도 담겨 있을 거라고 해석하고 있었어. 하지만 나중에 실제로 들어 보니 그보다 더 엄격한 의미가 포함

되어 있어서 놀랐네. 자신이 추구하는 길을 가기 위해서는 모든 것을 희생해야 한다는 것이 그의 첫 번째 신조였네. 그렇기 때문에 음식에 대한 욕심이나 금욕은 물론 설령 성적인 욕구가 없는 순수한 사랑이라 해도 그가 추구하는 도(道)에 방해가 되는 거야. K가 혼자 힘으로 생활하고 있을 때 그는 그런 주장을 하곤 했어. 그 무렵부터 아가씨를 연모하던 나는 아무래도 그의 논리에 반론을 제기할 수밖에 없었지. 내가 반대하면 그는 늘 딱하다는 표정으로 나를 바라보았어. 그 얼굴에는 동정심보다 강한 경멸이 드러나 있었어.

두 사람 사이에 이런 과거가 있었기 때문에 정신적으로 발전하고자 하는 의지가 없는 자는 어리석은 사람이라는 내 말은 K의 가슴을 아프게 한 것이 틀림없었지. 그러나 앞서 말했듯이 나는 이 한마디로 그가 어렵게 쌓아 올린 과거에 생채기를 낼 생각은 전혀 없었네. 오히려 그 과거를 이전과 마찬가지로 쌓아 가길 바랐지. 그것이 도에 도달하든지 하늘에 도달하든지 내게는 상관없었어. 나는 단지 K가 갑자기 삶의 방향을 바꾸어 내 이해(利害)와 충돌할까 봐 그게 두려웠던 거야. 요컨대 내 말은 단순한 이기심의 발로였지.

"정신적으로 발전하고자 하는 의지가 없는 자는 어리석은 사람이야."

나는 재차 같은 말을 되풀이했네. 그리고 그 말이 K에게 어떤 영향을 미칠지 바라보고 있었어.

"어리석은 사람이지."

K가 말하더군.

"나는 어리석은 사람이야."

K는 갑자기 그 자리에 멈춰 선 채 꼼짝도 하지 않았네. 그는 땅바닥을 내려다보고 있었어. 나는 순간 섬뜩했네. 나는 K가 순식간에 돌변한 강도처럼 느껴졌어. 하지만 그러기에는 그의 목소리가 너무 힘이 없다고 생각되었어. 나는 그의 눈빛을 살피려고 했지만 그는 끝내 내 얼굴을 보지 않았어. 그러고는 천천히 발걸음을 옮기기 시작했어.

42

나는 K와 나란히 걸으면서 속으로 그의 입에서 나올 다음 말을 기다렸네. 어쩌면 속마음을 숨긴 채 그의 말을 기다리고 있었다는 표현이 적합할지도 모르지. 그때의 나는 설령 K를 속여서라도 이기고 싶었어. 하지만 나도 교육을 받은 사람인 만큼 양심은 있었기에 만일 누군가 내 옆에 와서 너는 비겁하다고 한마디 속삭여 주는 사람이 있었다면 그 순간 깜짝 놀라 정신을 차렸을지도 모르지. 만일 K가 그런 사람이었다면 나는 아마 그의 앞에서 수치심에 얼굴을 들지 못했을 거야. 다만 K는 나를 나무라기에는 너무 정직했네. 게다가 너무나 단순했고 인품 역시 선량했어. 사랑에 눈이 먼 나는 그런 점에 경의를 표하기는커녕 오히려 그 점을 노렸네. 그 점을 이용해 그를 쓰러뜨리려고 한 거야.

K는 잠시 후 내 이름을 부르며 나를 돌아보았어. 이번에는 내

가 자연스럽게 발길을 멈추었어. 그러자 K도 멈춰 섰네. 나는 그제야 K의 눈을 똑바로 볼 수 있었네. K는 나보다 키가 컸기에 나는 당연히 그의 얼굴을 올려다봐야 했어. 나는 그런 자세로 늑대처럼 죄 없는 양을 공격한 거야.

"그 이야기는 이제 그만해."

그가 말했어. 그의 눈빛과 말에서 묘한 비통함이 느껴졌네. 나는 아무 대꾸도 할 수 없었어. 그러자 K는 "그만해." 하고 이번에는 부탁하듯 다시 말했어. 나는 그때 그에게 잔인한 대답을 했네. 늑대가 틈을 노리다가 양의 목덜미를 덥석 물어뜯듯이 말이야.

"그만하라고? 내가 꺼낸 이야기가 아니야. 자네가 먼저 시작했잖아? 하지만 자네가 그만두고 싶다면 그만둬도 상관없네. 하지만 입으로만 그만둔들 무슨 소용이 있어? 진심으로 그만둘 각오가 없다면 말이야. 도대체 자네는 평소에 주장하던 논리는 어떻게 할 셈이야?"

내가 그렇게 말하자 키가 큰 그가 내 앞에서 저절로 위축되어 작아진 듯한 느낌이 들었어. 늘 말했듯이 그는 대단히 강인한 사람이었지만 한편으로는 남보다 훨씬 정직했기 때문에 자신의 모순을 심하게 비난받으면 결코 태연할 수 없는 성격이었네. 나는 그의 모습을 보고 겨우 안심했지. 그런데 그가 갑자기 "각오?" 하고 물었어. 그리고 내가 뭐라고 대답도 하기 전에 "각오, 각오라면 없지도 않지."라고 덧붙였네. 마치 혼잣말 같았어. 그리고 꿈속에서 하는 말 같기도 했네.

우리는 그것으로 이야기를 끝내고 고이시카와의 하숙집을 향해 발길을 돌렸네. 비교적 바람이 없는 따뜻한 날이었지만 그래도 겨울이라 공원 안은 쓸쓸하고 적막했네. 특히 서리를 맞아 푸른빛을 잃은 다갈색 삼나무 숲이 어슴푸레한 하늘로 가지를 뻗으며 길게 서 있는 모습을 돌아다보았을 때는 몹시 등이 시리다는 느낌이 들었어. 우리는 해 질 무렵의 혼고다이를 빠른 걸음으로 성큼성큼 지나 다시 맞은편 언덕으로 올라가기 위해 고이시카와의 언덕 밑으로 내려갔어. 나는 그 무렵이 되어서야 겨우 외투 속으로 체온을 느끼기 시작했어.

서두른 탓도 있었지만 우리는 집으로 돌아오는 길에 거의 말을 하지 않았네. 집으로 돌아와 식탁에 앉았을 때 사모님은 왜 늦었느냐고 물었어. 나는 K가 가자고 해서 우에노에 다녀왔다고 말했네. 사모님은 이렇게 추운데 하면서 놀란 표정을 지었어. 아가씨는 우에노에 뭐가 있었는지 물어보고 싶어 했네. 나는 아무것도 없지만 그냥 산책했다는 대답만 했어. 평소에도 말이 없는 K는 입이 더 무거웠네. 사모님이 말을 걸어도 아가씨가 웃어도 제대로 대꾸조차 하지 않았어. 그러고는 밥을 씹지도 않고 삼키듯이 급히 먹고는 내가 자리에서 일어나기도 전에 자기 방으로 가 버렸네.

43

그 무렵은 각성이나 새로운 생활이라는 단어를 아직 사용하지 않던 시대였지. 하지만 K가 낡은 사고를 훌훌 벗어던지고 새

257

로운 방향으로 내달리지 않았던 건 그에게 현대인의 사고방식이 부족했기 때문은 아니야. 그에게는 그런 자신을 내팽개칠 수 없을 만큼 소중한 과거가 있었기 때문일세. 그는 지금까지 그것을 위해 살아왔다고 해도 과언이 아니야. 그렇기에 K가 사랑의 대상을 향해 곧장 돌진하지 않는다고 해서 그의 감정이 미온적이라고는 할 수 없지. 아무리 열렬한 사랑으로 불타오른다 해도 그는 무턱대고 행동하지 못했네. 앞뒤 가리지 못할 만큼의 충동이 생기지 않는 이상 K는 다시 멈춰 서서 자신의 과거를 돌이켜 볼 수밖에 없었던 거지. 그리고 과거가 가리키는 길을 이전과 마찬가지로 걸어가야 하는 거야. 더구나 그에게는 현대인에게서는 찾아볼 수 없는 굳은 심지와 참을성이 있었어. 나는 이 두 가지를 통해 그의 마음을 속속들이 꿰뚫고 있었어.

우에노에서 돌아온 날 밤, 내 마음은 비교적 평안했네. 나는 K가 방으로 들어가자 그 뒤를 따라 들어가 그의 책상 옆에 앉았어. 그리고 일부러 부질없는 세상사에 관해 늘어놓았네. 그는 별로 내키지 않는 눈치였어. 내 눈은 다소 승리감에 빛나고 있었겠지. 내 목소리에는 분명히 어떤 자신감이 서려 있었네. 나는 잠시 K와 함께 화롯불에 손을 쬐고 나서 내 방으로 돌아왔네. 다른 면에서는 무엇을 해도 K에게 밀리는 나도 그때만큼은 그를 두려워할 게 전혀 없다는 자신감으로 충만했어.

이윽고 나는 편안하게 잠들었네. 그런데 갑자기 내 이름을 부르는 소리가 들려 눈을 떴지. K와 내 방 사이의 방문이 60센티미터 정도 열려 있고 그곳에 K의 검은 그림자가 서 있었어. 그리고 그의 방에는 저녁나절처럼 아직 불이 켜져 있었어. 나는 어리둥절해서 잠시 아무 말도 못하고 멍하니 바라보았네.

그때 K는 내게 벌써 자느냐고 물었어. K는 항상 늦게 잤거든. 나는 검은 그림자 같은 K를 향해 무슨 일이냐고 물었네. K는 별일은 아니고 벌써 자나 싶어 화장실에 다녀오는 길에 그냥 물어봤을 뿐이라고 했어. K는 램프 불빛을 등지고 있었기에 나는 그의 얼굴이나 눈빛은 전혀 볼 수 없었네. 하지만 그의 목소리는 평소보다 차분했어.

K는 이윽고 열었던 방문을 꼭 닫았네. 내 방은 다시 캄캄해졌어. 나는 어둠속에서 조용한 꿈을 꾸기 위해 다시 눈을 감았네. 그 이상은 아무것도 모르네. 하지만 다음 날 아침, 지난밤 일을 생각하니 왠지 이상한 느낌이었어. 나는 어쩌면 지난밤 일이 꿈은 아니었을까 하고 생각했네. 그래서 식사를 하면서 K에게 물어보았어. K는 분명히 방문을 열고 내 이름을 불렀다는 거야. 왜 그랬느냐고 묻자 달리 확실한 대답은 하지 않았네. 맥이 풀릴 때쯤 오히려 요즘 잠이 잘 오느냐고 그가 묻는 거야. 나는 뭔가 이상하다고 느꼈어.

그날은 마침 같은 시간에 강의가 시작되는 날이었기 때문에 우리는 잠시 후 함께 집을 나섰네. 아침부터 지난밤 일이 신경 쓰인 나는 길을 걷다가 다시 K에게 물어보았지. 하지만 K는 역시 내가 만족할 만한 대답을 해 주지 않았어. 나는 그날 낮에 있었던 일에 대해 뭔가 할 이야기가 있었던 건 아니었느냐고 물었어. K는 그렇지 않다고 강한 어조로 잘라 말했네. 어제 우에노에서 "그 이야기는 이제 그만해."라고 말하지 않았느냐고 따지는 것처럼 들리기도 했네. K는 그런 점에 있어 자존심이 센 사람이었어. 문득 그 점에 생각이 미친 나는 그가 말한 '각오'라는 말을 연상하기 시작했네. 그러자 지금까지 전혀 심각하게 여기지 않던 그 두 글자가 이상한 힘으로 내 머릿속을 짓누르기 시작했어.

44

K가 결단력 있는 성격이라는 건 나도 알고 있었네. 그런 그가 이번 일에 관해서만 유독 우유부단한 이유도 충분히 이해하고 있었어. 요컨대 나는 그의 성격을 완벽하게 파악한 상태에서 예외의 경우까지 확실하게 숙지했다는 생각에 자신만만했던 거야. 그런데 '각오'라는 그의 말을 머릿속에서 몇 번이고 되새기고 있는 사이에 그런 내 자신감은 점차 빛을 바래더니 결국 흔들리기 시작했네. 나는 이번 경우도 어쩌면 그에게 예외가 아닐지도 모른다는 생각이 든 거야. 모든 의혹과 번민과 고뇌를 한꺼번에 해결할 마지막 수단을 K는 가슴속에 감추고 있는 것은 아닐까 하고 의심하기 시작했네. 그런 새로운 빛으로 각오라는 두 글자를 돌이켜 본 나는 흠칫 놀랐어. 그때의 내가 만일 그 순간에 다시 한 번 그가 말한 각오의 의미를 냉정하게 생각해 보았다면 비극은 일어나지 않았을지도 모르지. 슬프게도 나는 애꾸눈이었어. 나는 그 말의 의미가 그저 K가 아가씨에게 다가가겠다는 의지 정도로 해석했어. 결단력 있는 성격의 그가 사랑을 얻기 위해 용

기를 내는 것이 '각오'라고 착각한 거야.

나 역시 마지막 결단이 필요하다는 마음의 소리를 들었네. 나는 곧 그 목소리에 용기를 냈어. 나는 K보다 먼저, 그것도 K가 모르는 사이에 일을 진행해야겠다고 결심했지. 그리고 조용히 기회를 노렸다네. 그러나 이틀이 지나고 사흘이 지나도 좀처럼 그 기회를 잡을 수가 없었어. 나는 K와 아가씨가 없는 틈을 노려 사모님과 담판 지을 생각이었어. 그러나 한쪽이 없으면 또 한쪽이 방해하는 날이 이어졌고 기회가 오지 않았어. 나는 점점 초조해지기 시작했네.

일주일 후 결국 참지 못하고 꾀병을 부리기로 했어. 사모님과 아가씨 그리고 K가 일어나라고 재촉했지만 나는 건성으로만 대답할 뿐 열 시까지 이불을 뒤집어쓰고 누워 있었네. 그리고 K와 아가씨가 나가고 집 안이 조용한 틈을 타서 이불 속에서 나왔네. 내 얼굴을 본 사모님은 어디가 아프냐고 물었어. 아침 식사는 방으로 갖다 줄 테니 좀 더 누워 있으라는 충고도 해 주었네. 몸에 이상이 없는 나는 누워 있을 생각이 없었지. 세수를 하고 평소와 마찬가지로 거실에서 식사를 했네. 그때 사모님은 화로 맞은편에 앉아 시중을 들어 주었어. 나는 아침 식사 때도 점심 식사 때도 무슨 맛인지도 모르는 밥그릇을 손에 든 채 어떻게 말을 꺼내야 할지 고심하고 있었기 때문에 겉보기에는 실제로 몸이 아픈 환자처럼 보였을 거야. 나는 식사를 끝내고 담배를 피우기 시작했지. 내가 자리에서 일어서지 않았기 때문에 사모님도 화로 옆을 떠날 수 없었어. 하녀를 불러 밥상을 치우게 한 다음 찻주전자에 물을 넣거나 화로 가장자리를 닦으면서 내 상대가 되어 주었네. 사모님에게 특별히 볼일이라도 있느냐고 묻자 사모님은 없다고 대답했네. 이번에는 사모님이 왜 그러느냐고 되물었어. 나는 하고 싶은 이야기가 있다고 말했지. 사모님은 무엇이냐면서 내 얼굴을 쳐다보았네. 사모님의 반응은 심각한 내 기분과 달리 심드렁해 보였기 때문에 좀처럼 다음 말을 꺼내기가 힘들었네.

나는 할 수 없이 이런저런 말 끝에 K가 최근에 무슨 말을 하지 않았느냐고 사모님에게 물어보았네. 사모님은 뜻밖의 질문에 "무슨 이야기 말인가?" 하고 되물었어. 오히려 내가 대답도 하기 전에 "학생에게는 무슨 말을 하던가?"라고 반문했네.

45

K의 고백을 사모님에게 전할 생각이 없던 나는 "아뇨."라고 말한 뒤 내 자신의 거짓말이 싫어졌네. 어쩔 수 없이 특별히 K에게 부탁받은 것도 아니었기에 K에 관한 용건이 아니라고 바꾸어 말했네. 사모님은 "그래?" 하면서 다음 말을 기다리는 듯했어. 나는 무슨 말이든 꺼내야 했지. 그래서 불쑥 "사모님, 따님을 제게 주십시오."라고 말했네. 사모님은 내가 예상한 것만큼 놀라는 기색은 아니었지만 그래도 얼른 대답하지 못하고 말없이 내 얼굴을 바라보았네. 일단 말을 꺼낸 나는 아무리 사모님이 얼굴을 쳐다본다고 해도 신경 쓸 마음의 여유가 없었어. "주십시오. 제발 주십시오." 하고 다시 말했네. "제 아내로 꼭 주십시오." 하

고 재차 말했네. 사모님은 연장자인 만큼 나보다 훨씬 침착했네. "내 딸을 자네에게 줘도 좋겠지만 너무 갑작스럽지 않은가?" 하고 묻더군. 내가 곧바로 "갑자기 아내로 맞고 싶어졌어요."라고 하자 사모님은 웃기 시작했네. 그리고 "깊이 생각하고 결정했는가?"라고 물었네. 나는 갑작스럽게 말을 꺼내기는 했지만 오래전부터 생각해 온 일이라고 강한 어조로 말했어.

그런 다음 대화가 좀 더 오갔지만 모두 잊어버렸네. 남자처럼 시원시원한 성격의 사모님은 보통 여자들과 달리 이럴 때는 굉장히 이야기가 잘 통하는 사람이었어. "알겠네. 자네에게 주겠네."라고 말하더군. "내가 큰소리칠 처지는 아니지만 우리 딸을 받아 주게. 알다시피 아비 없이 자란 가엾은 아이야."라고 나중에는 오히려 사모님이 내게 부탁을 했네.

이야기는 간단하게 끝났네. 고백에서 결정까지 아마 십오 분도 걸리지 않았을 거야. 사모님은 아무 조건도 요구하지 않았네. 친척들과 상의할 필요도 없고 나중에 결정된 사항을 전하기만 하면 그걸로 충분하다고 말했어. 더구나 본인의 생각조차 확인할 필요 없다고 단언했네. 그런 점에서는 공부를 한 내가 오히려 형식에 구애받고 있는 것처럼 느껴졌어. 친척은 그렇다 치더라도 본인에게는 미리 이야기해서 승낙을 얻는 게 순서라고 내가 이야기하자 사모님은 "괜찮네. 본인이 싫다는 사람에게 내가 그 애를 보낼 리 없으니까."라고 말했네.

내 방으로 돌아온 나는 일이 너무 쉽게 진행되어 오히려 기분이 이상해졌어. 정말 괜찮을까 하는 의심마저 들었지. 하지만 이것으로 내 미래의 운명은 정해진 거라는 생각이 내 모든 것을 새롭게 했어.

나는 점심때 다시 거실로 나가 사모님에게 오늘 아침 이야기를 언제 아가씨에게 전할 생각인지 물었네. 사모님은 자신만 알고 있다면 언제 이야기해도 상관없을 거라고 말했네. 그 말을 들으니 왠지 나보다 사모님이 더 남자다운 것 같아서 나는 그대로 일어서려고 했네. 그러자 사모님이 나를 붙잡고는 만일 하루라도 빨리 당사자에게 이야기하기를 원한다면 오늘이라도 꽃꽂이 강습에서 돌아오는 대로 바로 전하겠다고 했네. 그렇게 해 주는 편이 나도 좋다고 말하고 다시 내 방으로 돌아왔네. 하지만 잠자코 책상 앞에 앉아 두 모녀가 속삭이는 소리를 멀리서 듣고 있는 자신의 모습을 상상하니 왠지 가만히 앉아 있을 수가 없었네. 나는 결국 모자를 쓰고 밖으로 나왔어. 그리고 언덕 아래서 아가씨와 마주쳤네. 아무것도 모르는 아가씨는 나를 보고 놀란 듯했어. 내가 모자를 벗고 "지금 오세요?"라고 묻자, 아가씨는 벌써 병이 나았느냐며 이상하다는 듯이 물었어. 나는 "네, 나았어요. 다 나았어요."라고 대답하고 스이도바시 방향으로 성큼성큼 모퉁이를 돌아 내려갔네.

46

나는 사루가쿠초에서 진보초 거리로 나와 다시 오가와마치 쪽 모퉁이를 돌아 걷기 시작했네. 내가 이 일대를 걸을 때는 언제나

헌책방을 기웃거리는 게 목적이었지만 그날만큼은 손때 묻은 책 따위가 눈에 들어올 리 없었지. 나는 걸으면서 끊임없이 집에서 벌어질 일을 생각했어. 좀 전에 사모님과 나눈 대화를 떠올렸네. 그리고 아가씨가 집으로 돌아온 후 일어날 상황도 상상했지. 나는 줄곧 이 두 가지 상상을 하며 하염없이 걷고 있었어. 가끔 길 한가운데 멈춰 선 채 지금쯤 사모님이 아가씨에게 그 이야기를 하고 있겠지, 하고 생각했네. 또 어떨 때는 이미 그 이야기는 끝났겠지, 하고 생각했어.

나는 드디어 만세바시를 건너 묘진 언덕을 올라가서 혼고다이로 간 다음 다시 기쿠자카를 내려와 마지막으로 고이시카와의 언덕 밑으로 내려갔네. 내가 돌아다닌 거리는 이 세 구에 걸쳐 타원형을 그렸다고도 할 수 있는데, 그 긴 산책을 하는 동안 K의 일은 거의 생각하지 않았어. 지금 당시의 나를 돌이켜 봐도 그 이유를 알 수가 없네. 그저 나 자신도 이상할 뿐이야. 내 마음이 K를 잊을 만큼 매우 긴장하고 있었다고 하면 그뿐이지만 또 내 양심이 그것을 용서할 리 만무했으니까 말이야.

K에 대한 내 양심이 부활한 것은 내가 대문을 열고 현관에서 객실로 지나갈 때, 즉 평소처럼 그의 방을 지나가려는 순간이었어. 그는 여느 때와 마찬가지로 책상 앞에 앉아 책을 읽고 있었어. 그는 평상시처럼 책을 읽다 말고 얼굴을 들어 나를 보았어. 하지만 그는 지금 오는 길이냐는 말은 하지 않았지. 그는 "이제 병은 다 나은 거야? 병원에는 갔었어?"라고 물었네. 나는 그 순간 K 앞에 무릎을 꿇고 빌고 싶어졌어. 더구나 내가 받은 그때의

충동은 결코 약한 게 아니었네. 만일 K와 나, 단 두 사람만이 벌판 한가운데 서 있었다면 나는 분명히 양심이 시키는 대로 그 자리에서 그에게 사죄했을 거야. 하지만 안채에는 사람이 있었어. 내 용서를 빌고자 했던 감정은 바로 거기서 저지당하고 말았네. 그리고 슬프게도 영원히 부활하지 않았어.

저녁 식사 때 K와 나는 다시 얼굴을 마주했네. 아무것도 모르는 K는 그저 가라앉아 있을 뿐 내게 조금도 의혹의 눈초리를 보내지 않았어. 이런 사정을 모르는 사모님은 평소보다 즐거워 보였어. 오로지 나만 모든 것을 알고 있었어. 밥알이 아니라 마치 납덩이를 삼키는 기분이었네. 그때 아가씨는 평소처럼 우리와 함께 식탁 앞에 앉지 않았네. 사모님이 재촉하자 옆방에서 금방 가겠다며 대답할 뿐 좀처럼 나오지 않았어. K도 그녀의 행동이 이상했는지 결국 무슨 일이냐며 사모님에게 물었어. 사모님은 아마 쑥스러워서 그럴 거라며 잠시 내 얼굴을 쳐다보았어. K는 더욱 이상하다는 듯 뭐가 쑥스럽다는 건지 캐물었네. 사모님은 미소를 지으며 다시 내 얼굴을 쳐다보았어.

나는 식탁 앞에 앉는 순간부터 사모님의 표정을 보고 대략 일의 진행 상황을 추측했네. 하지만 K에게 설명하기 위해 내 앞에서 그 일을 낱낱이 이야기하는 건 견딜 수 없다고 생각했어. 사모님은 또 그 정도의 일은 아무렇지도 않게 하는 사람이었기 때문에 나는 조마조마했네. 다행히 K는 다시 침묵하고 말았어. 평소보다 다소 기분이 좋았던 사모님도 내가 두려워하는 상황까지는 몰고 가지 않았네. 나는 안도의 한숨을 내쉬며 방으로 돌아왔네. 하지만 내가 앞으로 K에게 어떤 태도를 취해야 할지 무척 고민스러웠네. 나는 이런저런 변명을 속으로 늘어놓았지만 그 어떤 변명도 K에게는 정당한 답이 되기에 부족했어. 비겁한 나는 결국 K에게 설명하는 게 싫었네.

47

나는 그 상태로 이삼일을 보냈네. 그 이삼일 동안 K에 대한 끊임없는 불안이 내 마음을 무겁게 짓누르고 있었음은 말할 것도 없어. 나는 그러잖아도 K에게 면목이 없어서 어떻게든 말해야겠다고 생각하고 있었어. 그런데 사모님의 말투나 아가씨의 태도가 늘 쿡쿡 찌르듯이 나를 긴장시켰기 때문에 더 괴로웠네. 남자 같은 화통한 성격의 사모님이 언제 밥상 앞에서 K에게 내 이야기를 말해 버릴지 알 수 없었어. 그날 이후 나에 대한 태도가 확연하게 달라진 아가씨의 행동도 K의 마음을 어둡게 하는 의심의 씨앗이 되지 않을 거라고는 단언할 수 없었지. 나는 어떻게든 나와 이 가족 사이에 성립된 새로운 관계를 K에게 알려야만 하는 처지에 있었어. 하지만 윤리적으로 약점을 갖고 있는 나로서는 그것이 지극히 어려운 일처럼 느껴졌네.

나는 할 수 없이 사모님에게 부탁해서 K에게 정식으로 그 사실을 말해 달라고 해 볼까 생각했네. 물론 내가 없을 때 말이야. 하지만 있는 그대로 말하면 직접과 간접의 차이는 있을지언정 면목이 없기는 마찬가지였네. 그렇다고 이야기를 좀 꾸며서 말해 달라고 하면 사모님이 그 이유를 물을 게 뻔하고 말이야. 만일 사모님에게 모든 사정을 털어놓고 부탁하면 나는 스스로 자신의 약점을 사랑하는 사람과 그 어머니 앞에 드러내야만 하네. 고지식한 나는 그것이 훗날 가족들이 날 신뢰하는 데 나쁜 영향을 미칠 거라고 생각했네. 결혼하기 전부터 사랑하는 사람의 신뢰를 잃는다는 건 설령 그게 아주 미미한 것이라 할지라도 내게는 견딜 수 없는 불행처럼 보였어.

요컨대 나는 정직한 길을 갈 생각이었지만 결국 발을 헛디디고 만 바보였어. 어쩌면 교활한 사람이었지. 그리고 그걸 알고 있는 건 그때까지는 하늘과 내 마음뿐이었네. 하지만 다시 일어나서 또 한 걸음을 내딛기 위해서는 지금 넘어진 사실을 반드시 주위 사람들에게 알려야 하는 곤경에 처해 있었던 거야. 나는 넘어진 사실을 끝까지 감추고 싶었어. 동시에 어떻게든 앞으로 나아가야 했네. 나는 그 중간에 끼어 다시 옴짝달싹도 하지 못했어.

그로부터 대엿새가 지난 어느 날, 사모님이 갑자기 내게 K에게 그 이야기를 했느냐고 물었네. 나는 아직 하지 않았다고 대답했어. 그러자 왜 이야기하지 않느냐고 사모님이 나를 책망하는 거야. 나는 그 말에 온몸이 굳어졌네. 그때 사모님이 나를 놀라게 한 말을 지금도 잊지 못하네.

"이야기해 주는 게 도리인 것 같아서 내가 그 말을 했더니 갑자기 표정이 이상해지더라니까. 학생도 나빠. 평소에 그렇게 절친한 사이인데 시치미를 뚝 떼고 이야기를 안 하다니."

나는 K가 그때 무슨 말을 하지 않았느냐고 사모님에게 물었네. 사모님은 별다른 말은 없었다고 했어. 하지만 나는 좀 더 자세히 물을 수밖에 없었어. 당연한 일이지만 사모님은 아무것도 감출 이유가 없었어. 특별한 이야기는 없었다고 하면서 K의 모습을 자세히 들려주었네.

사모님의 이야기를 종합해 보면 K는 이 최후의 타격을 놀랍도록 침착하게 받아들인 것 같았어. K는 아가씨와 나 사이에 맺어진 새로운 관계에 대해 처음에는 "그렇습니까?"라고 한마디만 했다더군. 하지만 사모님이 "학생도 기뻐해 주게."라고 말하자 그는 비로소 사모님의 얼굴을 보고 미소 지으며 "축하드립니다." 라고 말하고는 자리를 떴다는 거야. 그리고 거실 문을 열기 전에 다시 사모님을 돌아보며 "결혼식은 언제인가요?"라고 물었다더군. 그러고는 "뭔가 축하 선물을 하고 싶은데 저는 돈이 없어 드릴 수가 없군요." 하고 말했다네. 사모님 앞에 앉아 있던 나는 그 이야기를 듣고 가슴이 꽉 막히는 듯한 고통을 느꼈어.

48

날짜를 따져 보니 사모님이 K에게 이야기한 날로부터 벌써 이틀이 지나 있었네. 그 이틀 동안 K는 내게 이전과 다른 태도를 조금도 보이지 않았기 때문에 나는 전혀 모르고 있었던 거야. 그의 초연한 태도는 설령 표면적인 것이라 해도 존경할 만하다고 생각했네. 머릿속으로 K와 나를 비교해 보면 그가 훨씬 훌륭해 보였어. '나는 교묘한 속임수로 이겼지만 인간적인 면에서는 패

배했다.'는 생각이 가슴속에서 강하게 소용돌이쳤어. 그때 K가 나를 경멸하고 있을 거라는 생각에 혼자 얼굴을 붉혔어. 하지만 이제 와서 K 앞에 나가 창피를 당하는 건 내 자존심이 허락지 않았네.

내가 앞으로 나아갈지 아니면 그만둘지를 생각하다가 어쨌든 다음 날 아침까지 기다리자고 결심한 것은 토요일 밤이었네. 그런데 그날 밤 K가 자살을 한 거야. 나는 지금도 그 광경을 떠올리면 섬뜩해지네. 언제나 동쪽으로 머리를 향하고 자는 내가 그날 밤엔 우연히 서쪽을 향해 이부자리를 깐 것도 어떤 징조였는지 모르겠네. 나는 머리맡으로 스며드는 찬바람에 문득 눈을 떴어. 보니까 항상 꼭 닫혀 있는 나와 K의 방 사이 문이 지난번 밤과 같이 열려 있었어. 하지만 지난번처럼 K의 검은 그림자는 그곳에 서 있지 않았네. 나는 암시를 받은 사람처럼 잠자리에서 팔꿈치를 짚고 일어나 K의 방을 들여다보았네. 램프가 희미하게 켜져 있었어. 그리고 이불도 깔려 있었네. 하지만 덮는 이불은 발에 차인 것처럼 아래쪽에 흐트러진 채 있었어. 그리고 K는 저쪽을 향해 엎드려 있었네.

나는 "K?" 하고 불렀어. 하지만 아무 대답이 없었지. "K, 왜 그래?" 나는 다시 한 번 K를 불렀어. 그래도 K는 꼼짝도 하지 않았네. 나는 곧바로 일어나서 문지방이 있는 곳까지 갔어. 그리고 어두운 램프 불빛에 의지해 방 안을 둘러보았네.

그때 내가 받은 첫 느낌은 K에게 갑자기 사랑 고백을 들었을 때의 그 느낌과 흡사했네. 내 눈은 그의 방 안을 한번 둘러보자

마자 마치 유리로 만든 의안처럼 움직일 능력을 잃고 말았어. 나는 그 자리에 못 박힌 듯 그대로 온몸이 굳어 버렸네. 그 순간이 빠르게 나를 훑고 지난 다음에야 나는 정신을 차리고 큰일 났다는 생각을 했네. 이제는 돌이킬 수 없다는 검은 빛이 내 미래를 뚫고 한순간에 내 앞에 놓인 전 생애를 무섭게 비추었네. 나는 온몸을 부들부들 떨기 시작했어.

그 순간에도 나는 이기심을 버릴 수 없었네. 곧바로 책상 위에 놓여 있는 편지가 눈에 띄었어. 그건 예상대로 내 앞으로 되어 있었지. 나는 정신없이 봉투를 뜯었네. 하지만 안에는 내가 예상했던 말은 한마디도 쓰여 있지 않았어. 나는 내게 고통스러운 말들이 그 안에 가득 쓰여 있을 거라고 생각했어. 그리고 만일 그런 내용이 사모님이나 아가씨 눈에 띈다면 얼마나 나를 경멸할까 하는 두려움도 있었지. 나는 잠깐 훑어보고 나서 우선 다행이라고 생각했어. 물론 남의 눈을 의식했을 때 다행이라고 생각했지만 이런 남의 눈이 이번 일에는 내게 상당히 중요하게 여겨졌던 거야.

편지의 내용은 간단했네. 그리고 추상적이었어. 나는 의지가 약해 도저히 앞날에 희망이 보이지 않아 자살한다는 말뿐이었어. 그리고 지금까지 내게 신세를 진 데에 대한 감사의 말이 짤막하게 덧붙여져 있었어. 이왕 신세 지는 김에 사후 뒤처리까지 부탁한다는 말도 있었어. 사모님께 폐를 끼쳐서 죄송하니 대신 사죄해 달라는 말도 있었네. 고향에는 나보고 알려 달라는 부탁도 있었어. 필요한 사항은 모두 한마디씩 쓰여 있었는데 아가씨

271

의 이름만은 없었어. 나는 끝까지 읽고 나서 K가 일부러 적지 않았다는 걸 알았네. 하지만 내 마음을 아프게 한 건 마지막에 남은 먹물로 쓴 것으로 보이는 좀 더 빨리 죽었어야 했는데 왜 지금까지 살아 있었을까 하는 글귀였어.

나는 떨리는 손으로 편지를 접어 다시 봉투 안에 집어넣었네. 나는 일부러 그 편지를 다른 사람들의 눈에 띄도록 원래대로 책상 위에 놓았어. 그리고 뒤돌아섰을 때 비로소 방문에 세차게 뿜어져 있는 핏자국을 보았네.

49

나는 갑자기 K의 머리를 안 듯이 양손으로 조금 들어 올렸네. 죽은 K의 얼굴을 한 번 더 보고 싶었던 거야. 하지만 엎드리고 있는 그의 얼굴을 그렇게 밑에서 들여다보았을 때 나는 금세 그 손을 놓아 버렸네. 섬뜩해서 그런 것만은 아니야. 그의 머리가 아주 무겁게 느껴졌기 때문이지. 나는 방금 만진 차가운 귀와 평소와 다름없이 짧고 검은 머리카락을 잠시 바라보았네. 나는 전혀 눈물이 나지 않았네. 그저 무서웠어. 그리고 그 두려움은 눈앞의 자극적인 광경을 목격했을 때 느껴지는 단순한 공포만이 아니었네. 갑자기 차갑게 변한 이 친구에 의해 암시된 운명의 두려움을 깊이 느꼈기 때문이었지.

나는 정신없이 다시 내 방으로 돌아왔어. 그리고 다다미 여덟 장만 한 방 안을 빙빙 돌기 시작했네. 내 머릿속에서 무의미하더라도 잠시 동안 그렇게 무조건 움직이라고 명령했던 거야. 나는 뭔가 해야 한다고 생각했어. 동시에 이제는 어떻게 할 수도 없다고 생각했네. 방 안을 빙빙 도는 것 말고는 아무것도 할 수 없었어. 마치 우리 안에 갇힌 곰처럼.

나는 순간 안채로 가서 사모님을 깨울까도 생각했어. 하지만 여자에게 이런 끔찍한 광경을 보여 주어서는 안 된다는 생각이 곧 나를 가로막았네. 사모님은 그렇다 치더라도 아가씨를 놀라게 하는 일은 절대 있어서는 안 된다는 강한 의지가 나를 억눌렀네. 나는 다시 방 안을 빙빙 돌기 시작했어.

나는 그사이에 내 방의 램프를 켰어. 그리고 시계를 자꾸 쳐다봤네. 그때처럼 시간이 더디게 간 적은 없었어. 내가 일어난 시간은 정확히 알 수 없었지만 동이 트기 직전이었던 것만은 분명했네. 빙글빙글 돌면서 새벽을 애타게 기다리던 나는 어두운 이 밤이 영원히 지속되는 건 아닐까 하고 초조해서 견딜 수 없었어.

우리는 보통 일곱 시 전에는 일어났어. 학교는 여덟 시에 시작될 때가 많았기 때문에 그렇게 하지 않으면 수업 시간에 늦기 때문이야. 그래서 하녀는 여섯 시쯤에는 일어나야 했지. 그러나 그날 내가 하녀를 깨우러 간 건 채 여섯 시도 되기 전이었어. 그러자 사모님이 오늘은 일요일이라는 걸 일깨워 주었어. 사모님은 내 발소리에 눈을 뜬 거야. 나는 사모님에게 일어나셨으면 잠깐 내 방으로 와 달라고 부탁했네. 사모님은 잠옷 위에 웃옷을 걸치고 내 뒤를 따라왔지. 나는 방으로 들어오자마자 지금까지 열려 있던 두 방 사이의 방문을 얼른 닫았어. 그리고 사모님에게 작은 소리로 큰일이 났다고 말했어. 사모님은 무슨 일이냐고 물었지. 나는 턱으로 옆방을 가리키며 "놀라지 마세요."라고 말했네. 사모님의 얼굴이 창백해졌어. "사모님, K가 자살을 했어요."라고 내가 다시 말했네. 사모님은 놀란 나머지 온몸이 굳은 채 내 얼굴을 보며 아무 말도 하지 못했어. 그때 나는 갑자기 사모님 앞에 무릎을 꿇고 머리를 조아렸네. "죄송해요. 제가 잘못했어요. 사모님과 아가씨께도 죄송하게 되었어요."라고 사죄했네. 나는 사모님과 마주 볼 때까지 그런 말을 입에 올릴 생각은 전혀 없었어. 하지만 사모님의 얼굴을 봤을 때 갑자기 나도 모르게 그렇게 말해 버린 거야. K에게 사죄할 수 없게 된 나는 그렇게라도 사모님과 아가씨에게 빌지 않고서는 도저히 견딜 수 없었던 거라고 생각해 주게. 말하자면 숨어 있던 나의 순수함이 평소의 이기적인 나를 물리치고 참회의 말을 쏟아내게 한 거야. 사모님이 그런 깊은 의미로 내 말을 해석하지 않은 건 내게 다행이었어. 창백한 얼굴로 "갑작스러운 일인데 어쩔 수 없지 않은가."라고 나를 위로했으니까. 하지만 그 얼굴은 놀람과 두려움으로 딱딱하게 굳어 있었어.

50

사모님에게는 안된 일이지만, 나는 다시 일어나 지금 막 닫은 문을 열었네. 그때는 램프의 기름이 다 떨어졌는지 방 안은 거의 캄캄했어. 나는 되돌아와서 램프를 손에 든 채 입구에 서서 사모님을 돌아보았네. 사모님은 내 뒤에 숨듯이 하면서 방 안을 들여다보았네. 하지만 들어가려고는 하지 않았어. 그곳은 그대로 놔두고 덧문을 열어 달라고 내게 말했네.

그 후 사모님은 역시 군인의 미망인답게 매우 정확하고 대담하게 행동했어. 나는 의사에게 갔네. 또 경찰서에도 갔어. 하지만 전부 사모님이 가라고 해서 간 거야. 사모님은 그런 수속이 끝날 때까지 아무도 방에 들여보내지 않았어.

K는 작은 나이프로 경동맥을 끊고 단번에 죽었네. 상처 같은 건 전혀 없었어. 내가 꿈같은 느낌의 어두컴컴한 불빛으로 본 방문의 피는 그의 목에서 단번에 내뿜어진 것으로 밝혀졌네. 나는 밝은 햇빛 아래 또렷이 그 흔적을 바라보았네. 그리고 인간의 피가 그토록 세차게 솟아오를 수 있다는 것에 놀랐어.

사모님과 나는 가능한 한 모든 수단과 아이디어를 동원해서 K의 방을 청소했네. 그의 피 대부분은 다행히 이불에 흡수되었기 때문에 다다미가 그렇게 더러워지지 않아서 뒤처리는 그래도 간단했네. 두 사람은 그의 시체를 내 방으로 옮기고 평소에 자고 있는 것처럼 눕혔어. 그러고 나서 나는 그의 집에 전보를 치러 갔네.

내가 돌아왔을 때는 K의 머리맡에 이미 향이 피워져 있었어. 방에 들어가자 곧 절에서와 같은 연기가 코를 찔렀고 나는 그 연기 속에 앉아 있는 두 여자를 보았네. 내가 아가씨의 얼굴을 본 것은 어젯밤 이래 그때가 처음이었어. 아가씨는 울고 있었네. 사모님도 눈시울을 붉히고 있었어. 사건이 일어난 후 그때까지 우는 것을 잊어버리고 있었던 나는 그제야 슬픈 기분에 휩싸일 수 있었어. 내 가슴은 그 슬픔 때문에 얼마나 편안해졌는지 모르네. 고통과 공포에 사로잡힌 내 마음을 한 방울의 물로 적셔 준 것은 그때의 슬픔이었어.

나는 말없이 두 사람 옆에 앉아 있었네. 사모님은 향을 피워 올리고 또 가만히 앉아 있었어. 아가씨는 내게 아무 말도 하지 않았어. 가끔 사모님과 한두 마디 말을 나눌 때도 있었지만 그 것은 눈앞에 닥친 일에 관해서뿐이었어. 아가씨는 K의 생전 일을 말할 만큼 아직 여유가 없었지. 나는 그래도 어젯밤의 끔찍한 모습을 안 보일 수 있어서 다행이라고 속으로 생각했네. 젊고 아름다운 사람에게 무서운 것을 보이면 아름다움이 그대로 파괴될 것 같아 나는 두려웠던 거야. 내 두려움이 머리끝까지 달했을 때 조차 그 생각을 도외시하고 행동할 수는 없었어. 나는 그 와중에 도 죄도 없는 아름다운 꽃을 공연히 채찍질하는 것과도 같은 불쾌감을 느낀 거야.

K의 고향에서 그의 아버지와 형이 올라왔을 때, 나는 K의 유골을 어디에 묻을 것인지 내 의견을 말했네. 그가 살아 있을 때 조시가야 주변을 함께 산책한 적이 있었지. K는 그곳을 아주 마음에 들어 했네.

그때 반농담으로 자네가 죽으면 여기에 묻어 주겠다고 약속한 적이 있었어. 물론 나로서는 지금 그 약속대로 K를 조시가야에 묻어 준다고 해서 죄가 사해질까 하는 생각이 들었네. 하지만 나는 살아 있는 동안은 K의 무덤 앞에 무릎 꿇고 다달이 참회를 하고 싶었던 거야. 지금까지 내버려 둔 K를 내가 모든 면에서 돌봐 왔다는 데 대한 도리라고 생각해선지 K의 아버지와 형도 내 바람대로 해 주었네.

51

K의 장례식에서 돌아오는 길에 나는 K의 한 친구에게 K가 왜 자살했을까 하는 질문을 받았네. 사건 이후 나는 수차례 이 질문으로 고통받았지. 사모님과 아가씨는 물론 고향에서 올라온 K의 아버지와 형, 그리고 연락을 받고 올라온 지인들, 심지어는 그와 아무 관련 없는 신문기자까지 내게 똑같은 질문을 던졌어. 그때 마다 양심의 가책 때문에 고통스러웠다네. 그리고 나는 이 질문 속에서 빨리 네가 죽었다고 고백해 버리라는 소리를 들었어.

내 대답은 누구에게나 똑같았네. 나는 그저 그가 내 앞으로 남긴 편지 내용을 되풀이할 뿐 그 외에는 단 한마디도 덧붙이지 않았네. 장례식에서 돌아오는 길에 똑같은 대답을 들은 K의 친구는 품속에서 신문 한 장을 꺼내 내게 보여 주었어. 나는 걸으면서 그 친구가 가리킨 곳을 읽었네. 그 기사에는 K가 부모 형제에게 의절당하고 그것을 비관한 나머지 자살했다고 쓰여 있었어. 나는 아무 말 없이 신문을 도로 접어 그 친구에게 돌려주었네. 그 친구는 그 기사 외에도 K가 미쳐서 자살했다고 쓴 신문이 있다고 알려 주었네. 바빠서 거의 신문을 읽을 겨를이 없던 나는 그런 소식을 전혀 접하지 못한 상태였지만 속으로는 계속 신경 쓰이던 부분이었어. 나는 무엇보다도 집안사람들에게 폐가 되는 기사가 나오는 걸 우려했네. 특히 이름뿐이라 하더라도 혹시라도 아가씨와 관련된 기사가 나온다면 도저히 참을 수 없다는 생각이 들었어. 나는 그 친구에게 그 밖에 K와 관련된 또 다른 신문 기사는 없는지 물었네. 그는 자신이 본 것은 그 두 종류라고 대답했어.

내가 지금 사는 집으로 이사한 것은 그로부터 얼마 지나지 않아서였네. 사모님과 아가씨도 전에 살던 집을 싫어했고, 나도 그 날 밤의 기억이 매일 밤 되살아나는 게 고통스러웠기 때문에 상의한 후에 이사하기로 한 거야.

이사하고 두 달 정도 지난 후 나는 무사히 대학을 졸업했네. 그리고 졸업하고 반년도 지나지 않아 아가씨와 결혼했네. 겉으로 봤을 때는 모든 일이 예정대로 진행되었기 때문에 축하할 일이라고 해야겠지. 사모님도 아가씨도 꽤 행복해 보였어. 나도 행복했네. 하지만 내 행복에는 검은 그림자가 늘 따라다녔어. 나는 이 행복이 결국 나를 슬픈 운명으로 이끄는 도화선이 아닐까 하고 생각했네.

결혼했으니까, 이제부터는 아가씨가 아니라 아내라고 하겠네. 결혼했을 때 아내가 무슨 생각에서인지 둘이서 K의 무덤에 찾아가자는 말을 꺼냈어. 나는 영문도 모르고 움찔했네. 왜 갑자기 그런 생각을 했느냐고 물었지. 아내는 둘이서 무덤을 찾아가면 K가 무척 기뻐할 거라고 했네. 나는 아무것도 모르는 아내의 얼굴을 유심히 바라보았는데, 왜 그런 얼굴을 하느냐는 아내의 말에 비로소 정신이 들었어.

나는 아내가 바라는 대로 함께 조시가야에 갔네. 나는 K의 새 무덤에 물을 뿌리고 비석을 깨끗하게 씻어 주었어. 아내는 묘 앞에 향을 피우고 꽃을 꽂았지. 우리는 머리를 숙이고 합장했네. 아내는 나와 결혼한 자초지종을 말하면 K도 기뻐해 주리라고 생각했겠지. 나는 마음속으로 그저 내가 잘못했다고만 되풀이했네.

그때 아내는 K의 비석을 어루만지며 훌륭하다고 했어. 그 비석은 대단한 건 아니었지만 내가 직접 비석 집에 가서 골랐기 때문에 아내는 일부러 그렇게 말한 거겠지. 나는 그 새로운 비석과, 새로 맞이한 내 아내와, 땅속에 묻힌 K의 백골을 떠올리며 운명의 차가운 저주를 느꼈네. 나는 그날 이후 아내와 함께 K의 묘소에 가지 않기로 결심했네.

52

죽은 K에 대한 이런 내 느낌은 언제까지나 계속되었네. 실은 나도 처음부터 그걸 두려워했던 거야. 오랫동안 꿈꾸던 결혼이었는데도 불안감 속에서 식을 올렸어. 하지만 스스로도 자신의 미래가 보이지 않는 인간이기 때문에 어쩌면 결혼을 함으로써 내 마음을 완전히 바꾸어 새로운 인생을 시작하는 계기가 될지도 모른다고 생각했네. 그러나 마침내 남편으로서 아침저녁으로 아내와 얼굴을 마주하다 보니 나의 부질없는 희망은 냉엄한 현실 앞에서 여지없이 무너져 내리고 말았네. 나는 아내와 얼굴을 마주할 때마다 갑자기 K에게 위협당하는 거야. 말하자면 아내가 중간에 서서 K와 나를 영원히 이어 놓고는 좀처럼 떨어지지 않는 거야. 아내에게 전혀 불만이 없던 나는 오로지 이 한 가지 이유 때문에 그녀를 멀리하고 싶었네. 하지만 아내는 금세 내 변화를 알아채더군. 뭔가 느끼기는 하지만 도대체 그 이유를 알 수 없어서 속이 탈 수밖에 없었지. 가끔 아내가 왜 그렇게 생각하는지, 뭐가 마음에 들지 않는지 따져 물었네. 적당히 웃으며 얼버무릴 수 있을 때는 그럭저럭 넘어갔지만 때로는 아내도 신경이 날카로워지곤 했네. 결국 "당신은 나를 싫어하죠?" "뭔가 내게 숨기고 있는 게 분명해요."라는 원망도 들었다네. 나는 그때마다 괴로웠네.

차라리 있는 그대로 아내에게 털어놓자고 결심한 적도 몇 번이나 있었어. 그러나 막상 이야기하려고 하면 갑자기 어떤 힘이 나를 억누르는 거야. 나를 이해해 주는 자네니까 굳이 설명할 필요도 없다고 생각하지만, 그래도 말해야 할 사항이니까 이야기해 두겠네. 그 당시의 나는 아내에게 내 자신을 숨길 생각은 전혀 없었어. 만일 내가 죽은 친구에 대한 것과 똑같은 선량한 마음으로 아내에게 참회의 말을 했다면 아내는 기쁜 눈물을 흘리며 내 죄를 용서해 주었을 게 틀림없네. 그러면서도 고백하지 않은 내게 이해타산이 있을 리가 없지. 나는 단지 아내에게 어두운 기억을 새겨 놓는 것이 가슴 아파서 털어놓지 않았을 뿐이야. 단 하나의 오점이라 할지라도 아내의 깨끗한 영혼을 더럽히는 건 내게 큰 고통이었다는 걸 이해해 주게.

280

일 년이 지나도 K를 잊을 수가 없던 나는 늘 불안했네. 나는 이 불안감을 떨쳐 버리기 위해 책에 몰두하려고 노력했지. 그래서 맹렬한 기세로 공부하기 시작한 거야. 그리고 그 결과물을 세상 사람들에게 인정받을 수 있는 날이 오기를 기다렸네. 하지만 무리하게 목적을 세우고 그 목적을 달성하는 날을 기다린다는 건 진정으로 원하는 일이 아니기에 썩 유쾌하지 않아. 결국 책에서 마음이 떠나고 말았어. 나는 또다시 팔짱을 끼고 세상을 바라보기 시작했지.

아내는 그런 나를 보며 먹고사는 데 걱정이 없어서 마음이 해이해진 거라고 생각한 모양이야. 아내의 집에도 두 모녀 정도는 충분히 놀고먹어도 살 수 있을 만큼의 재산이 있는 데다 나 역시 직업을 갖지 않아도 부족함이 없을 만큼 재산이 있었기 때문에 그렇게 생각하는 것도 무리는 아니었어. 경제적으로 고생을 해 본 적이 없기 때문에 세상 물정에 어두운 부분도 있었겠지.

그러나 그런 부분은 내가 집 안에 틀어 박히게 된 주요 원인과는 상관없었어. 숙부에게 배신당했을 때 사람을 믿을 수 없는 존재라고 뼈저리게 느낀 건 사실이지만 사람만 나쁘게 생각했을 뿐 내 자신만큼은 확실하게 믿을 수 있다고 생각했지. 세상이 어떻든 내 자신만은 훌륭한 인간이라는 신념이 어딘가에 있었던 거야. 그런데 K 때문에 보기 좋게 그 신념이 무너져 버렸고 나 자신도 숙부와 똑같은 인간이라는 생각이 들었을 때 큰 충격을 받고 말았네. 사람을 믿지 않던 나는 내 자신조차 믿을 수 없게 되었고, 결국 세상 밖으로 나갈 수 없게 되고 만 거지.

53

책 속에 파묻혀 살려고 했지만 뜻대로 되지 않은 나는 술에 빠져 허우적거리며 자신을 잊으려고 시도한 적도 있었네. 나는 술을 좋아하지는 않네. 하지만 마시려고만 하면 얼마든지 마실 수 있는 체질이었기에 그저 술에 취해 잊고 살려고 했어. 하지만 이 천박한 행동은 나를 더욱 염세적으로 만들었어. 나는 만취 상태에서도 문득 자신의 처지에 정신이 들었네. 일부러 이런 행동으로 자신을 기만하는 어리석은 사람이라는 걸 깨달은 거야. 그러자 온몸이 떨리면서 눈과 마음이 깨어나더군. 때로는 아무리 마셔도 이런 가상의 상태에조차 들어가지 못하고 걷잡을 수 없이 침울할 때도 있었어. 게다가 술의 힘을 빌려 억지로 웃고 나면 그다음에는 반드시 우울해졌어. 내가 가장 사랑하는 아내와 장모님에게 언제나 그런 모습을 보여야 했지. 더구나 그녀들은 나름대로 자연스러운 처지에서 나를 분석하려 들었네.

장모님은 이따금 아내에게 나에 대해 듣기 싫은 말을 하는 듯했어. 아내는 그것을 내게 감추고 있었네. 하지만 아내 역시 나를 책망할 수밖에 없었던 모양이야. 책망한다고는 해도 결코 심한 말은 아니야. 아내가 무슨 말을 했을 때 내가 격분한 적이 거의 없으니까. 아내는 가끔 뭐가 마음에 안 드는지 숨김없이 말해 달라고 부탁했네. 그리고 내 미래를 위해 술을 끊으라고 충고했어. 어떤 때는 울면서 "당신은 요즘 너무 달라졌어요."라고 말했네. 그것뿐이라면 그나마 괜찮지만, "K 씨가 살아 있었다면 당신이 이렇게 되지는 않았을 거예요."라는 말까지 하는 거야. 나는 그럴지도 모른다고 대답한 적이 있었지만 내 대답의 의미와 아내가 이해한 의미는 전혀 달랐기 때문에 마음속으로 슬펐네. 그래도 나는 아내에게 아무것도 설명해 줄 수가 없었어.

나는 때때로 아내에게 미안하다고 했어. 대개는 술에 취해 늦게 귀가한 다음 날 아침이었어. 내가 미안하다고 하면 아내는 웃을 때도 있었고 아무 말도 하지 않을 때도 있었네. 눈물을 주르륵 흘릴 때도 있었어. 그런 아내의 모습을 볼 때마다 나 자신이 화가 나서 견딜 수가 없었다네. 결국 나는 술을 끊었네. 아내의 충고 때문에 끊었다기보다 내가 싫어져서 끊었다고 하는 편이 맞을 거야.

술은 끊었지만 무엇을 하고자 하는 의욕은 전혀 없었네. 어쩔 수 없이 책을 읽었어. 하지만 무작정 읽기만 할 뿐이었지. 아내는 왜 공부를 하느냐는 질문을 자주 했네. 나는 그저 쓴웃음만 지었어. 하지만 세상에서 내가 가장 믿고 사랑하는 단 한 사람조차 나를 이해하지 못한다고 생각하니 더욱 슬퍼졌네. 나는 외로웠어. 세상 사람들과 격리된 채 이 세상에 혼자만 살고 있는 듯한 느낌이 들 때도 자주 있었네.

동시에 나는 K가 죽은 원인을 몇 번이나 떠올렸네. 사건이 일어날 당시에는 머릿속이 단순히 사랑이라는 두 글자에 지배된 탓도 있었겠지만 내 관찰은 오히려 단순하고 직선적이었어. K는 바로 실연 때문에 죽은 거라고 그렇게 간주해 버린 거야. 하지만 점차 시간이 흐르면서 차분하게 그 당시를 돌이켜 보니 그렇게 간단히 결론 내릴 일이 아니라는 생각이 들었어. 현실과 이상의 충돌, 하지만 이것만으로는 충분하지 않았어. 나는 어쩌면 K가 나처럼 혼자 남겨진 외로움을 견디다 못해 결국은 자살을 택한 게 아닐까 하는 의심이 들기 시작했네. 그리고 또다시 섬뜩하게 느껴졌어. 나도 K가 걸어간 길을 똑같이 걷고 있다는 어떤 불길한 예감이 이따금 바람처럼 내 가슴을 스쳐 지나갔기 때문이야.

54

그러는 동안 장모님이 병으로 눕게 되었네. 의사에게 보이자 도저히 나을 희망이 없다는 진단이 내려졌어. 나는 힘이 닿는 한 성심껏 간호했네. 그건 환자를 위한 것이기도 했고 또 사랑하는 아내를 위한 일이기도 했네. 하지만 더 큰 의미를 들자면 결국 인간을 위한 일이었어. 나는 그때까지도 뭔가 하고 싶어서 견딜 수 없었지만 아무것도 할 수 없었기 때문에 어쩔 수 없이 그저 바라만 보고 있었던 게 틀림없었어. 세상과 격리된 채 살아가던 내가 처음으로 스스로 손을 내밀어 조금이라도 좋은 일을 했다는 기분을 느낄 수 있었던 건 그때가 처음이었지. 나는 속죄하는 마음으로 장모님께 최선을 다한 거야.

장모님은 끝내 돌아가셨네. 나와 아내, 오로지 둘만 남게 되었어. 아내는 내게 앞으로 이 세상에서 의지할 사람은 단 한 사람밖에 남지 않았다고 했네. 나 자신조차 의지할 수 없는 나는 아내의 얼굴을 보며 나도 모르게 눈물을 흘렸어. 그리고 아내를 불행한 여자라고 생각했네. 또 불행한 여자라고 소리 내어 말하기도 했어. 아내는 왜냐고 물었네. 아내는 내 말의 의미를 이해할수 없었던 거야. 나도 그것을 설명해 줄 수 없었네. 아내는 울었어. 내가 평소에 부정적인 시선으로 자신을 바라보기 때문에 그런 말을 하는 거라며 나를 원망하더군.

장모님이 돌아가신 후, 나는 아내를 다정하게 대해 주었네. 그녀를 사랑했기 때문만은 아냐. 나의 그런 다정함에는 단순히 개인적인 차원을 떠나 좀 더 넓은 의미가 있었어. 장모님을 정성껏 간호할 때처럼 속죄하는 마음으로 그녀를 대한 것 같아. 아내는 만족스러워하는 것 같았어. 하지만 그 만족감 속에는 나를 이해할 수 없어서 생기는 1퍼센트 부족한 무언가가 마음속 어딘가에 있었던 것 같았지. 하지만 아내가 나를 이해했다고 하더라도 부족한 1퍼센트는 더하면 더했지 결코 줄어들 기미는 보이지 않았네. 여자들은 인도주의 차원에서 오는 애정보다는 다소 도리에 어긋나더라도 오로지 자신만을 사랑해 주기를 바라는 기질이 남자보다 강하니까.

어느 날 아내는 남자와 여자의 마음은 도저히 하나가 될 수 없는 거냐고 물었어. 나는 그저 젊을 때라면 가능하겠지 하고 애매하게 대답했네. 아내는 자신의 과거를 돌이켜 보는 것 같았어. 그러다가 가느다란 한숨을 내쉬었어.

내 가슴에는 그때부터 가끔 무서운 그림자가 번뜩였네. 처음에는 우연히 외부에서 엄습해 왔어. 나는 놀라서 소름이 끼쳤네. 하지만 시간이 지날수록 내 마음은 그 무시무시한 그림자에 반응하게 되었어. 결국에는 외부에서 오지 않아도 태어날 때부터

이미 내 가슴속 깊은 곳에 잠재되어 있었던 것처럼 느껴지기 시
작했어. 나는 그런 느낌이 들 때마다 내 머리가 어떻게 된 것은
아닐까 하고 의심했네. 하지만 의사나 그 누구에게도 진찰받으
려고 하지 않았네.

나는 그저 인간의 죄에 대해 깊이 느꼈어. 그 느낌이 나를 매
달 K의 무덤으로 가게 만들었지. 그 느낌이 나로 하여금 장모님
을 간호하게 만들었네. 그리고 그 느낌이 아내에게도 자상하게
해 주라고 내게 명령하는 거야. 나는 그 느낌 때문에 길 가는 낯
선 사람에게 채찍질당하고 싶다고 생각한 적도 있었어. 이런 단
계를 점차 거치면서 남에게 채찍으로 맞기보다 스스로 채찍질해
야 한다고 생각했네. 그리고 내가 나 자신을 채찍질하기보다는
스스로를 죽여야 한다는 생각이 들었어. 나는 어쩔 수 없이 죽은
것처럼 살아가자고 결심했지.

내가 그렇게 결심하고 나서 오늘까지 몇 년이 지났을까? 나와
아내는 금실 좋은 부부로 살아왔어. 결코 불행하지는 않았네. 행
복했지. 그러나 내 마음속에 있는 단 한 가지, 결코 내가 벗어날
수 없는 이 한 가지가 아내에게는 늘 어둡게 보인 모양이야. 그
점을 생각하면 아내에게 미안할 뿐이라네.

55

죽었다고 생각하고 세상을 살아가려고 결심한 내 마음은 이따
금 외부 세계의 자극에 놀라곤 했네. 그러나 내가 어떤 방면으로

나아가려고 마음먹기만 하면 어디선가 무서운 힘이 나타나 내 마음을 꽉 조이며 꼼짝도 못 하게 했지. 그리고 그 힘이 내게 너는 아무것도 할 자격이 없는 사람이라고 소리치는 것 같았어. 그러면 나는 그 한마디에 금세 힘을 잃고 쓰러지고 마는 거야. 어느 정도 시간이 흘러 또다시 일어서려고 하면 어김없이 꽉 조여 온다네. 나는 이를 악물고 왜 나를 방해하느냐고 화를 내며 소리를 지르지. 그러면 불가사의한 힘은 싸늘한 목소리로 비웃으며 네 자신이 더 잘 알지 않느냐고 말하는 거야. 나는 또다시 주저앉고 말았네.

굴곡 없는 단조로운 삶을 살아온 나의 내면에는 늘 이런 고통스러운 전쟁이 있었다는 걸 알아주게. 아내가 날 보면서 안타까워할 때 나 자신은 그보다 몇 배는 더 안타깝고 초조한 심정이었지. 말로는 다 표현할 수 없을 정도야. 내가 이 감옥 같은 집에 더 이상 가만히 앉아 있을 수 없게 되었을 때, 또 그 감옥을 도저히 부술 수 없게 되었을 때, 내가 가장 쉬운 노력으로 할 수 있는 일은 자살밖에 없다는 생각이 들었어. 자네는 왜냐고 놀라서 반문할지 모르지만, 언제나 내 마음을 조여 오는 그 불가사의한 무서운 힘은 내 활동을 모든 방면에서 차단하면서도 단 하나, 나를 위해 죽는 길만은 자유롭게 열어 두는 거야. 죽은 듯이 살아가면 모를까 조금이라도 움직이고자 한다면 내가 갈 수 있는 길은 오로지 그 길밖에 없었던 거야.

나는 오늘에 이르기까지 이미 두세 번, 운명이 이끄는 가장 편한 방향으로 나아가려 한 적이 있네. 하지만 그때마다 아내가 마

음에 걸렸어. 아내를 함께 데려갈 용기는 물론 없었지. 아내에게
모든 것을 털어놓지도 못하는 나였기에 내 운명의 희생물로 아
내의 생명을 빼앗는 무모한 행동은 생각만으로도 두려웠네.

내게는 나의 숙명이 있는 것처럼 아내에게는 그녀만의 운명이
있는 거야. 두 사람이 하나 되어 불구덩이 속으로 뛰어드는 건
너무 고통스럽고 극단적이라는 생각이 들었네.

그리고 내가 죽고 난 후 아내를 상상하면 정말 가엾은 생각이
들었어. 장모님이 돌아가셨을 때 앞으로 세상에서 의지할 사람
은 이제 나밖에 안 남았다던 그녀의 말을 나는 가슴 깊이 새기고
잊지 않았거든. 나는 늘 주저했네. 아내의 얼굴을 보고 그만두기
를 잘했다고 생각한 적도 있었어. 그러고는 또다시 꼼짝도 하지
않는 거야. 그리고 아내가 이따금 뭔가 부족함을 채워 주길 바라
는 눈으로 나를 바라보았네.

기억해 주게. 나는 지금까지 이렇게 살아왔어. 처음 가마쿠라
에서 자네를 만났을 때도 자네와 함께 교외를 산책할 때도 내 기
분에 큰 변화는 없었어. 내 뒤에는 늘 검은 그림자가 따라다녔
지. 나는 아내를 위해 생명의 끈을 놓지 않고 지금까지 질질 끌
며 세상을 살아온 거나 마찬가지야. 자네가 졸업하고 고향으로
돌아갈 때도 마찬가지였어. 9월이 되면 또 만나자고 약속했던 건
거짓말이 아니야. 정말 만날 생각이었네. 가을이 가고, 겨울이
오고, 그 겨울이 다 가더라도 반드시 만날 생각이었네.

그런데 여름 더위가 한창 기승을 부릴 무렵 메이지 천황이 승
하했네. 그때 나는 메이지 정신이 천황으로 시작되어 천황으로

끝났다는 생각이 들었어. 가장 강하게 메이지의 영향을 받은 우리가 천황이 죽은 후에도 계속 살아 있는 건 분명히 시대착오라는 느낌이 강하게 들었네. 나는 노골적으로 아내에게 그렇게 말했네. 아내는 웃으며 상대해 주지 않았지만 무슨 생각을 했는지 갑자기 내게 그럼 순사(殉死)라도 하면 되지 않느냐면서 놀렸네.

56

나는 순사라는 말을 거의 잊고 있었네. 평소에 사용할 필요가 없는 글자이기 때문에 기억 저편에 가라앉은 채 사라지기 직전이었지. 아내의 농담을 듣고 비로소 그 말을 기억해 냈을 때 나는 아내에게 만일 내가 순사를 한다면 그건 메이지 정신을 위해 순사하는 거라고 대답했네. 내 대답도 물론 농담에 지나지 않았지만 나는 그때 왠지 쓸모없어진 옛 단어에 새로운 의미를 부여한 듯한 느낌이 들었네.

그러고 나서 한 달 정도 지났네. 메이지 천황의 국장을 치르던 날 밤, 나는 평소와 마찬가지로 서재에 앉아 예포 소리를 들었어. 내게는 그 소리가 메이지 시대가 영원히 끝났음을 알리는 소리처럼 들렸어. 나중에 생각해 보니 그건 노기 대장이 영원히 떠났음을 알리는 소리이기도 했네. 나는 호외를 손에 들고 무심코 아내에게 "순사다, 순사야."라고 말했어.

나는 신문에서 노기 대장이 죽기 전에 남긴 글을 읽었네. 세이난 전쟁(1877년에 사이고 다카모리를 수령으로 한 가고시마의 무사들이 정부를 상대로 일으킨 일본의 대규모 반란_옮긴이)에서 적에게 깃발을 빼앗긴 이후 그에 대한 책임 때문에 자결을 결심한 뒤 오늘날까지 살아왔다는 의미의 글을 읽었을 때, 나는 무심코 손가락을 꼽아 노기 대장이 죽을 각오를 하고 살아온 세월을 계산해 보았네. 세이난 전쟁은 메이지 10년에 일어났으니까 메이지 45년까지는 35년이라는 긴 세월이 있었네. 노기 대장은 35년 동안 죽을 생각을 하며 그날만을 기다려 온 거야. 나는 그런 사람에게 이제까지 살아온 35년이 고통스러웠을지 아니면 할복하는 그 순간이 고통스러웠을지 생각해 보았네.

그리고 이삼일이 지나 나는 드디어 자살을 결심했네. 노기 대장이 죽은 이유가 내게 잘 이해가 되지 않는 것처럼 자네 역시 내가 자살하는 이유가 명확하게 이해되지 않을지도 모르지만, 만일 그렇다면 그건 시대의 변천에 따라 생기는 사고방식의 차이니까 어쩔 수 없는 일이야. 어쩌면 원래 개인이 가지고 태어난 성격의 차이라고 하는 편이 더 정확할지도 모르겠네. 자네가 이런 나를 이해할 수 있도록 지금까지 써 온 편지 속에 내 모든 것을 털어놓았네.

나는 아내를 남겨 두고 가네. 내가 없어도 아내가 사는 데 경제적으로 큰 어려움이 없다는 건 그나마 다행이야. 나는 아내에게 내가 죽은 후의 잔혹한 모습을 보여 주고 싶지 않아. 그래서 아내에게 피를 보이지 않고 죽을 생각이야. 아내가 모르는 사이에 조용히 이 세상에서 사라질 거라네. 내가 죽은 후 아내가 급사라고 생각하기를 바라네. 정신이 이상해졌다고 생각하더라도 그것으로 만족하네.

내가 죽으려고 결심한 지 이미 열흘 이상 지났는데, 그 대부분은 자네에게 이 긴 자서전을 남기기 위해 보낸 시간이라고 생각해 주게. 처음에는 자네를 만나 이야기할 생각이었지만 글을 쓰고 보니 오히려 이쪽이 나 자신을 분명히 표현할 수 있었던 것 같아서 기쁘네. 나는 술에 취해 들뜬 기분으로 쓰고 있는 게 아니라네. 나를 낳은 내 과거는 인간 경험의 일부분으로서 나 이외에는 아무도 말할 수 없는 거니까. 내 과거를 거짓 없이 써서 남기는 내 노력은 인간을 아는 데 자네에게도 다른 사람에게도 결코 헛수고는 아닐 거라고 생각하네. 와타나베 가잔(일본의 학자이자 화가_옮긴이)은 '간단(耶鄲)'이라는 그림을 그리기 위해 죽는 시기를 일주일 연기했다는 이야기를 얼마 전에 들었네. 다른 사람이 보면 불필요한 일처럼 생각될 수 있겠지만 본인에게는 나름대로의 욕구가 마음속에 있는 거니까 어쩔 수 없는 일이지. 내 노력도 단순히 자네와의 약속을 지키기 위해서만은 아니야. 반 이상은 나 자신의 욕구에 따라 행동한 결과라네.

하지만 나는 지금 그 욕구를 충족했네. 이제 더는 할 일이 없어. 이 편지가 자네 손에 들어갈 때쯤이면 나는 이미 이 세상에 없겠지. 벌써 죽고 없을 거야. 아내는 열흘 전부터 이치가야의 숙모 댁에 갔네. 숙모가 병중이라 일손이 모자란다고 하기에 내가 보냈어. 나는 아내가 집을 비운 사이에 이 긴 편지의 대부분을 썼어. 이따금 아내가 돌아오면 나는 재빨리 그것을 감추었지.

나는 내 과거를 선악과 함께 다른 사람에게 참고로 제공할 생각이야. 하지만 아내만큼은 예외라고 생각해 주게. 아내에게는 아무것도 알리고 싶지 않아. 아내가 나의 과거에 대한 기억을 가능한 한 순백의 상태로 보존하게 해 주고 싶은 것이 내 유일한 희망이니 내가 죽은 후에라도 아내가 살아 있는 동안은 내가 고백한 모든 비밀을 자네 가슴속에 묻어 두기 바라네.

마음

격랑의 메이지 시대를 살다 간
고독한 근대 지식인의 초상

《마음》은 1914년(4월 20일~8월11일) 〈아사히 신문〉에 연재된 나쓰메 소세키의 대표적 장편 소설로, 일본 고교 교과서에도 실릴 정도로 꽤 많이 알려진 작품이다. 소세키는 직접 표지와 광고 도안까지 기획할 정도로 이 작품에 정성을 쏟았다. 다음의 글은 나쓰메 소세키가 1914년 9월 26일자 〈시사신보(時事新報)〉에 실은 《마음》의 광고문이다.

"자신의 마음을 다스리기를 원하는 사람들에게 인간의 마음을
다스리고 있는 이 책을 권합니다."

여기서 잠시 소세키와 이와나미 시게오(岩波茂雄)에 얽힌 유명한 일화를 한 가지 소개하고자 한다. 당시 시게오는 무명의 중고 서점을 운영하고 있었다. 〈아사히 신문〉에 연재된 《마음》을 읽

고 감동을 받은 그는 소세키를 찾아가 자신이 《마음》을 출판할 수 있게 해 달라고 간곡하게 부탁을 한다. 당시의 소세키는 소위 잘 나가는 유명작가였고, 많은 출판사에서 서로 그의 작품을 출판하고 싶어서 줄을 설 정도였다.

대학 교수직을 그만두고 오로지 문학을 생업으로 삼고 있던 그에게는 유명 출판사에서의 출판은 위험 요소가 적고 인세도 많이 받을 수 있는 기회였다. 하지만 시게오의 진솔한 마음에 감동한 소세키는 그의 간곡한 청에 흔쾌히 출판을 승낙했다. 그런데 경제적으로 어려웠던 시게오는 소세키에게 출판 비용까지 투자해 달라고 부탁했다. 소세키는 그 부탁마저도 들어주었다. 결과적으로는 소세키의 자비 출판이 된 셈이다. 당시 이름 없는 중고 서점이 대작가인 소세키의 작품을 출판한다는 것은 굉장히 이례적인 일이었다.

《마음》의 출판을 계기로 이와나미 서점은 출판사로 새로이 문을 열게 되었고, 소세키가 사망한 이후, 1918년 1월 최초의 《소세키전집》(전13권)을 간행하였는데, 이 전집이 큰 인기를 얻으면서 이와나미 서점은 대형출판사로 비약적인 발전을 이룬다.

소세키의 소탈하고 인간적인 면모를 엿볼 수 있는 꽤 유쾌한 에피소드라고 할 수 있다.

천황으로 시작되어 천황으로 끝난 메이지의 정신

이 작품은 후기 3부작으로 불리는 1912년의 《피안 지날 때까

지》, 1912년과 1913년에 걸쳐서 완성한 《행인》과 함께 인간의
깊은 내면에 있는 에고이즘과 인간으로서의 윤리관의 갈등이 잘
표현된 작품이다.

《마음》의 시대적 배경은 메이지 말기다. 소세키는 노기대장
의 순사에 영향을 받아 이 작품을 집필했다고 한다. 노기대장은
1877년 세이난전쟁(메이지유신을 주도했던 유신삼걸 중의 한 사람
인 사츠마[薩摩]번의 사이고 다카모리[西鄉隆盛]를 옹립하고 메이지
신정부에 저항했던 일본사무라이들의 반란으로 일본의 마지막 내전)
당시 연대장으로 출전했으나 반란군에게 군기를 빼앗기는 수모
를 당하고 자결을 시도했다. 1904년의 러일전쟁 당시 참가한 전
투에서 승리는 거두었으나 일본군 6만 명의 사상자를 내고 말았
다. 그 책임을 통감하고 할복을 하려고 했으나 메이지천황이 아
직은 죽을 때가 아니라며 만류했다. 1912년 메이지천황이 서거
하자 부인과 함께 할복자살을 했다.

아쿠다가와 류노스케(芥川竜之介)와 같은 일부 신세대 젊은이
들은 노기대장의 죽음을 '전근대적인 행위'라며 비판했다. 메이
지천황의 서거, 노기대장의 순사로 상징되는 시대의 변화에 따
라 '메이지의 정신'이 비판받을 것을 예측한 소세키는 '다이쇼(大
正)'라는 새로운 시대를 위해 '선생님'을 '메이지의 정신'으로 순사
시킨다.

그때 나는 메이지 정신이 천황으로 시작되어 천황으로 끝났다
는 생각이 들었습니다. 가장 강하게 메이지의 영향을 받은 우

296

리가 천황이 죽은 후에도 계속 살아있는 건 분명히 시대착오
라는 생각이 강하게 들었습니다. (중략) 메이지 천황이 국장을
치르던 날 밤, 나는 평소와 마찬가지로 서재에 앉아 예포소리
를 들었습니다. 내게는 그 소리가 메이지시대가 영원히 끝났
음을 알리는 소리처럼 들렸습니다.

-'선생님과 유서' 중에서

스스로 소외된 삶을 선택한 고등유민의 고독한 삶

어릴 적 갑작스럽게 부모님이 돌아가시고 나서 부모님의 재산
관리를 맡아온 숙부. 그러나 믿고 의지하던 숙부에게 유산을 빼
앗기고 나서 '선생님'은 인간에 대한 믿음을 상실하고 말았다. 아
버지가 그토록 칭찬하던 숙부가 자신을 속인 것처럼 다른 사람
들도 분명히 자신을 속일 것이라고 생각했다. 그의 인간에 대한
불신은 매우 깊어졌고, 인간 전체를 믿지 않게 된 그의 인간관계
도 그만큼 폐쇄적으로 변했다. 하지만 자신만은 그런 인간들과
다르다고 생각했다.

그러나 그는 사랑 때문에 절친한 친구였던 K를 배신하게 된
다. 하숙집 딸인 아가씨를 K도 좋아한다는 사실을 알고 질투심
에 K 몰래 아주머니에게 부탁하여 아가씨와의 혼인을 허락받는
다. 상처받은 K가 자살함으로써 그는 평생 죄의식에 사로잡혀
살아간다. K를 배신한 자신이 숙부와 다르지 않다는 사실을 깨
닫고 자책하며 고통스러워한다. 그는 결코 그런 자신을 용서할

수 없었다. K에 대한 배신으로 곧 자기 자신까지도 불신하게 된다. 대학을 졸업한 엘리트 인재였지만 K에 대한 죄책감으로 인해 속죄하는 마음으로 사회와 단절한 채 고등유민으로서 쓸쓸하고 고독한 삶을 산다.

그러던 어느 날, 신문에서 노기대장이 죽기 전에 쓴 편지를 읽고 마침내 자결하기로 결심한 '선생님'은 유일하게 진실하다고 믿는 '나'에게 자신의 아내에게조차 말하지 않았던 자신의 비밀스런 과거를 고백하는 장문의 유서를 남긴다. 그러고 나서 자살을 선택한다.

'선생님'은 왜 자살했을까? 어쩌면 메이지 천황을 따라 할복한 노기대장처럼 '선생님' 역시 죽음으로 K에게 속죄하고 싶었는지도 모른다. 또 어쩌면 자신이 갇혀 있던 고통스런 마음의 감옥에서 그만 해방되고 싶었는지도 모른다. 이처럼 다양한 해석들이 나오고 있지만 결국 《마음》을 읽은 각 독자들의 몫이 아닐까?

불행했던 유년 시절의 기억

소세키는 여덟 남매 중 늦둥이 막내로 태어나자마자 경제적인 곤란 등의 이유로 친부모에게 버림을 받고 두 번이나 양자를 가야 했다. 아홉 살 때 양부모의 이혼으로 생가로 돌아오지만 친부와 양부의 대립으로 그는 꽤 오랜 시간 시오바라라는 양부의 성으로 살아야 했다. 그가 나쓰메가로 복적된 것은 그의 나이 스물한 살 때였다.

소세키의 다른 작품에서도 그의 불행했던 유년 시절을 떠올리게 하는 장면들이 등장하는데 《마음》에서도 그런 부분이 엿보인다. 어릴 때 생모를 잃고 친부와 계모 밑에서 자라다가 느닷없이 다른 집안에 입양되었으나 대학에서 자신들이 원하는 의사공부를 하지 않았다는 이유로 양부모에게 파양당하고 다시 본가로 복적되는 K.

일본의 양자 문화는 핏줄을 중시하는 우리와 조금 다르다. 일본은 대를 잇기 위해 K처럼 전혀 혈연관계가 아니더라도 자식으로 입양하는 경우가 많다. 또한 결혼하면 보통 아내가 남편의 성으로 바꾸지만 딸만 있는 집에서는 사위가 아내의 성으로 바꾸는 경우도 많다.

《마음》에는 마치 다빈치 코드처럼 '소세키 코드'가 있다

《마음》은 분명 100년 전 소설이지만 당시의 젊은이들이 고뇌하는 주제는 시대가 바뀌어도 현재와 크게 다르지 않아 보인다. 사랑과 우정사이에서 고민하고 상처받는 '선생님'과 K.

양부모는 대학에서 의학을 공부해서 의사가 되기를 바라지만 본인은 전혀 그 직업에 관심이 없는 K. 아들의 대학 졸업장을 보고 기뻐하는 '나'의 아버지, '선생님'에게 취업을 부탁해 보라는 '나'의 어머니. 취업이 쉽지 않은 현실 속의 '나'의 모습에서 스펙을 아무리 많이 쌓아도 원하는 곳에 취업이 쉽지 않은 요즘 젊은이들의 모습을 보는 듯하다.

재일교포 2세이자 《고민의 힘》의 저자 강상중은 《마음》에 대해 이렇게 말했다.

"《마음》이라는 소설의 가장 큰 모티브 중의 하나는 역시 인간과 인간의 인연이라고 생각한다. 본질적인 문제를 인간의 마음의 세계로 그려낸 것이 매우 대담하고 실험적이다. (중략) 《마음》에는 마치 다빈치 코드처럼 '소세키 코드'가 있다고 생각한다. 자신의 변화와 더불어 어떤 사람을 만나고 어떤 책을 읽었으며, 어떤 운동을 하고, 어떤 좌절을 하고, 실연 등을 경험하는 가운데 소세키의 흔한 대화 문장에서 대단한 무언가가 감춰져 있는 듯한 '소세키 코드'를 읽을 수 있는 변화가 자신 안에서 일어난다면 그 안에서 엄청난 것을 발견할 수 있을지도 모른다. 그런 점에서 소세키의 소설은 역시 '어른의 소설, 어른의 문학'이라고 할 수 있지 않을까?"

김활란

1867년   2월 9일 도쿄 신주쿠에서 나쓰메 고헤이나오카쓰와 후처 치에의 5남 3녀 중 막내로 태어났다. 본명은 나쓰메 긴노스케(夏目金之助)다. 연로한 부모 탓에 나쓰메 소세키는 요쓰야의 만물상에 수양아들로 보내지지만 곧 돌아온다.

1868년   시오바라 쇼노스케와 야수 부부의 양자가 되어 시오바라 가에 입적된다.

1870년   천연두를 앓고 나서 얼굴에 흉터가 남게 된다.

1874년   양부로 인한 가정불화가 생겨 양모와 함께 친가로 돌아온다. 11월에 아사쿠사의 도다 소학교에 입학한다.

1875년   이치가야 초등학교로 전학한다.

1879년 도쿄 부립 제일중학교에 입학한다.

1881년 모친이 54세의 나이로 별세하고 중학교 중퇴 후 한문을 배우기 위해 니쇼학사에 입학한다.

1883년 세이리쓰 학사에 입학해 영어를 배운다.

1887년 3월 큰형 다이스케, 6월 둘째 형 나오노리가 폐결핵으로 사망한다.

1888년 1월 나쓰메 가로 복적하고, 제1고등중학교 본과에 진학하여 영문학을 전공한다.

1889년 하이쿠 시인 마사오카 시키와 교우를 시작한다. 이 만남은 소세키의 문학 생애에 결정적인 역할을 한다.

1890년 제1고등중학교 본과를 졸업하고, 9월 도쿄 제국대학 문과대학 영문과에 장학생으로 입학한다.

1893년 도쿄 제국대학 영문학과를 졸업하고, 동 대학원에 진학한다. 10월, 도쿄 고등사범학교 영어 교사로 부임한다.

1894년 폐결핵 초기 진단을 받는다. 가마쿠라의 원각사에서 참

선한다.

1895년 신경 쇠약으로 도쿄 고등사범학교를 사직하고, 시코쿠의 에히메 현에 있는 마쓰야마 중학교 영어 교사로 부임한다. 이때의 경험이 《도련님》의 소재가 된다.

1896년 마쓰야마 중학교 영어 교사를 사직하고 구마모토 현제5고등학교 교사로 부임한다. 6월 중매로 나카네 교코와 결혼한다. 7월 교수로 승진한다.

1897년 6월 부친이 사망한다. 7월 아내 교코가 유산을 한다.

1898년 아내 교코가 히스테리 증세가 심해져서 이시가와 못에투신자살을 기도한다.

1900년 일본 문부성에서 최초로 선발한 유학생 자격으로 10월영국에 도착, 본격적인 영문학 공부를 시작한다.

1901년 4월 런던에서 폐결핵으로 병상에 누워 있는 마사오카시키에게 긴 편지를 보낸다. 이 편지는 《런던소식》이라는 제목으로 잡지 〈호토토기스〉에 게재된다.

1902년 9월 생애의 친우 마사오카 시키가 사망한다.

1903년 1월 영국 유학에서 돌아와 제1고등학교 교사와 도쿄 제국대학 영문학과 강사를 겸임한다.

1905년 잡지 〈호토토기스〉에 연재하던 소설을 묶어 《나는 고양이로소이다》를 출간하고부터 인기 작가로 부상한다.

1906년 4월 《도련님》, 9월 《풀베개》를 연이어 발표한다. 이듬해 교직을 사직하고 〈아사히 신문〉에 소설을 쓰는 기자로 입사한다.

1908년 〈아사히 신문〉에 《산시로》를 연재한다.

1909년 〈아사히 신문〉에 《그 후》를 연재한다. 대학 친구인 남만주철도 총재인 나카무라 제코의 초대로 만주와 조선을 여행 후, 《만한 이곳저곳》을 연재한다.

1910년 〈아사히 신문〉에 《문》을 연재한다.
8월 위궤양 진단을 받은 소세키는 요양차 갔던 시즈오카의 슈젠지 온천에서 병세가 악화되어 혼수상태에 빠졌다가 깨어난다. 이를 '슈젠지의 대환'이라고 한다.

1911년 위궤양으로 입원 중 문부성으로부터 문학박사 학위 수여받으나 거절한다. 11월 두 살밖에 안 된 다섯째 딸 히나코가 급사한다.

1912년 〈아사히 신문〉에《피안 지날 때까지》《행인》을 연재한다.

1914년 《마음》을 발표한다. 9월 위궤양이 재발한다. 11월 '나의 개인주의'를 강연한다.

1915년 〈아사히 신문〉에 수필《유리문 안에서》와 자전적 소설 《미치쿠사》를 연재한다.

1916년 《명암》 집필 중에 12월 9일, 위궤양으로 사망한다.

옮긴이 김활란

일본 오사카 부립 대학 사회복지학과를 졸업하고 경희대학교에서 일어일문학을 전공했으며,
문학박사 학위를 받았다. 현재 경희대학교에서 강의하면서 일본 문학 전문 번역가로 활동하
고 있다. 옮긴 책으로는 《세상의 끝에 머물다》《여섯 번째 가족》《바람을 본 소년》《불교우화》
《고마워 챔프》《오늘도 살아 있습니다》《다시 만날 날까지》등이 있다.

마음

개정 1쇄 펴낸 날 2020년 12월 1일
개정 2쇄 펴낸 날 2021년 1월 30일

지 은 이   나쓰메 소세키
옮 긴 이   김활란
펴 낸 이   장영재
펴 낸 곳   (주)미르북컴퍼니
자 회 사   더클래식
전   화   02)3141-4421
팩   스   02)3141-4428
등   록   2012년 3월 16일(제313-2012-81호)
주   소   서울시 마포구 성미산로32길 12, 2층 (우 03983)
E-mail   sanhonjinju@naver.com
카   페   cafe.naver.com/mirbookcompany

* (주)미르북컴퍼니는 독자 여러분의 의견에 항상 귀 기울이고 있습니다.
* 파본은 책을 구입하신 서점에서 교환해 드립니다.
* 책값은 뒤표지에 있습니다.

더클래식

세계문학
컬렉션

* 더클래식 세계문학 컬렉션은 계속 출간될 예정입니다.